62

D0505268

Mort d'un général

John Saul

Mort d'un général

Roman traduit de l'anglais (Canada)

Rivages

Titre original : *The Birds of Prey*
Ce livre est déjà paru sous le même titre
aux Éditions du Seuil en 1977

© 1993, John Ralston Saul
© 1997, Éditions Payot & Rivages
pour l'édition de poche
106, bd Saint-Germain – 75006 Paris

ISBN : 2-7436-02 09-0
ISSN : 1160-0977

à C. de G.,
un admirateur

SANS PEUR
ET
SANS REGRET

Le voyage du général Marcotte dans l'océan Indien a pris fin tragiquement hier soir à 23 heures. Après avoir assisté à une réception et à un dîner officiel à la Préfecture, le général, accompagné de sa femme et de sa fille, s'est rendu à l'aéroport Cassot. Il y fut rejoint par quatre membres de son état-major et par treize membres d'équipage.

Il faisait nuit noire et il pleuvait. Le DC 6 était alourdi par une provision importante de carburant : des réservoirs supplémentaires avaient été mis en service pour permettre un vol direct jusqu'à Djibouti.

À 23 h 15, le quadrimoteur abordait la piste. La tour de contrôle remarqua qu'il avait quelque difficulté à prendre l'air. La piste d'envol de l'aéroport est parallèle au rivage. Sur la droite, des collines et, derrière elles, un volcan, le piton des Neiges. Juste en face, à faible distance, se dressent également de nombreuses collines ; à gauche, la mer.

Le décollage s'effectue parallèlement à la plage et dès qu'un appareil a pris l'air, il doit rapidement virer à gauche. Mais le DC 6 du chef d'état-major général a paru virer à droite : la tour de contrôle l'a averti qu'il entrait dans la zone dangereuse ; il était trop tard.

11

Quelques secondes après, l'appareil a heurté un câble à haute tension, plongeant l'île dans l'obscurité. Il a percuté ensuite un bouquet d'arbres, puis le sol. Les dix-huit mille litres de carburant ont explosé sous le choc. Tous les passagers ont été tués sur le coup, à l'exception d'une hôtesse qui se trouvait à l'arrière de l'avion et qui a été dégagée de son siège par un jeune paysan accouru d'un village situé non loin des lieux de l'accident ; elle est à l'heure actuelle dans un état très grave.

L'accident s'est produit quatre-vingts secondes après le décollage. »

Il quitta des yeux la collection de journaux, pencha lentement la tête en arrière. Son regard erra sans s'arrêter sur la vaste coupole « dix-neuvième » ornée de figures allégoriques brandissant les grands noms de la littérature, ceux de batailles historiques, ou les symboles des vertus qu'avait admirées le Paris de Louis Napoléon. Il ferma les yeux et tenta de reconstituer la scène, là-bas, à la Réunion, à partir de ce qu'il devinait entre les lignes de ces journaux défraîchis, datant de plus de quatre ans.

L'avion déchiqueté. Des milliers de morceaux éparpillés aux alentours parmi les champs de canne à sucre. Une vilaine pluie tombe sur l'incendie. Les paysans, jetés à bas de leurs lits par l'explosion, sortent de chez eux et s'approchent lentement, avec précaution. Des flammes jaunes embrasent les débris de l'épave et trouent l'obscurité. Des centaines de photographies à demi consumées flottent encore dans l'air : celles du voyage officiel du général dans l'océan Indien, et jusqu'à celles de son arrivée triomphale à la Réunion, le matin même, au même aéroport. Dans le coin noirci d'une de ces épreuves posée sur une branche, une main s'agite ; sur telle autre, d'un visage poupin, carbonisé, il ne reste qu'un regard perçant et inquisiteur derrière des verres fumés. Il y a des corps, des morceaux de corps qui gisent dans d'étranges postures, comme s'ils n'avaient jamais cessé d'être là, séparés de leur être antérieur. À ce spectacle, les paysans reculent d'horreur. Ils entendent les gémissements d'un survivant, ils le trouvent : c'est une femme ensanglantée, lacérée, les vêtements en lambeaux, les os broyés, encore attachée à son siège. Dans ce fauteuil droit, échoué là, elle ressemble à quelque étrange spectateur isolé au milieu des hautes cannes qui l'empêchent de voir l'écran... Un jeune homme sort de sa poche un couteau et, d'un coup de lame, la libère des débris du grand oiseau surgi du néant. Un seul coup, comme s'il égorgeait un poulet.

Le préfet de l'île et les autres personnalités officielles arrivent du dîner que Marcotte a quitté il y a à peine une heure. Ils déambulent nerveusement, en grand uniforme, au milieu des débris, cherchant à se protéger de la pluie. Ils organisent en vain des opérations de secours là où il n'y a plus personne à secourir...

Il rouvrit les yeux pour échapper à cette vision macabre. À sa gauche, une vieille femme coiffée d'un chapeau tarabiscoté, sans âge, feuilletait des archives sur la mode du dix-huitième siècle. À sa droite, un jeune étudiant américain à l'allure négligée tournait avec ennui les pages de mensuels socialistes défunts. À l'extérieur de l'immense salle sans fenêtres de la Bibliothèque nationale, on était le 8 mai 1972. C'était un frais matin de printemps.

Il se remit au travail.

CHAPITRE PREMIER

6 mai 1972

Les pierres plates du Gois, sinistres et grises, barraient l'horizon. Une odeur profonde et sombre en montait, comme si elles recelaient quelque immense cimetière où serait enterré tout ce que l'Atlantique emporte et détruit et réduit à ses éléments premiers.

Une ligne noire coupait ce paysage. C'était une construction d'autres pierres plates, plus pesantes, taillées en carré pour s'ajuster les unes aux autres, et assez lourdes pour ne pas être emportées par la marée qui, deux fois par jour, recouvrait cette route primitive. Il s'agissait de la voie qui relie l'île au continent, six kilomètres plus loin. Une personne quittant Noirmoutier par cette longue bande étroite en pente douce au milieu de la mer aurait pu s'imaginer descendre vers quelque rive désolée des enfers.

François de Maupans n'avait pas cette crainte. Il dépassa sa femme et ses quatre invités et, laissant l'île derrière lui, avança rapidement le long de la route. Sa silhouette massive oscillait au rythme de ses pas et ses bottes se posaient sans hésiter sur les pierres rendues légèrement glissantes par la dernière marée. Il insistait toujours pour faire visiter le Gois à ceux qui voyaient Noirmoutier pour la première fois.

Il tourna la tête, déjà en sueur, et cria à ses compagnons qui hésitaient à le suivre sur la pierre humide :

— Avant la construction de ce pont obscène à l'autre bout de l'île, il fallait emprunter cette route, à travers le Gois. Si vous partiez trop tard, vous étiez pris par la marée, votre voiture emportée par les eaux et, avec un peu de chance, vous vous en sortiez en finissant la nuit sur une de ces choses...

Il montrait du doigt la rangée de tours de pierre dressées tous les cent mètres en bordure de la route. Dans le jour gris, on aurait dit des potences.

Le petit groupe pressa le pas et rencontra la marée montante à un kilomètre de là. Ils s'arrêtèrent, regardèrent les eaux croître et recouvrir la chaussée. Puis ils firent demi-tour et revinrent plus lentement, la marée sur leurs talons.

— C'est ici que j'ai eu ma plus grande révélation, dit Maupans avec satisfaction. J'y ai compris qu'à sa naissance, un être n'est jamais banal, mais qu'il le devient.

Quelques instants plus tard, un des invités s'arrêta, laissant les autres prendre de l'avance. Il se retourna et regarda les eaux tourbillonner, plus noires dans le soir tombant. Il baissa les yeux et vit la mer s'avancer, remplir les failles des pierres, recouvrir ses semelles crantées, bientôt grimper le long de ses bottes.

C'était un homme grand, d'allure presque fragile. De solides épaules, mais trop déliées pour qu'il parût pesant. On le devinait calme sous son chandail épais, abandonné à la contemplation de la mer qui l'absorbait tout entier. Un homme de silence, semblait-il.

La mer commençait à enserrer ses chevilles imperceptiblement. Les yeux toujours baissés, il l'observa avec plus d'attention, comme pour saisir le sens caché de ce mouvement. Son regard était vert, peut-être à cause du reflet de l'eau. Il semblait assister au spectacle de la disparition de ses jambes, d'un air impassible. Ses amis s'étaient éloignés ; il se retourna dans leur direction et devina leurs silhouettes. La lumière tomba sur son visage : c'était celui d'un homme jeune, d'à peine trente-cinq ans. La mer l'avait maintenant dépassé d'une centaine de mètres. Il abaissa de nouveau son regard sur l'eau qui atteignait presque le haut de ses bottes et se mit brusquement à marcher à longues enjambées, en traînant les pieds. Ses pas fendaient l'eau qui se refermait derrière lui.

Les cinq autres l'attendaient là-haut, au bout de la route. Il les rejoignit en silence et tous se mirent à contempler les rochers maintenant recouverts, et les tours sinistres émergeant comme des gibets déserts.

Il prit Maupans par le bras et l'entraîna vers la voiture comme s'ils avaient été seuls.

— Tu avais raison, lui dit-il, à propos des gens qui deviennent banals. (Maupans lui décocha un coup d'œil.) Mais sais-tu pourquoi ? Je vais te le dire : un homme devient banal quand il n'a jamais eu peur.

— Mais, Charles, dit Maupans en riant, je connais une foule de héros assommants !

Son invité le coupa :

— Ennuyeux est le contraire de banal.

— Est-ce pour cela que tu attendais d'être emporté par les eaux ?

— Mais non, François, je me sauve toujours avant d'avoir peur.

Ce n'était qu'un constat. Il lâcha le bras de Maupans et se tourna vers l'une des femmes qui les accompagnaient en murmurant une phrase qui commençait par son prénom : « Agnès. » Tous deux partirent en suivant la petite route étroite jusqu'à ce que la voiture conduite par Maupans les eût rejoints, s'arrêtant pour les laisser monter.

Aux yeux de son père, François de Maupans était un tantinet dégénéré. Il se faisait remarquer. Il s'habillait trop bien, voyait beaucoup trop de gens que son père n'arrivait pas à situer. Il trouvait plaisir à diriger sa société, à gérer ses biens. Il aimait la belle vie.

Au moment de leur mariage, sa femme était aux yeux de son père un modèle de perfection. Il suffisait de connaître son nom pour savoir où elle habitait, quelle école elle avait fréquentée, qui étaient ses amis, les prénoms de ses enfants, et aussi ce qu'elle pensait car elle pensait presque toujours la même chose que vous.

Sous l'influence de son mari, elle avait abandonné certains traits de sa classe et cherchait à l'imiter. Mais ce qui chez lui venait naturellement était pour Hélène un poids, souvent mal assumé. Noirmoutier était pour elle une évasion. La maison était modeste ; elle n'y amenait qu'une domestique. Elle y traitait ses invités avec simplicité et les encourageait à boire, ce qui lui permettait de les accompagner, en bonne maîtresse de maison. Et boire était un plaisir simple : elle avait découvert qu'il rendait plus agréables ses moments de loisir.

Il était 10 heures du soir. Ils étaient dehors, autour d'une grande table. Un parfum de jacinthes montait des jardins en friche du voisinage. Au-dessus d'eux se dressaient les silhouettes rabougries, tordues, épineuses des chênes verts dominant cette partie de l'île. Les huîtres avaient été emportées. Un bar grillé venait d'être servi.

Maupans avait placé Agnès de Pisan à sa gauche. C'est Charles Stone qui avait suggéré qu'on l'invitât. Elle était comme prévu : charmante. À côté d'elle se trouvait Stone, là où Maupans avait souhaité le placer : à sa portée. Il y avait ensuite Hélène, puis un des cousins d'Hélène dont il n'arrivait jamais à retenir le nom, et à sa propre droite une femme, Mélanie Vincens : elle était jolie, car Maupans avait définitivement écarté toutes les amies de sa femme qui ne l'étaient point.

Hélène semblait tendue, peut-être en raison de la présence de Stone à côté d'elle. C'était un ami de son mari. Il était amusant, attrayant, de bonne éducation — elle n'arrivait jamais à le prendre en défaut. Pourtant il restait une énigme, était difficile à cataloguer. Un être à part, comme tous les amis de son mari, par conséquent peu prévisible, ou si l'on veut peu reposant. Agnès de Pisan était de la même race.

En temps normal, Maupans n'avait aucun mal à se séparer pour quelques jours de son petit cercle parisien. Mais, de temps à autre, sa femme l'autorisait à amener avec lui tel ou tel de ses amis, en général lorsque la durée du séjour dépassait le week-end ; autrement, il serait vite devenu insupportable.

Charles Stone était exactement ce que Maupans appelait un ami. Ils s'étaient rencontrés un peu plus d'un an auparavant à New York, puis de nouveau trois mois plus tard à New Delhi. Maupans s'y trouvait pour affaires. Stone y était, tout simplement, et ne fournit pas d'explications sur sa façon de vivre.

Il avoua à Maupans connaître bien Paris, s'y rendre souvent, y fréquenter toute sorte de gens que Maupans connaissait, des tas de gens différents qui ne se connaissaient pas entre eux.

Un jour, Maupans lui demanda à quoi il employait son temps. Il répondit qu'il écrivait. Personne ne le crut vraiment. Il semblait beaucoup trop occupé à jouir de l'existence, non pas exactement des plaisirs de la vie, mais de ses détails, de sa perfection formelle. On ne l'imaginait guère s'arrêtant de temps à autre pour regarder autour de soi puis se mettre éventuellement à écrire. Il donnait plutôt l'impression d'un homme sûr de lui, non pas en s'imposant comme certains de façon agressive, mais par ses manières calmes et désintéressées, celles d'un être ignorant jusqu'au mot doute.

Pourquoi écrire ? Le cas échéant, qu'écrivait-il ?

Pas grand-chose apparemment. Stone fit lire un jour à Maupans un essai de quatre-vingts pages qu'il avait publié sur la guérilla dans la jungle malaise. Il n'avait pas eu de raison précise de choisir ce sujet, sauf qu'il l'intéressait. Au moment des troubles de Malaisie, il s'y était rendu en observateur et s'était arrangé pour être affecté à une compagnie de parachutistes expédiée en pleine jungle, prétextant qu'il allait écrire des articles qui feraient comprendre au monde entier la valeureuse mission qu'assumait l'armée britannique en le défendant des menées révolutionnaires.

L'article qui en résulta, écrit sous pseudonyme, tenait plus de l'étude des altérations de l'esprit humain sous l'effet d'une tension extrême que d'une justification politique des agissements de l'un ou l'autre camp.

À deux reprises, au cours des mois suivants, Maupans tomba sur un article signé du même pseudonyme, provenant d'endroits différents, sur des sujets tout aussi différents.

Au début, il l'avait cru anglais. Puis américain, à moins qu'il ne fût entre les deux. Il s'était arrangé pour jeter un coup d'œil sur le passeport de Stone : il était irlandais. Un mois plus tard, Maupans lui demanda s'il était bien irlandais : Stone prit un air absent et lui répondit fermement qu'il ne l'était pas.

Il rentrait juste du Maroc et était en train de leur raconter ce qu'il y avait vu :

— Étonnant, une dictature aussi parfaitement égocentrique. Le roi exploite le pays à son profit comme s'il s'agissait d'une petite propriété privée. Il vit dans un luxe extrême et une peur absolue. Quel gâchis : disposer de tout ce pouvoir et se conduire comme un petit play-boy...

— Donc vous avez menti !

Maupans posa son bras sur l'épaule de la femme assise à sa droite.

— Ma chère Mélanie, vous exagérez. Je n'ai pas l'habitude de vous entendre parler avec une telle véhémence. Hélène nous aurait-elle tous trop fait boire ?

— Vraisemblablement, dit-elle. (Elle souriait d'un air boudeur.) N'empêche qu'il a menti. Tout à l'heure, il vous approuvait quand vous disiez que personne n'est banal en naissant. Il prétendait que la peur vous préserve de le devenir. Alors, qu'en est-il de ce roi qui joue au play-boy mais vit constamment dans la peur ?

— Vous avez tout à fait raison, dit Stone en s'inclinant complaisamment vers elle. J'ai menti pour ce qui le concerne ; mais pas pour moi.

Elle eut un geste pour l'interrompre. Elle se reprochait déjà d'avoir commencé à le contrer, mais maintenant il lui fallait continuer.

— Je veux dire : vous vous êtes complètement trompé. Il existe une banalité congénitale chez beaucoup de gens, savez-vous ? Chez celui que j'ai épousé, par exemple. C'était l'homme le plus platement banal que j'aie jamais rencontré. Pas une seule fois il n'est sorti de ses limites.

— Vous êtes une veuve bien peu charitable, ma chère Mélanie, lui lança Maupans en riant. Je ne suis pas sûr que j'aurais aimé être votre mari.

— Vous ne l'auriez pas été. J'ai voulu ce que j'ai eu. Mon mari a toujours été un être banal, en toute chose sauf dans sa mort. Au moment où, selon votre définition, il aurait dû avoir peur, il était ivre.

Le regard de Stone était fixé sur elle. Un silence gêné s'était emparé des autres convives.

— Et pourquoi dites-vous cela ? demanda enfin Stone.

— Charles, je vous en prie ! s'écria Maupans. Nous connaissons tous cette histoire, et je n'ai pas envie de la réentendre.

— Mon mari était dans l'aviation. Il faisait partie de l'équipage qui ramenait à Paris le chef d'état-major général, il y a quatre ans, en mars 1968. L'avion s'est écrasé et il n'y a eu aucun survivant.

— Si je comprends bien, une avanie tient lieu pour vous de qualité. Votre mari semble en effet avoir été quelqu'un de très banal.

— Sauf qu'il n'y avait aucune raison pour que cet accident ait lieu. Absolument aucune. Nulle explication n'a jamais été fournie. Les corps ont été ramenés d'une île perdue de l'océan Indien où l'événement avait eu lieu. Nous avons dû les enterrer sans trop comprendre pourquoi. Par la suite, on a officieusement laissé entendre que l'équipage était ivre. Mais je peux vous dire que c'était un mensonge.

— Tu n'es peut-être pas au courant, Charles... » Maupans l'avait interrompue en posant la main sur son bras et se penchait à présent sur la table, comme s'il avait voulu se faire comprendre d'un étranger peut-être incapable de bien saisir les nuances. « Chaque fois qu'en France une personnalité importante vient à mourir dans un accident, il se trouve toujours quelqu'un pour crier à l'assassinat. Nous sommes violents en imagination, même si nos actes ne le sont guère. »

Mélanie s'était tassée sur son siège. La lumière laissait dans l'ombre son visage incliné. Elle parla dans un souffle qui contraignit Maupans au silence :

— Je voulais croire à un accident. C'est tout ce que je voulais. Mais je n'ai pas pu, voyez-vous, à cause de leurs mensonges. Pauvre Thomas ! Il ne buvait même pas. Il n'a jamais bu.

Stone cligna des yeux. Son regard était clair, interrogateur.

— Une autre bouteille ! s'écria Maupans. Le moins que nous puissions faire est de boire à notre tour à sa mémoire. Au demeurant, vous faites erreur, Mélanie, et vous avez des préjugés : ce n'est pas du tout une île perdue, on l'appelle l'île des Poètes.

Le lendemain matin, Stone et Maupans sellèrent deux chevaux et parcoururent les plats herbages de l'île. Il était tôt, le ciel était d'un bleu italien très vif, bordé de longs nuages étirés. Sur ce terrain inaccidenté, ils avançaient rapidement en direction du Gois. Quand ils y parvinrent, la marée avait commencé de descendre et la chaussée dégagée scintillait au soleil.

— C'est une femme étrange, votre Mélanie. Qu'en est-il exactement de ce qu'elle nous a raconté ?

Maupans ne répondit pas tout de suite. Tourné vers le Gois, il se tenait penché sur le pommeau de sa selle, respirant fortement les odeurs qui montaient vers eux.

— Je l'ai toujours connue comme une femme plutôt charmante. Elle s'appelle Vincens. Cela ne te dira probablement rien. Comme elle le faisait remarquer hier soir, Thomas Vincens n'avait rien d'une personnalité exceptionnelle. Tu as peut-être entendu parler du père de Mélanie. Il s'appelle Rogent... (Stone opina.) C'est un héros de la Résistance. Fait prisonnier, torturé. Il est encore en vie, ou plutôt il survit : on lui a retiré la moitié des entrailles. Quant à sa mère, c'est également une héroïne de la Résistance. Elle aussi prisonnière et torturée. Mais elle n'a pas survécu. J'ai cru comprendre que les Allemands avaient rendu son cadavre en morceaux, pour l'exemple.

Voila pourquoi Mélanie a épousé Vincens. Tout ce qu'elle désirait, c'était le calme et la stabilité. Il les lui apporta. Et son cadavre à lui aussi lui fut rendu en morceaux. Étrange farce du destin...

— C'était vraiment un accident ?

Maupans haussa les épaules et fit avancer son cheval :

— Rentrons par la plage tant que la marée est encore basse.

Cet après-midi-là, Stone proposa à Mélanie une promenade sur le sable, le tour de l'île s'il le fallait, le temps de la convaincre qu'il lui arrivait de ne pas mentir.

Stone était grand — suffisamment pour s'affirmer sans effort, mais pas exagérément, ce qui lui permettait volontiers de passer inaperçu. Il était parfaitement bien dans sa peau : ce trait qui peut paraître anodin était chez lui très affirmé. Sa force physique n'était guère apparente, car il avait des traits doux et réguliers et une silhouette presque frêle. Il en allait de même de sa personnalité qui semblait celle d'un être un peu trop normalement équilibré. Pourtant, il était loin d'être fragile et son caractère, à l'examen, s'avérait plus secret qu'équilibré.

Sa façon de marcher allait de pair : très calme, mesurée, comme pour ne pas perturber le monde autour de lui.

Stone avait le don de comprendre ce que les gens souhaitaient voir et entendre, et plus encore de saisir ce qu'ils attendaient de lui. Son grand talent était de répondre exactement à cette attente. Non par faiblesse de caractère, pas du tout ; il avait commencé dès son adolescence, par délicatesse : les gens ont tant de mal à parler avec quelqu'un qui ne leur ressemble pas. Il essayait de mettre ses interlocuteurs à l'aise, de les détendre en se plaçant à leur portée. Plus tard, sa délicatesse s'était émoussée, mais il avait su préserver cette attitude : le cœur d'un homme ou d'une femme ne s'ouvre jamais mieux que lorsqu'il croit avoir conquis.

Sans plan tactique, presque sans y penser, tout en marchant le long du rivage, il mit Mélanie en confiance. Il se mit à parler du sable, cita tout ce dont il se souvenait de la poésie anglaise à ce sujet, des bribes d'Eliot, le Walrus et Carpenter et même, en remontant plus loin, les plats déserts d'Ozymandias dont on ne savait pas la fin...

Elle avait une bouche large et charnue qui se gonflait quand elle souriait, et une drôle de façon de rire, la tête renversée, comme sans défense. Il ne s'y attendait guère : elle semblait se dédoubler par instants, comme si une autre femme, rieuse, se substituait à elle pour disparaître peu après. Dans ces moments-là, elle devenait légère, aérienne, citant à son tour des poèmes français. De Victor Hugo, de Baudelaire et enfin, presque pour elle-même, de Saint-John Perse :

Les armes au matin sont belles et la mer...
Et le soleil n'est point
nommé, mais sa puissance est parmi nous.
Et la mer au matin comme une présomption de l'esprit...

Sa voix s'estompa ; elle s'arrêta pour contempler la mer soumise et familière. Elle semblait avoir oublié la soirée précédente et quand Stone ramena la conversation à son monde à elle, elle ne parut pas s'en formaliser.

Elle lui parla de sa vie, de son enfance. Elle n'avait connu sa mère que par ce qu'en racontait son père, qui ne lui avait épargné aucun détail ni de son héroïsme ni de ses souffrances. Son père ? Il vivait en reclus dans un appartement de la rue de Constantine qu'il avait refusé d'aménager confortablement. Il voyait l'existence comme une longue course cahotante, imprévisible, semée d'embûches. Il ne voulait rien prévoir. Pour quoi faire ? Avec ce que demain vous réserve... De toute façon, il y avait longtemps que les choses de la vie ne l'intéressaient plus.

Quand elle avait rencontré Thomas Vincens, ç'avait été un rêve merveilleux. Thomas était un homme qui ne s'embarrassait pas d'idées compliquées, de rêves ni même de nuances. Un homme qui avait les pieds sur terre, qui vivait pour de petites choses et se déplaçait dans la vie avec lenteur, pour n'en rien manquer.

— Mais pourquoi avait-il choisi l'aviation ?

— Beaucoup de pilotes sont comme il était. La vieille figure de l'aventurier a disparu. C'est un type d'individus trop dangereux. Aujourd'hui, les pilotes sont des gens pondérés et efficaces. Il n'y a plus place pour le risque. Thomas — elle fit une pause, s'immobilisa sur la plage, se tourna vers lui avec un sourire embarrassé —, Thomas était encore plus prudent que la moyenne. C'est d'ailleurs la raison pour laquelle il faisait partie du GLAM.

Stone la regarda, perplexe.

— C'est le Groupe de Liaisons Aériennes Ministériel dont la mission est de transporter les personnalités officielles. Deux semaines avant l'accident, Thomas avait accompagné de Gaulle à bord du même avion, pour une cérémonie à la mémoire des disparus du sous-marin *Minerve*.

— Et deux semaines plus tard, il se retrouvait dans l'océan Indien.

— En effet.

Elle s'éloigna et se mit à marcher tout près de l'eau, lançant du bout du pied des mottes de sable dans les vagues. Stone la contempla avec un léger recul. Elle se comportait comme un enfant, avec la même insouciance, la même légèreté, le même égocentrisme. Elle devait en être consciente : c'était sa protection. Elle avait d'ailleurs le charme et la grâce d'un enfant, mais, comme chez l'enfant, son calme était contraint. La brise dérangeait ses cheveux courts et ce désordre-là lui paraissait naturel.

Il la rejoignit au bord de l'eau et posa la main sur son épaule. Elle se retourna machinalement et reprit :

— Marcotte était en voyage officiel à Madagascar. C'est au retour qu'ils ont fait escale à la Réunion.

— Et que s'est-il passé ?

— Je vous l'ai dit. Ils ont fait un décollage de nuit et sont allés s'écraser contre les montagnes. Une commission d'enquête fut envoyée là-bas à bord de l'appareil qui venait rechercher les corps, mais rien n'a transpiré des résultats de cette enquête. Il y eut des obsèques solennelles aux Invalides, comme celles qu'on réserve aux héros, parce que Marcotte était parmi les victimes, et c'est par la suite, à travers nos amis, que nous avons appris qu'il y avait eu défaillance humaine : nos maris étaient fin saouls. Quel contraste touchant !

— Pourquoi liquider dix-huit innocents dans le but de supprimer un seul individu ? Il y a tant d'autres moyens !

— Écoutez : je ne vous ai pas dit un mot. Je ne vous ai rien dit ! (Elle lui prit le bras.) Je ne veux rien entendre : ni votre scepticisme ni vos questions. Hier soir, c'est vous qui m'avez provoquée.

Il l'interrompit :

— C'est vous-même qui vous êtes provoquée.

Elle s'écarta de lui.

— J'ai seulement dit que mon mari ne buvait pas. Et que j'avais du mal à imaginer le vieux Bradier, ou n'importe lequel des autres, faire la bombe avant un long vol de nuit. C'est tout ce que j'ai dit. Je les connaissais. Ils étaient comme mon mari. Des gens consciencieux. Parlons d'autre chose, voulez-vous ?

Il se mit à réciter :

> Je suis allé au bord de la mer
> Voir ce que je pourrais voir
> Au bord de l'eau
> Près de la mer.
>
> Je suis allé au bord de la mer
> Écouter ce que je pourrais entendre
> Au bord de l'eau
> Près de la mer.
>
> J'ai entendu voguer ma vie
> Comme un fanal dans le bleu des vagues
> Emporté sur la mer
> Et rapporté par elle.
>
> Puis j'ai vu mon destin
> Sombrer dans cette noire saumure
> Au creux des eaux
> Au fond des mers.

Elle rit en contemplant son visage devenu soudain mélancolique.

— Seriez-vous la seule à pouvoir être triste ? demanda-t-il.

— Bien sûr. Ils ne vous l'ont pas dit ?

CHAPITRE II

Les yeux de Stone s'ouvrirent soudain, encore brouillés dans le demi-jour. C'était le lendemain, lundi. Il était 5 heures du matin. Ses pupilles avaient du mal à discerner nettement cette forme contre laquelle il avait appuyé en dormant son visage. C'était comme la peau veloutée d'un fruit. Il reconnut l'épaule d'Agnès de Pisan et s'en écarta pour sauter à bas du lit.

Il ramassa et passa en hâte son peignoir, puis s'éloigna à tâtons dans le couloir en direction de sa propre chambre.

Il avait fait ses adieux la veille au soir : un événement imprévu l'obligeait à rentrer d'urgence à Paris. Ses excuses furent d'autant mieux acceptées qu'il avait eu auparavant une conversation téléphonique avec Paris d'au moins vingt minutes, malgré la mauvaise qualité de la communication. Il avait appelé d'une pièce voisine son vieil ami Bernard Harplan, vétéran des correspondants de presse américains à Paris. Même sur cette ligne pleine de parasites, sa voix ne perdait rien de son éloquence sardonique : Harplan n'avait rencontré Marcotte que fugitivement, au cours de réceptions ou de parades auxquelles la presse était ordinairement conviée. Mais il en savait assez long à son sujet pour encourager Stone dans son idée.

Stone partit seul. Il quitta la demeure dans les pâles reflets de l'obscurité finissante. À cette heure, il pourrait rouler aussi vite qu'il le désirait et gagner Paris en moins de six heures. Les deux cents premiers kilomètres étaient des routes de campagne sinueuses, à peine assez larges pour permettre le croisement de deux véhicules. Le compteur de l'Alpine descendait rarement au-dessous de cent kilomètres à l'heure sur les tronçons les moins bons, mais, dès que la visibilité le permettait, il le faisait grimper à cent quatre-vingt-dix. Il n'aimait pas rouler vite, mais ne détestait pas non plus : la vitesse le laissait indifférent — hormis peut-être une légère crispation de ses pommettes saillantes au moment précis d'aborder un virage.

Si une pensée venait à lui traverser l'esprit, c'était à propos de la remarque de Maupans sur la banalité. La plupart des gens pensaient qu'il était tout sauf banal. Pourtant, Stone sentait une affreuse couche de poussière s'accumuler sur son esprit. Une poussière de banalité. Le manque d'enthousiasme. Il s'était trop protégé de tous les risques et commençait à se sentir dépérir. Chaque fois qu'il lui arrivait de s'intéresser à quelque chose, il se demandait si, cette fois, il arriverait à prendre peur, à perdre son contrôle ne fût-ce qu'un instant.

Peu après 7 heures, la Loire apparut devant lui comme une digne vieille dame cheminant entre ses berges impavides et rectilignes. Sur la rive gauche, une petite route étroite, jamais encombrée, lui permit d'atteindre en deux heures la bretelle d'Orléans et d'emprunter l'autoroute où il allait pouvoir monter jusqu'à deux cents à l'heure.

À 11 heures, il était dans le centre de Paris et pénétrait sous le porche de la Bibliothèque nationale. Il savait y trouver la collection complète de la plupart des grands journaux depuis le début du siècle.

Une demi-heure plus tard, il relisait pour la seconde fois le compte rendu de l'accident. Celui-ci avait eu lieu un samedi soir et la dépêche était tombée dans la journée du dimanche. Il la relut lentement, pour n'en rien omettre, puis tourna la page. Perdu au milieu des déclarations de ministres et généraux divers, il y avait le premier communiqué officiel. Il alla droit à son dernier paragraphe :

> « Peu après le décollage, l'avion a légèrement viré à droite. On ne peut exclure l'hypothèse d'un incident technique qui serait à l'origine de cette défaillance de pilotage. »

Il tourna les pages du gros volume relié jusqu'au numéro du lendemain. Il n'y trouva rien, sauf la confirmation de l'envoi d'une commission d'enquête. Il continua : rien. Poursuivit encore : toujours rien. Il y avait un article sur les funérailles aux Invalides, illustré d'une photographie de De Gaulle devant les dix-neuf cercueils, ployant sa haute taille pour parler aux familles des disparus. Stonc l'examina attentivement. De Gaulle avait la main posée sur l'épaule de quelqu'un, et son autre bras pendait contre son corps, long et raide, le poing serré. Il pensa reconnaître Mélanie au second plan : probablement un effet de son imagination.

Il parcourut les colonnes du journal. Il y avait un compte rendu détaillé des funérailles, mais rien sur l'accident lui-même. Il passa une nouvelle demi-heure à tourner les pages numéro après numéro, s'arrêtant finalement au 14 juillet sans rien découvrir d'autre.

Il demanda les collections d'autres quotidiens nationaux : *le Monde* et *le Figaro*. Il passa une bonne partie de l'après-midi à les feuilleter à leur tour. Aucun doute possible : passé les deux premiers jours, plus aucune mention n'était faite de l'accident ni de ses causes. Toute l'affaire avait sombré dans le néant sitôt les funérailles terminées. Peut-être était-ce normal, après tout : à quoi bon s'occuper des morts ?

Quand même... Il n'y avait rien, absolument rien. Il resta pensif quelques instants, les yeux au ciel. Il était difficilement imaginable que quelqu'un eût décidé froidement de supprimer ainsi dix-neuf personnes. Ça l'était encore plus en ces lieux, dans l'atmosphère poussiéreuse de cette bibliothèque. Il oublia la présence de la vieille femme qui se trouvait à sa droite, de l'étudiant américain à sa gauche, et laissa son regard errer sur la coupole, trente mètres plus haut.

Quelque chose ne collait pas. En fait, rien ne collait.

Il posa un carnet de notes sur la table et data la première page : 8 mai 1972. Puis ajouta au-dessous : « Mort du général Marcotte. »

Il consigna fidèlement tout ce que Mélanie lui avait raconté la veille. Sur la page suivante, il rédigea un résumé détaillé des articles qu'il avait lus.

Il était 4 heures de l'après-midi. Il se leva en vacillant. Dans ses blue-jeans délavés et son vieux pull-over, il avait l'air aussi insolite en ces lieux que ses voisins. Il y avait maintenant cinq heures qu'il était plongé dans cette atmosphère confinée : cela suffisait. Il traversa la Seine, poussa jusqu'à la brasserie Lipp où il savait pouvoir déjeuner malgré l'heure tardive. Le propriétaire le salua, fit mine de ne pas s'apercevoir de l'état négligé de sa tenue. Il avala une énorme choucroute, deux grands verres de bière, roula jusqu'à chez lui et se mit au lit.

Charles Stone habitait au premier étage du 79 de la rue de Grenelle, un ancien hôtel dix-huitième divisé en appartements. Un escalier Louis XV montait jusqu'à sa porte. Le contact de la main courante de fer forgé ne manquait jamais de le rasséréner. Quelque chose l'attirait dans toutes les premières manifestations de la décadence.

L'appartement ressemblait à ces intérieurs qui ne sont occupés qu'à mi-temps, ce qui était le cas. Des pièces ou trop bien rangées ou trop en désordre. Aux murs, des dessins de la fin du dix-huitième et des peintures modernes. En général, sa collection de tableaux ne plaisait guère à ses visiteurs.

Les dessins représentaient des nus : cela faisait partie pour lui des agréments les plus élémentaires. Les peintures, elles, étaient ou grotesques ou tourmentées. Elles correspondaient chez lui à des émotions plus raffinées, plus personnelles.

Un ange dans les bras d'une fille de joie dominait le salon, contemplant impassiblement le curieux mélange de style Directoire et de meubles modernes, et, plus loin, le jardin privé de l'immeuble en contrebas. Une porte à deux battants conduisait à une salle à manger Queen Anne, aux lignes nettes et fonctionnelles. Puis on entrait dans une petite bibliothèque qui donnait à son tour sur la chambre à coucher. Une chambre moderne, parce qu'il l'avait voulue en tous points confortable.

Stone dormait nu au milieu du lit, le visage enfoui dans l'oreiller, la main gauche posée sur la nuque, les doigts enroulés autour de ses cheveux châtains aux franges presque blondes. Des doigts longs et déliés sans être vraiment délicats. À gauche du lit, un verre à cognac, qu'il avait vidé en hommage à ce que la vie réserve de meilleur. Par terre, à droite du lit, un chemisier. Il appartenait à Agnès de Pisan. Il ne la reverrait sans doute jamais, après l'avoir ainsi abandonnée à la douteuse sollicitude d'Hélène de Maupans.

Dommage, pensa-t-il en glissant dans le sommeil. Mais c'était là le genre de risque qu'il s'autorisait à prendre. Encore une preuve de banalité.

CHAPITRE III

Philippe Courman était un compagnon charmant, on ne peut plus affable, qui savait vous mettre à l'aise sans vous taper sur le ventre. Parmi ses relations, bien peu lui connaissaient des ennemis. Ses adversaires eux-mêmes ne se seraient pas reconnus tels. Tous préféraient se taire sur ce chapitre de leurs relations d'amitié ou d'inimitié avec lui : le silence, comme le temps, permet parfois d'oublier.

À l'évidence, Courman était un homme bien vu de tout le monde. Il n'était que de voir le sourire confiant et détendu qu'il arborait ce jour-là à sa sortie du Cercle militaire. Il boitait légèrement de la jambe gauche à cause d'un pied bot, mais ce défaut ajoutait encore à sa réputation de brave homme — qu'il était d'ailleurs sans aucun doute. N'en portait-il pas la preuve au revers de sa veste où s'alignaient discrètement toute une série de décorations : la croix de guerre, la rosette de commandeur de la Légion d'honneur qui le plaçait bien au-dessus du tout-venant des chevaliers et officiers si prompts à acquérir leurs honneurs...

Mais ce qui l'en distinguait vraiment, c'était un discret ruban jouxtant les deux autres : celui de Compagnon de la Libération. Les Compagnons... Une petite équipe de héros, le premier carré des mille combattants de la liberté qui, en 1940, avaient choisi de devenir des hors-la-loi en abandonnant leur vie tranquille pour tout risquer derrière de Gaulle. Bon nombre de ces médailles avaient été remises aux veuves de martyrs disparus. Bon nombre de ceux qui l'avaient portée étaient morts des suites de leurs blessures ou des tortures qu'ils avaient subies. Les autres mouraient à présent de mort naturelle. Vingt-sept ans après la fin des hostilités, Philippe Courman était l'un des survivants de ce millier d'hommes et de femmes : quelques centaines au plus. D'année en année, sa place relative parmi cet héritage vivant de la nation devenait plus importante.

C'était exactement le genre d'homme que Stone souhaitait rencontrer lorsqu'il gravit l'escalier monumental du Cercle militaire. Il était un peu en retard à son rendez-vous et ne fit que croiser Courman qui bavardait sur les marches avec quelques amis.

Ce rendez-vous avait été organisé par François de Maupans. Maupans était rentré à Paris très tard dans la soirée du lundi en compagnie d'Agnès de Pisan : la nervosité de celle-ci avait servi de prétexte, dissimulant sa propre envie de partir. Il avait appelé Stone dès l'aube du lendemain pour lui faire un compte rendu du monologue de la jeune femme tout au long de leur voyage de retour.

Stone avait profité d'une pause pour l'interrompre et lui demander une faveur. Un peu plus tard dans la matinée, il était introduit dans le bureau de Maupans. Il était comme on s'attendait qu'il fût : à la fois discret mais imposant dans son costume gris clair, chemise bleue à rayures beiges et cravate de soie marron.

Maupans l'accueillit et l'entraîna vers un profond canapé d'angle.

— Alors, quel est ton problème ?

— Problème n'est pas le mot. Je dirais plutôt intérêt. Je suis intéressé par la mort de Thomas Vincens. Mélanie parlait tout à fait sérieusement, et je suis certain qu'il y a anguille sous roche. Mais je ne sais rien de Marcotte, et pas grand-chose de l'armée française. J'ai donc besoin de rencontrer quelqu'un qui soit capable de m'aiguiller dans la bonne direction.

— Tu en sais autant que moi. Pour ce qui me concerne, j'ai passé ma vie à éviter les militaires. Ils ont un peu trop tendance à investir ceux qui les approchent... D'un autre point de vue, ils ne sont qu'un reflet de ce pays. À moins que nous ne soyons nous-mêmes leur reflet. En France, nous avons deux écoles : il y a ceux qui croient qu'il n'y a que l'armée qui compte, et ceux qui croient au contraire qu'elle ne compte absolument pas. Je fais partie des seconds. Non que nous soyons assurés d'avoir raison. Il ne s'agit là que d'une hypothèse. Disons que nous aimerions qu'il en soit ainsi.

— Ce qui revient à dire que vos militaires ont de l'importance ?

— Beaucoup, beaucoup trop. Chaque fois que nous les écoutons, leurs querelles intestines ravagent le pays. Mais si on les ignore, ils complotent dans notre dos. J'appartiens à ce qu'on peut appeler la gauche libérale. Pour être franc, je dois reconnaître que nous sommes les autruches locales : nous préférons ne pas savoir. L'armée a toujours été le membre malade de la République.

Maupans se leva d'un air gauche, comme s'il sortait de son bain, et se mit à marcher de long en large dans la pièce.

— Pourquoi tiens-tu à savoir ?

— Sans raison. Comme cela, pour connaître la vérité. Et si tu n'aimes pas le mot vérité, appelle ça le côté stimulant de la connaissance. Je suis curieux de nature et j'ai très envie de savoir qui peuvent bien être ces gens capables de supprimer dix-neuf innocents.

— Tu pars du mauvais pied. Ce ne sont pas des criminels. Peut-être s'agit-il de politiciens ou d'officiers supérieurs, ou d'autres encore, pourvu qu'ils soient capables d'employer les mêmes moyens. Mais ce sont des gens qui jouent un jeu très spécial. As-tu vraiment l'intention d'ouvrir cette boîte-là et d'en déballer tout le contenu ? Tu y parviendras peut-être, mais ils t'auront à cause de ton ignorance des règles du jeu. C'est en cela que la partie est vraiment réservée. Ces règles ne sont pas écrites, parce que personne n'oserait les mettre noir sur blanc, et les initiés eux-mêmes ont beaucoup de mal à jouer comme il faut.

— Voilà une brillante métaphore, mon cher, mais apparemment nous n'avons pas la même définition de ce qui est criminel.

— Très bien, très bien. Je vais t'indiquer quelqu'un. Il s'agit du général Pierre de Portas. Voici son numéro de téléphone. Il est encore jeune et vient tout juste de démissionner de l'armée pour prendre la direction d'une société de produits chimiques. C'est un de mes cousins, et je crois qu'il voit les choses du même œil que la plupart des officiers. Parle-lui, mais ne t'aventure pas sans avoir bien compris de quoi il retourne. Je t'ai déjà averti : ces officiers apparemment insignifiants ont plus de tours et de ruses secrètes que tu ne saurais imaginer.

— Tout ce que je désire, c'est un entretien. Je ne provoquerai pas ton cousin, ni sa façon de penser.

— Parfait : tiens-moi au courant.

— Bien sûr, François. Tu connaîtras tous les détails de l'affaire.

Les hommes avec lesquels parlait Courman sur les marches du Cercle militaire étaient de sa génération. Ils s'étaient rapprochés pour ne pas avoir à élever la voix à cause de l'intense trafic de fin de journée sur la place Saint-Augustin qui s'étendait à leurs pieds. Ils ne parlaient pas de leurs aventures passées, mais d'affaires on ne peut plus actuelles. Tous faisaient partie de cet énorme appareil politique du gaullisme, issu d'un millier de résistants, qui embrassait à présent près de soixante pour cent de la population et venait de faire élire le second président gaulliste de l'histoire du pays.

Courman leur souhaita le bonsoir d'une manière lente et appuyée, usant du minimum de mots mais accentuant chacun comme pour lui conférer le poids de cinq.

Les autres le regardèrent descendre l'escalier puis traverser le trottoir de sa démarche claudicante. Il portait un costume marron. Il était toujours vêtu de costumes de teinte marron : ils allaient avec sa barbe courte taillée à la manière de celle des vieux officiers de marine. Il l'avait laissé pousser pour cacher la grimace que lui arrachait chaque pas de son pied estropié.

Une Citroën officielle l'attendait. Il y monta et la voiture noire s'éloigna rapidement en direction de la place de la Concorde.

Courman jouait parfaitement son rôle. C'était un homme du présent. Il l'avait toujours été et bien peu gardaient souvenir de ses débuts.

Son premier exploit remontait à 1941. Il était alors jeune secrétaire de préfecture à Blois. L'action du gouvernement du maréchal Pétain avait permis à Hitler de réduire les effectifs des troupes allemandes engagées dans les tâches d'occupation : après tout, si les Français avaient envie, sous sa houlette, d'organiser eux-mêmes leur propre oppression, pourquoi Hitler s'y serait-il opposé ? Depuis un an et trois mois, Courman travaillait dur à faire passer dans la pratique les idéaux du maréchal : Travail, Famille, Patrie, qui contribuaient à mieux faire admettre l'exploitation, le racisme et le nazisme. Vers le mois de novembre 1941, il commença à se demander s'il n'avait pas choisi le mauvais camp.

À force de prêter l'oreille à ce qui se disait autour de lui, il finit par découvrir un des membres du réseau régional de la Résistance gaulliste. Il prit contact avec lui et offrit de lui fournir des informations : il était bien placé pour connaître les plans locaux du gouvernement et les leur transmettre.

Le résistant lui répondit qu'il n'était rien d'autre qu'un simple citoyen, loyal et discipliné, mais transmit la proposition à son chef, connu en code sous le nom de Merle. Ils décidèrent de surveiller les agissements de Courman qui, pendant tout un mois, renouvela ses avances. À la fin, Merle décida de prendre le risque d'un rendez-vous et fixa la rencontre avec Courman pour le 23 décembre, à 22 h 30, dans une ferme située à quinze kilomètres au nord de Blois.

À 23 h 30, ordre fut donné à tous les membres du réseau de se disperser et de s'échapper aussi vite que possible.

Peu avant d'être tué en 1944, Merle rencontra par hasard, au cours de l'offensive d'Alsace, l'homme avec qui Courman avait été en contact, et lui raconta comment les choses s'étaient passées :

Courman était nerveux, agité. Mais, comme promis, il avait apporté des documents d'un certain intérêt. Merle et lui étaient convenus d'un autre rendez-vous : il y apporterait d'autres informations plus importantes.

Au moment de se séparer, Courman lui avait lancé :

— Ces documents-ci ne vous coûteront que dix mille francs. Les suivants seront plus chers.

Merle n'en crut pas ses oreilles :

— Vous voulez dire que vous nous les vendez ?

— Qu'attendiez-vous donc de moi ?

Merle avait fait un geste pour dégainer son pistolet, mais celui qui n'était alors qu'un jeune homme malingre et imberbe s'était montré plus rapide que lui.

— Si vous n'êtes pas d'accord, je ne le suis plus non plus. Je vous donne exactement deux heures pour quitter la région.

Courman disparut et Merle avait dû prendre les décisions d'urgence qui s'imposaient.

Merle avait compris que le jeune homme n'agissait que par appât du gain, mais qu'il était capable de tout. Il décida de disperser tout son réseau : ce furent dix-huit mois de travail anéantis, sans compter la perte de l'un des membres du groupe, arrêté par la Milice au

moment où il quittait sa cache pour fuir dans un département voisin.

Sa première tentative ayant échoué, Courman rentra
dans l'ombre. Il se fit muter à Dijon où il utilisa sa
position pour s'approprier indirectement des biens et
des vivres qu'il revendit ensuite à prix d'or, aussi bien
au gouvernement fantoche qu'à l'occupant par l'inter-
médiaire de l'administration pétainiste.

En juin 1944, il avait acquis une énorme fortune. Ce
n'était plus le jeune homme malingre des débuts : son
effort de guerre lui avait donné un certain embonpoint.
Il commençait déjà à inspirer cette confiance qui
devait séduire ou rassurer tant de gens par la suite. Il
avait également mis sur pied une petite organisation
clandestine d'hommes de main qu'il utilisait comme
« tournevis » ou « tire-bouchons », pour reprendre ses
propres expressions. La première catégorie était composée d'une bande de malfrats, la seconde d'une collection de contacts utiles.

Les « malencontreux » événements de 1944, l'inva-
sion des troupes alliées, leur marche sur Paris, incitèrent
les groupes de résistants à prendre sur place les choses
en main : Courman faisait partie de ces choses-là. Le
12 septembre, en pleine nuit, il fut réveillé par trois
hommes armés, accusé de trahison et de collaboration et
conduit au 72 de la rue d'Auxonne, la prison de Dijon.

Il savait si bien en imposer qu'il bénéficia d'une cellule individuelle et fut autorisé à prévenir sa famille. Il
avertit son adjoint de se tenir prêt. Deux jours plus
tard, le groupe local de Résistance s'en alla, appelé par
la poursuite des combats à d'autres tâches plus importantes. Courman resta aux mains des gardiens réguliers
de la prison.

Son adjoint débarqua avec dix de ses hommes. Ils se présentèrent comme une délégation du quartier général de la Résistance, liquidèrent discrètement l'officier qui avait accusé Courman de « trahison » et de « collaboration », et substituèrent à cette accusation celle de collusion avec la Résistance lancée par le gouvernement de Vichy : quelques mots griffonnés à la hâte dans les procès-verbaux firent de Courman un héros. Aussitôt après, ils le libérèrent.

À partir de ce moment-là, il se fabriqua de remarquables états de service, allant jusqu'à se faire nommer Compagnon de la Libération ; il ne lui en coûta qu'un solide pot-de-vin, aussi impressionnant que le résultat obtenu.

Dix mille médailles de la Résistance avaient été distribuées. Sur le nombre, on avançait qu'au moins trois mille avaient été indirectement achetées ou extorquées par subterfuge. Mais cette distinction était trop commune pour Courman : il avait déjà appris à viser haut. Les Compagnons de la Libération, eux, n'étaient qu'un millier, et il n'y en avait guère plus d'une dizaine à pouvoir être suspectés. Courman devint à la fois le plus suspect et le moins contesté : c'était déjà un grand artiste.

Il passa les années de l'immédiat après-guerre à développer son organisation, à la renforcer grâce à l'appoint de quelques petits groupes de résistants marginaux qui ne reconnaissaient aucune autorité, et à se doter ainsi de moyens susceptibles de l'aider à assurer sa position au sein du système qui contrôlait désormais le pays.

Cette organisation, il la mit au service du gouvernement, du ministère de l'Intérieur, des partis d'opposition — en fait, au service de tous ceux qui étaient en mesure de le bien payer ou de consolider son emprise.

En 1958, le groupe de Courman fut donc de ceux qui, à l'appel d'Alexandre Sanguinetti, descendirent dans les rues de Paris pour réclamer le retour au pouvoir de De Gaulle. Ce n'est pas que Courman le souhaitât : tout simplement, il avait du flair.

En 1960, il commença par apporter son soutien aux généraux rebelles d'Algérie, mais il se retira bientôt, ayant le pressentiment de leur défaite prochaine. Il fit alors machine arrière et son organisation, toujours derrière Sanguinetti, devint l'une des principales forces engagées dans la lutte contre les terroristes de l'OAS. Au cours de ce revirement malheureux, mais inévitable, Courman fut contraint d'éliminer trois de ses hommes trop ouvertement compromis avec les terroristes.

Il ne manqua pas d'être récompensé de sa loyauté et mit toute sa confiance dans la stabilité du régime. Il quitta son repaire et s'installa tout à son aise dans un bureau confortable du quartier général du parti gouvernemental, l'UDR. Il y exerçait de grandes responsabilités, bien que personne ne sût exactement lesquelles. On le consultait sur toutes les questions touchant la sécurité intérieure et l'ordre public en général. Ses « tournevis » et ses « tire-bouchons », soigneusement entretenus, ne se rouillaient pas dans l'inaction.

Courman se rendait à une exécution. Oh, rien de malpropre. Il ne se compromettait plus dans ce genre de chose, l'expérience lui avait enseigné qu'il existe une foule de méthodes plus raffinées pour se débarrasser des gens.

La voiture s'arrêta devant l'entrée du Palais-Bourbon, ancienne résidence royale devenue le siège de l'Assemblée nationale dans les années 1870. Courman descendit, pénétra dans la cour ovale, obliqua à gauche et entra. Les gardes le saluèrent sans rien lui demander ; ils le connaissaient bien.

Il s'arrêta devant la porte d'un bureau situé au milieu d'un couloir du second étage. Il entendit des voix de l'autre côté. L'une d'elles, plus forte que les autres, aiguë et implorante, était celle de sa victime. Deux autres voix plus sourdes, au timbre calme et persuasif, complétaient le chœur.

Courman tira trois feuillets de sa poche : des photocopies.

— Il n'est pas question que je vous donne ma démission, protestait la voie aiguë, c'est absolument hors de question !

— Albert, vous ne vous rendez pas compte. Le temps joue contre nous.

— Vous ne pouvez exiger du parti qu'il supporte les conséquences de votre culpabilité alors qu'elle est déjà publiquement établie !

Une des trois photocopies que tenait Courman était une déclaration fiscale. Il n'avait pas eu beaucoup de mal à se la procurer. Un militant de l'opposition la lui avait fait parvenir du ministère des Finances. Ce genre de travail ressortissait aux affaires menées par Courman hors de l'UDR, et dirigées tout aussi bien contre un député de son propre parti. Mais il aimait de temps à autre en traiter de semblables, ne fût-ce que pour assurer le bon fonctionnement de ses contacts.

Albert Duchesne était un vieux gaulliste, ennemi déclaré d'un haut fonctionnaire du ministère des

Finances. Rien d'étonnant à cela : le ministre lui-même n'était pas gaulliste, il appartenait à un parti moins important de la coalition gouvernementale, parti loyal au demeurant, si on limite la loyauté à la solidarité devant le péril communiste.

La deuxième photocopie était celle d'une lettre de Duchesne, député de Paris, adressée à un architecte fort connu et dans laquelle le parlementaire acceptait de toucher une confortable rétribution en échange d'une « aide » à l'obtention d'un permis de construire.

Cette lettre avait coûté cher à Courman. Il l'avait obtenue d'une ancienne secrétaire de l'architecte en question. Bien entendu, il avait été remboursé par celui qui lui avait passé commande de l'affaire. Ce dernier s'était d'ailleurs à son tour remboursé sur les fonds secrets ministériels.

Quant à la troisième photocopie, elle était adressée à Duchesne par une banque zurichoise. Il s'agissait d'un relevé de compte et la somme indiquée était la même que celle mentionnée dans la lettre de l'architecte.

Courman était très fier de ce document. C'est celui qu'il avait eu le plus de mal à se procurer. Il avait bien tenté d'acheter quelqu'un parmi le personnel de la banque, mais les Suisses sont ou farouchement incorruptibles, ou beaucoup trop chers.

Il s'était donc contenté d'acheter le facteur de Duchesne. En échange d'une faible somme, celui-ci avait autorisé un des lieutenants de Courman à jeter chaque matin un coup d'œil sur le courrier du député, et cela pendant un mois.

Le premier imbécile venu aurait remarqué que la somme portée sur le relevé de compte n'apparaissait pas dans la déclaration fiscale.

Il s'agissait donc d'un cas d'évasion fiscale caractérisée, ainsi que d'une affaire de concussion. Non que d'autres députés ou hauts fonctionnaires ne fissent de même : le contact de Courman au ministère des Finances était même l'un des mieux placés. La question n'était pas là. L'important, c'était de ne pas se faire prendre.

Courman tourna la poignée et ouvrit la porte en grand. Assis derrière son bureau, décomposé, sur la défensive, il y avait Duchesne. Ses yeux étaient hagards comme ceux d'une bête traquée. Il portait la même chemise que la veille et n'avait pas ôté sa veste malgré la chaleur étouffante qui régnait dans le bureau. Il était en nage, la sueur avait imbibé sa chemise et tachait à présent l'étoffe de son costume. Ses défenses tombaient une à une : l'heure de l'exécution était arrivée.

Depuis une semaine, Duchesne était en butte aux pressions de ses collègues du Parlement qui le harcelaient de questions. Directement ou indirectement, c'était Courman qui s'était arrangé pour faire courir le bruit qu'il avait des ennuis.

Le premier mouvement du pauvre Albert avait été d'appeler à la rescousse son vieil ami Philippe Courman, homme clé du parti, pour l'aider à contenir la meute de ses accusateurs. Courman avait promis. Et voici qu'arrivait son sauveur, passant la porte avec un air accablé.

— Philippe ! Te voila enfin !

Duchesne se leva précipitamment de son siège et s'avança pour saluer Courman.

— Qu'as-tu trouvé ? Qui est derrière toutes ces calomnies ?

Courman ne dit pas un mot. Il se contenta de tendre les trois documents à son ami et alla se tenir à l'écart près d'une fenêtre. Les deux autres regardaient la scène en spectateurs tandis que Duchesne déchiffrait fébrilement les photocopies. Il les relut une deuxième fois, puis une troisième.

— Mais, Philippe, qu'est-ce que cela veut dire ?

Il brandissait les trois feuillets sans comprendre.

— Mon pauvre Albert, cela signifie que c'en est fini pour toi. Je me suis démené comme un beau diable pour connaître le fond de l'affaire, et voilà ce que j'ai découvert. Il est probable que tout cela sortira dans la presse avant la fin de la semaine.

— Mais, Philippe, il n'y a rien de vrai. C'est une machination. Ne le vois-tu pas ?

Courman le considéra en silence, comme si la gêne l'avait empêché de parler. Puis il marmonna entre ses dents :

— J'ai bien peur que tout cela ne soit terriblement parlant. Je ne vois aucune échappatoire.

L'un des deux autres députés prit les papiers des mains de Duchesne et se mit à les lire. Il eut un air horrifié :

— Albert, nous attendons ta démission dès ce soir. Il nous la faut avant que ces papiers ne soient publiés. C'est aussi dans ton propre intérêt.

Duchesne allait et venait dans son bureau en murmurant des mots sans suite. Il était effondré, il n'arrivait plus à comprendre. Cela faisait une semaine qu'il ne dormait plus : depuis qu'ils s'étaient mis à le harceler. Il était maintenant bien trop vieux pour tenir le coup devant des choses de ce genre. Il n'était même plus capable de raisonner lucidement.

Courman ne prit pas part à ce qui suivit. Il restait près de la fenêtre, l'air contrit au spectacle de son vieil ami qui avait trahi la confiance du pays. Les deux autres se faisaient de plus en plus pressants : dans l'intérêt même du parti, il lui fallait démissionner.

Au bout d'une demi-heure, Duchesne finit par céder. Il ne protestait plus, il était à bout. Un de ses collègues tira de sa poche une brève missive adressée au président de l'Assemblée nationale. La lettre parlait d'ennuis de santé. Le malheureux Albert signa sans même vérifier ce qu'elle disait.

Il ne restait plus rien d'autre à faire, ce qui permit à Courman d'endosser à nouveau son rôle d'ami. Il le consola, l'assura de sa compréhension. Il alla jusqu'à lui offrir l'hospitalité. Mais Duchesne refusa, leur demanda à tous trois de partir, de le laisser seul.

— Albert, tu dois prendre quelque repos si tu veux bien préparer ta défense. Ça ne sert à rien de rester ici à te ronger les sangs.

— Allez-vous-en. Pour l'amour de Dieu, allez-vous-en !

Ils refermèrent doucement la porte derrière eux.

La nouvelle n'arriva que le lendemain : Duchesne, en rentrant chez lui, s'était enfermé dans son bureau et s'était tiré une balle dans la tête. La balle avait traversé la boîte crânienne, était ressortie et avait fracassé un buste de Houdon placé derrière lui.

Comme le firent remarquer tous les amis d'Albert, ce suicide constituait malheureusement un aveu.

Assez bizarrement, ils se trompaient. C'était un mélange d'exaspération et d'écœurement qui avait poussé Duchesne à bout. On l'avait acculé jusqu'à ce point de rupture, et il avait craqué. Il ne voyait plus d'issue, hormis ce canon de pistolet dans sa bouche, l'acier glacé collant à ses lèvres, et la gâchette pressée sans plus penser à rien, sans penser à la balle qui sortirait comme au ralenti, trouerait la mâchoire supérieure, brûlant la langue noircie de poudre, traversant sans efforts les molles substances du cerveau, la balle qui fracasserait le crâne en flétrissant ses cheveux noirs et s'en irait réduire en miettes, à l'autre bout de la pièce, le buste de jeune femme riant aux éclats.

— Geste inutile, commenta Courman, inutile et sale.

Trois jours plus tard, c'est lui qui tenait le bras de la veuve à l'enterrement, en vieil ami de la famille. Un ami d'assez longue date pour se dire qu'au fond, Duchesne était peut-être réellement innocent. Il se demanda si tout cela n'était pas une machination, ce qui ne l'eût d'ailleurs pas empêché d'empocher sa commission : s'il se posait la question, c'était par simple curiosité professionnelle. Oui, il avait quelques doutes sur l'authenticité du relevé de compte.

Il ne se trompait pas, car il avait du flair pour ce qui concernait les faux. Quelqu'un avait ouvert un compte à Zurich au nom de Duchesne. Quant à Albert, il n'avait jamais touché ni même accepté les honoraires proposés par l'architecte. Il en avait été tenté, avait écrit pour accepter, puis s'était rétracté. L'eût-il fait qu'il l'aurait avoué. Mais, dans son cas, il n'y avait rien eu à avouer.

À l'enterrement, la veuve d'Albert pleura toutes les larmes de son corps. Au fond d'elle-même, elle maudissait et méprisait Albert. Il l'avait trahie, elle, ses amis, son parti : il les avait tous trahis.

CHAPITRE IV

Charles Stone était confortablement assis dans un fauteuil chamarré du Cercle militaire au milieu d'un petit salon à la décoration surchargée. Devant lui se tenait le général Pierre de Portas, dont l'apparence était plutôt celle d'un chef d'entreprise.

— Si j'ai bien compris ce que m'a dit François, vous ne savez pratiquement rien sur l'armée française. Je peux donc vous dire qu'il s'agit plus, aujourd'hui, d'un ensemble de techniciens que d'un corps de soldats. Nous sommes d'ailleurs nombreux à être passés récemment au secteur privé. Où trouver aujourd'hui des hommes capables de diriger des milliers de travailleurs, de comprendre les problèmes techniques, et qui disposent de bonnes relations ? De plus, vous savez sans doute que le marché militaire est un facteur de développement industriel non négligeable.

La conversation était en train d'emprunter une direction qui ne déplaisait pas à Stone. L'homme assis en face de lui était de taille moyenne, assez mince. Il avait des cheveux gris coupés court, un visage tendu aux traits accusés.

— Pouvez-vous me dire plus précisément quels aspects de l'armée vous intéressent, monsieur Stone ?

— Ce qui s'est passé ces dix dernières années. (Il marqua un silence et ajouta :) Plus précisément, le rôle du général Marcotte.

— Marcotte ? (Portas se départit de son attitude un peu guindée.) Et pourquoi donc ?

— Il s'agit d'une étude que je suis en train de faire. Il a joué un rôle assez intéressant. Après tout, il a été chef d'état-major de 1962 à 1968. Il ne peut pas ne pas avoir joué un rôle intéressant.

Le général avait perdu ses manières de technicien indifférent et froid. Il se pencha en avant vers son interlocuteur et lui dit posément, mais avec une certaine insistance :

— Ce n'est pas le lieu pour en parler. (Il indiqua les officiers autour d'eux.) Je demeure non loin d'ici, en haut du boulevard Malesherbes. Laissez-moi vous inviter à dîner. Non, non, ne protestez pas. Ma femme n'en sera pas gênée : elle a l'habitude des invités de dernière minute.

Le général le prit par le bras et l'entraîna d'un pas rapide vers la sortie du Club. Sur le boulevard, il se mit à marcher encore plus vite, à longues enjambées ; on aurait dit qu'il étudiait attentivement la distance couverte par chacun de ses pas. Il ne disait plus rien. Stone, qui le suivait, respecta son silence. Ils quittèrent le boulevard Malesherbes sur la gauche, s'engagèrent dans la rue de Lisbonne. Sans doute encouragé par les proportions plus intimes de cette petite rue, le général, entre deux grandes enjambées, lança un dur regard en direction de Stone et lâcha :

— Marcotte était un beau salaud...

Puis il se réfugia à nouveau dans le mutisme.

Une femme maigre, l'air harassé, vêtue d'une façon assez ordinaire, les accueillit. Elle les fit entrer dans un grand salon bourgeois.

Les meubles y étaient peu nombreux, disparates, pour la plupart ramenés de contrées étrangères. Ils étaient noyés dans cette pièce faite pour le style opulent du second Empire.

Elle s'excusa du manque de confort :

— Nous avons vécu pendant plus de vingt ans dans des logements de fonction. Nous n'avons pas grand-chose qui nous appartienne en propre.

Puis elle les laissa seuls.

— Ma femme ne se rend pas bien compte. Elle s'est toujours plainte de notre manque de vie privée, et aujourd'hui elle en a trop. (Il servit à Stone un whisky bien tassé dans un grand verre coloré, puis se laissa choir sur le bord d'un canapé peu rembourré.) Ses amis se comptaient sur les doigts d'une seule main ! (Stone le regarda sans comprendre.) Marcotte, je parle de Marcotte ! Tout le monde le détestait. Ces trente dernières années ont été des années de haine. (Il agitait sa main droite comme si les objets inanimés qui l'entouraient avaient participé eux aussi de cette haine.) Il faudrait au moins toute une soirée pour vous dresser la liste de tous les traîtres que nous avons parmi nous, au gouvernement, et de toutes les catastrophes dans lesquelles ils nous ont entraînés. Mais personne, non, personne n'était pire que Marcotte, pas même de Gaulle.

— Je ne comprends pas très bien...

— Cet homme n'a pas tiré un seul coup de feu au combat de toute sa carrière. Il fallait le faire : il y a eu la dernière guerre mondiale, puis l'Indochine, puis Suez, puis la guerre d'Algérie, sans compter des tas d'autres broutilles. Personne ne se rappelle l'avoir vu en opération.

— Comment est-il devenu chef d'état-major ?

— Comment ? Rien de plus facile. Il nous est passé dessus, c'est-à-dire qu'il a piétiné tout le reste de l'armée. Il y a douze ans, ce n'est pas la place qui manquait pour un opportuniste dévoré par l'ambition.

— Mais c'était bien un gaulliste de la première heure ?

— Même pas. Il avait eu un pied dans la Résistance et l'autre en dehors. C'est lui qui s'est arrangé pour être déporté. Vous savez, beaucoup d'entre nous ont eu une guerre difficile. La Résistance a empoché tous les honneurs alors que c'est nous qui avons fait tout le travail. Il y avait quelques centaines de trublions qui jouaient à la petite guerre, mais sans avoir aucune responsabilité. Savez-vous à quoi j'ai passé la guerre ? À essayer de reconstituer un régiment qui s'était retrouvé dispersé en zone libre. Pas au courant ? C'est vrai qu'on n'apprend pas ça dans vos écoles. Quand vous autres, l'armée anglaise, vous nous avez abandonnés à l'instant crucial des combats de 1940, tandis qu'à l'intérieur nous étions trahis par les communistes de chez nous, ce fut le maréchal Pétain qui dut conclure un armistice, le moins mauvais possible étant donné les circonstances, et essayer de reconstruire la France pour la préparer à la lutte contre l'envahisseur. Il lui appartint de mettre sur pied un régime chrétien, avec des valeurs chrétiennes, et cela dans une moitié seulement de la France, celle que nous avaient laissée les Allemands. Eux occupaient le reste. Il ne restait qu'à faire de notre mieux, avec le peu que nous avions. Si nous n'avions pas occupé la place, ce sont les communistes qui l'auraient prise aussitôt après la défaite allemande. Et nous n'avions pas grand-chose : très peu d'armes, une liberté de mouvement extrêmement réduite ; vous imaginez ce que ça peut donner pour le moral. Nous n'avions presque rien à manger. La plupart de mes amis ont essayé d'agir de même, soit en zone libre, soit de l'autre côté de la Méditerranée, dans nos colonies d'Afrique du Nord. C'est grâce à nous que les Alliés, débarquant en Afrique et plus tard en France, ont trouvé à leurs côtés une armée française prête à combattre. Il ne nous manquait que les armes. Selon vous, qui a fait la campagne d'Italie, puis la campagne d'Allemagne ? Certainement pas la Résistance : ils n'avaient ni les hommes ni l'entraînement nécessaires.

Mais Marcotte n'était ni avec eux ni avec nous. Déjà, à cette époque, c'était un opportuniste qui cherchait à faire carrière. Il devint ce qu'on appelle un technicien. (Portas prononça le mot avec une nuance de mépris, pour bien marquer la différence avec la manière dont il l'avait employé tout à l'heure.) En 1960, il était général de brigade et commandait une section d'études chargée d'encourager le développement des armements modernes. C'était la risée de l'armée. Je me souviens qu'ils avaient fait un jour la démonstration d'une petite bombe tactique fumigène et qu'ils avaient fini par étouffer la moitié de l'assistance. C'est à ce moment-là que de Gaulle commença à avoir des problèmes pour recruter le personnel nécessaire à son sale boulot en Algérie.

Personnellement, je n'appartenais pas à l'OAS, mais j'y avais de nombreux amis, j'étais un de leurs sympathisants. Personne n'a apprécié la manière dont de Gaulle nous a traités : les mensonges, les tromperies, les mutations continuelles d'un poste à l'autre... En échange d'une promotion, Marcotte aurait fait tout ce qu'on lui demandait...

Portas avait perdu son sang-froid ; il était maintenant en équilibre instable au bord du canapé, s'évertuant à faire partager à son hôte toute l'injustice de leur situation. Il brandissait nerveusement l'index de sa main droite pour souligner chacune de ses phrases et, comme les deux hommes étaient assis à faible distance l'un de l'autre, l'extrémité de son doigt s'arrêtait chaque fois à quelques centimètres du visage de Stone, qui se gardait bien d'ouvrir la bouche. Il avait mis en marche un magnétophone miniature caché dans sa poche et s'efforçait de ne pas perdre un mot du monologue du général, dont le débit allait croissant.

— ... C'est alors que de Gaulle l'envoya en Algérie. Il le fit monter en grade, lui confia le commandement d'une région, celle du Nord-Est constantinois. Comme c'était un commandant minable, il flanqua tout par terre. Demandez un peu au vieux Chapier. Il a été son supérieur, et ce n'est pas un de nos amis, par contre, c'est un vieux gaulliste fidèle. Après Marcotte, ils ont dû recoller les morceaux. Et quand nos généraux se sont révoltés contre l'ordre qui leur était donné de livrer l'Algérie aux communistes arabes, quand ils ont fait leur putsch d'avril 1961 pour renverser le gouvernement à Paris, Marcotte s'est dépêché d'envoyer un télégramme d'attachement indéfectible à de Gaulle. Il n'y en a pas eu beaucoup, parmi nous, à faire une chose pareille ! Même si nous n'avons pas rallié activement le putsch, nous ne nous sommes quand même pas empressés d'aller lécher les bottes du vieux renard.

Ainsi, à défaut d'autres brebis galeuses pour soutenir la politique en cours, on le fit à nouveau monter en grade. Et il fut encore promu. En juillet 1960, ça n'était qu'un général de brigade insignifiant. Un an après, je dis bien un an, il était commandant en chef en Algérie. En juillet 1962, il est devenu général d'armée et chef d'état-major. Appelez ça, si vous voulez, un cas de promotion rapide.

Triomphant, il s'enfonça dans le canapé.

— Mais pourquoi lui, précisément ? Il ne devait pas manquer d'autres hommes ?

— Qui donc ? (Sans bouger, Portas débita d'une voix tranchante :) De Gaulle n'avait pas d'amis. Il n'avait personne sur qui vraiment compter. Savez-vous que Larminat, qui était un vieux gaulliste pur et dur, s'est suicidé juste avant d'avoir à présider le tribunal qui devait juger Salan, le chef de l'OAS, ainsi que les autres généraux rebelles et les chefs de l'Armée secrète ?

Mais Marcotte, lui, ne s'est pas suicidé. Il témoigna contre eux, au contraire, avec toute la noirceur dont il était capable. Relisez les comptes rendus des procès, vous serez édifié. Et savez-vous pourquoi ? Parce qu'il était sur le point d'être nommé à la tête de l'armée. Sa déposition enleva la décision. C'est à partir de là que de Gaulle fut convaincu de l'absolue loyauté de Marcotte ; le reste de l'armée le détestait trop ! C'était un pacte avec le diable.

Marcotte lui jura fidélité et lui promit de débarrasser l'armée de tous les officiers anti-gaullistes. Comme si c'était possible ! En échange, de Gaulle promit de s'occuper de lui et de le nommer chef d'état-major général.

— Et alors ?

— Alors Marcotte conclut le marché. Savez-vous combien d'officiers ont été honteusement fichus à la porte au cours des six années suivantes ? Des milliers, et je vous garantis que les boucs émissaires ont été soigneusement choisis.

Ils ont d'ailleurs failli m'avoir, mais je me suis arrangé pour devenir indispensable pendant quelques mois à mon supérieur immédiat, le temps de laisser passer le peloton d'exécution, si je peux me permettre cette expression — il se détendit un peu et, pour la seconde fois, sourit ironiquement — pour désigner le fait de jeter sans préparation aucune tous ces indésirables sur un marché du travail d'abord fort réticent à leur égard...

Quant à de Gaulle, il n'avait pas le choix. Il lui fallait respecter le contrat. Il n'avait personne d'autre, personne. (Il haussa les épaules et ajouta à voix basse :) Personne d'autre. Ce qui ne l'empêchait pas de mépriser le bonhomme.

La porte s'ouvrit. C'était Mme de Portas.

— Nous pouvons passer à table.

Stone avait oublié son magnétophone et glissa prestement la main dans la poche de sa veste pour l'arrêter.

Elle les conduisit jusqu'à la salle à manger. La décoration n'était guère plus avenante. L'atmosphère était si froide qu'elle eût ôté à Stone le plaisir de manger les mets les plus fins. Mais, ce soir, il ne risquait rien : le menu était correct, ce qui veut dire en France que le nombre de plats y était — un pâté sur feuilles de laitue, un peu de poulet accompagné de pommes de terre, les feuilles les plus vertes de la laitue en salade (il se demanda s'il en resterait encore pour le lendemain), un camembert plâtreux et une portion de tarte aux pommes. Le service était fait par une jeune fille qui ressemblait en toutes choses à Mme de Portas.

Le général n'y prêtait aucune attention. Tout cela faisait partie de son lot quotidien. Il avait définitivement fait le départ entre ce qu'on lui servait chez lui et ce qu'il était en droit d'espérer au-dehors. Il avait presque recouvré son attitude distante et réservée, comme s'il avait voulu rester dans la note de ce repas.

— Bien entendu, les temps ont changé et le corps des officiers avec eux. Il y a dix ans, nul d'entre nous ne connaissait rien aux affaires. Aujourd'hui, nous en savons plus qu'assez. Le changement ne se fait pas sans difficulté, mais maintenant, nous savons comment nous défendre. (Il se tourna vers sa femme en souriant :) Ma chérie, devinez un peu ce qui intéresse monsieur Stone ? Marcotte !

Elle s'immobilisa, une pomme de terre au bout de sa fourchette, et son regard alla de son mari à Stone.

— Marcotte ? (Elle avala prestement la pomme de terre.) Quelle drôle d'idée !

Stone haussa les sourcils.

— J'étais précisément en train de tout lui expliquer, ajouta son mari.

Déjà absorbée dans une sorte de rêverie, elle ignora cette dernière phrase. Le nom de Marcotte paraissait avoir sur elle un effet imprévu.

— La dernière fois que j'ai vu Marcotte, dit-elle, c'était au cours d'une visite qu'il nous fit en Allemagne, où Pierre commandait une division. Il était arrivé en parachute.

— C'était un véritable exhibitionniste.

— Je n'ai jamais rencontré d'homme aussi peu simple, aussi suffisant. J'ai entendu dire qu'il débarquait souvent ainsi.

Elle leva les yeux au plafond puis les rabaissa lentement, comme si elle suivait la descente.

— Si seulement il avait ne fût-ce qu'une fois témoigné de son goût du parachutisme au combat, notre attitude aurait été toute différente ! L'avant-dernière fois, c'était à Paris, au cours d'une réception. Il avait débarqué en tenue de combat. C'était vraiment extravagant...

Elle replongea dans sa rêverie.

— Ça lui arrivait souvent de venir à son bureau dans cette tenue, sur le pied de guerre ! Il disait toujours qu'il devait assister à quelque manœuvre dans l'après-midi. Vous vous rendez compte ? Aller à son bureau en plein centre de Paris en tenue de combat ! De plus, il ne sortait jamais sans une arme ! Avec ou sans uniforme, il portait toujours un revolver dans sa poche, et de grosses lunettes noires. Nous l'appelions le général cow-boy. Tout cela n'était que du cinéma pour faire oublier la désastreuse indigence de ses états de service et son absence de pouvoir réel.

— Il fallait bien qu'il en ait, si on l'avait chargé d'une épuration ?

— Oui, mais seulement à cet effet. De Gaulle n'aurait pas pris le risque de lui confier un autre rôle. Cela lui aurait attiré trop d'ennuis avec d'autres généraux influents. Il lui fallait donner une bouchée à chacun pour qu'ils ne pensent qu'à se chamailler entre eux au lieu de s'en prendre à lui.

Marcotte avait son bureau au même étage que le chef d'état-major de l'Armée de terre, mais ils ne se voyaient pas souvent. (Portas se mit à rire.) Et puis il y avait Bernier... (Il riait tellement qu'il n'arrivait plus à poursuivre. Sa femme se mit à rire elle aussi, d'un rire creux et métallique.) Avant l'arrivée de Marcotte, Bernier commandait la Marine et il resta à ce poste jusqu'en 1967. C'était un gaulliste, mais dans le genre extrémiste. Durant les cinq années qu'il passa sous les ordres de Marcotte, il s'arrangea pour ne jamais lui adresser la parole ni lui serrer la main. Pas une fois ! Vous vous rendez compte ?

Sa femme le poussa du coude :

— Exactement comme de Gaulle. Il faisait mine de regarder en l'air.

Stone ne put s'empêcher de rire avec eux en se demandant pourtant si tout cela était bien vrai.

— Sa haine des Américains était encore plus forte que celle que leur vouait de Gaulle. Il vous faut bien comprendre que notre aversion personnelle pour Marcotte n'a pas grande importance : ce qui en a, c'est qu'il était allé jusqu'à mettre en danger la sécurité de la France. Je me souviens des grandes manœuvres de l'OTAN qui eurent lieu à l'automne 1965. J'étais au quartier général de l'OTAN, le SHAPE. Marcotte donna l'ordre aux officiers français de ne pas participer à ces manœuvres. Le vieux Chapier était à cette époque le plus ancien dans le grade le plus élevé, et il n'avait pas oublié les dégâts qu'avait causés Marcotte en Algérie, ni surtout la manière dont il avait trahi l'armée. Il refusa d'obéir aux ordres tant qu'il ne les aurait pas reçus par écrit de la main de De Gaulle. Marcotte fut obligé de céder, sachant parfaitement qu'il n'obtiendrait pas cet ordre écrit. Et n'oubliez pas son article en faveur d'une défense « tous azimuts », une nouvelle stratégie dirigée contre tout le monde, Américains compris.

Stone se rappelait l'avoir vu cité dans les notices nécrologiques.

— Mais de Gaulle pouvait fort bien lui avoir donné l'ordre de...

— Pensez-en ce que vous voulez, le coupa Portas. Je vous ai dit que Marcotte détestait les Américains. Il allait beaucoup plus loin que de Gaulle en ce domaine.

Mme de Portas intervint :

— Un jour, il m'a dit que s'il ne se séparait jamais de son revolver, c'était à cause de ces « sales Américains ». J'ai dû me retenir pour ne pas éclater de rire. Notez qu'il le portait encore sur lui quand il est mort.

— J'ai noté cela, mais de quoi est-il mort ? demanda Stone.

— De sa propre stupidité, répliqua le général avec satisfaction. Il venait de participer à une réception à la Réunion, le temps était épouvantable et il faisait nuit noire. Les pilotes ne voulaient pas décoller. Ils préféraient prendre un peu de bon temps. Il les obligea à partir. L'avion était surchargé de carburant, parce que Marcotte, trop orgueilleux pour faire escale dans une colonie anglaise, voire même une ex-colonie anglaise, avait ordonné un vol direct sur Djibouti. Une histoire de fous.

— C'est aussi simple que cela ?

— La plupart des choses stupides sont simples ; il a suffi d'un équipage un peu éméché et d'un appareil peu maniable.

Stone déglutit avec peine sa dernière bouchée de tarte, une fine lamelle de pomme sur un morceau de pâte spongieuse.

Après un verre de mauvais schnaps que le général et Mme de Portas avaient ramené de leur garnison en Allemagne, Stone prit congé. En arrivant chez lui, il annexa à la bande magnétique les quelques éléments de la conversation qu'il n'avait pu enregistrer, écrivit sur la boîte « Numéro 1 » et la joignit à ses notes de la veille dans une mallette d'acier close par une serrure à combinaison.

Allongé sur son lit, il se mit à réfléchir : en admettant que Marcotte eût été assassiné, qui pouvait avoir fait le coup :

1. d'anciens membres de l'OAS ?

2. un groupe fractionnel de l'Armée de terre, de la Marine, de l'Aviation ?

3. les Américains ?

4. une poignée d'officiers résolus à se venger ?

5. des services obéissant à de Gaulle ou à certains membres du gouvernement ? Il nota qu'il lui fallait vérifier si Marcotte était vraiment plus hostile aux Américains que son chef ;

6. mais combien d'autres auxquels il n'avait pas encore songé ?

Il but un verre de bon cognac pour effacer le mauvais goût qu'il avait dans la bouche et sombra dans un sommeil peuplé de règlements de comptes.

CHAPITRE V

Le soleil traversait de biais la cour immense et pavoisée. Il était tôt, l'air restait encore frisquet de la nuit précédente. Stone attendait devant l'entrée de la Bibliothèque nationale, pas encore ouverte à cette heure. Il n'avait pas pris le temps de se raser. Impatient, il se balançait d'un pied sur l'autre sur les marches de pierre. À 9 heures précises, le gardien vint ouvrir et Stone s'engouffra à l'intérieur. En le regardant s'éloigner dans le hall en vieux pull-over et blue-jean, le gardien maugréa contre tous ces étrangers mal civilisés.

Stone passa là les trois jours suivants. Il ne voyait personne, ne pensait à rien d'autre. Il savait que s'il y avait la moindre faille, c'est dans ces vieux journaux ou ces revues jaunies qu'il la trouverait. Chaque jour à 9 heures, il était à l'ouverture des portes et sortait le dernier de la Bibliothèque sur le coup de 6 heures du soir. Il s'abstenait de déjeuner, pour ne pas perdre un temps précieux, et ne se nourrissait plus que d'énormes steaks : un au petit déjeuner, un autre pour le dîner. Après quoi il s'endormait aussitôt afin de laisser à son esprit de plus en plus encombré le temps de se clarifier pour le lendemain matin.

Il commença par lire attentivement deux ouvrages : le troisième tome des discours de De Gaulle et la collection complète du mensuel officiel de l'armée — la *Revue de la Défense nationale* — pour l'année 1967.

Le numéro de décembre contenait l'article de Marcotte intitulé « Tous azimuts ». Marcotte y défendait une France neutre, dotée d'une armée dirigée contre tous les ennemis possibles, y compris les forces alliées. Dans le troisième tome des discours de De Gaulle figurait un texte qu'il avait prononcé en 1959. C'est dans ces lignes, disaient les notices nécrologiques, que Marcotte avait puisé l'inspiration et les principes généraux de son article.

Pour vérifier si l'anti-américanisme de Marcotte était réellement plus fort que celui de son chef, et jusqu'à quel point il en était obsédé, comme le prétendait Portas, le mieux était de comparer les deux textes.

Il passa la matinée à en extraire les idées maîtresses et à comparer leurs implications respectives. Travail extrêmement fastidieux, mais qui lui apporta cette confirmation : là où de Gaulle parlait d'une France indépendante, Marcotte appelait à son retrait du système d'alliance politique et militaire occidental et envisageait l'éventualité que des alliés devinssent des ennemis. À aucun moment de Gaulle n'était allé aussi loin.

Stone resta les yeux fermés pendant une dizaine de minutes, puis il se mit à compulser l'énorme pile qui l'attendait encore : la collection complète de la *Revue de la Défense nationale* pour les années 1960. Il commença ses recherches en parcourant les sommaires. Il ne trouva absolument rien, hormis un résumé des premiers commentaires de De Gaulle sur la stratégie « Tous azimuts », dans le numéro de février 1968. Soit deux mois après la parution de l'article.

Il relut ces commentaires à trois reprises sans parve-

68

nir à en saisir le sens : de Gaulle semblait dans un premier temps approuver l'article, puis le désavouer ; les arguments qu'il avançait se contredisaient l'un l'autre. Était-il sarcastique ou simplement mal à l'aise ? Cherchait-il une échappatoire ou bien se moquait-il de Marcotte et de quiconque croyait la France assez riche pour se retrancher dans un splendide isolement et assurer sa propre défense contre le monde entier ?

Il continua de feuilleter les numéros de la revue. Rien en mars. Puis son regard tomba sur une page bordée de noir. Dans cet encadré, il lut :

« Au moment de mettre sous presse, nous apprenons la disparition tragique du général Marcotte dans un accident d'avion. Dans notre prochain numéro, nous retracerons la carrière de notre chef d'état-major général. »

Stonc se précipita sur le numéro de mai : rien. Non, ce n'était pas possible ! Il reprit l'ensemble du numéro, page après page : il n'y avait absolument rien. Le nom même de Marcotte n'était pas mentionné. Il consulta également les cinq numéros suivants. Rien.

Aucun doute possible : à partir du moment où Marcotte était mort, tout se passait comme s'il n'avait jamais existé.

Stone se prit à sourire. Il commençait à croire qu'il n'était pas en train de perdre son temps.

Il était 18 heures. Il rentra chez lui et rangea soigneusement ses notes dans la mallette métallique.

Il passa les journées du jeudi et du vendredi à compulser des collections de journaux. Il n'y trouva pas les indices ou les failles qu'il espérait. Peut-être ne connaissait-il pas encore suffisamment le sujet pour être en mesure de les déceler.

Peu à peu, Stone parvint néanmoins à reconstituer toute cette période. Il découvrit un Marcotte déjà âgé, général de brigade encore inconnu, mis pour la première fois en vedette en 1960, quand il dirigea la première explosion nucléaire française. Il donna alors l'impression d'avoir lui-même conçu et fabriqué cette bombe. Les journaux l'appelaient « le père de la Bombe A », sans raison apparente : les journalistes aiment à personnaliser les choses et Marcotte avait un don étrange de la publicité.

Et puis de Gaulle se retrouvait pratiquement isolé sur la question algérienne. Le gratin de l'armée était contre lui : ces hommes voulaient garder l'Algérie et peu leur importaient les honneurs et les hautes charges qu'il pouvait leur proposer ; ils ne lui en étaient nullement reconnaissants et n'avaient aucune intention de l'aider à brader l'Algérie.

Marcotte fut l'un des premiers à se lancer dans cette course aux promotions. Le prix ? Celui de la soumission. C'est alors que se produisit le putsch des généraux, en 1961 : Marcotte, une fois de plus au premier rang, clama bien haut sa loyauté et se propulsa vers les sommets. Il assuma la rude charge de commandant en chef en Algérie et fut l'homme de la liquidation des intérêts français en Afrique du Nord sous les yeux d'une armée qu'il sut remettre au garde-à-vous. Il apparut à nouveau sur le devant de la scène après l'arrestation du général Salan, chef des terroristes de l'OAS, encore respecté jusque parmi les officiers qui avaient eu peur de rallier la rébellion. Face à l'accusé

Salan, on le vit triomphant et déchaîné, en plein centre d'un Paris terrorisé, dans un palais de Justice gardé par la troupe. Et finalement, en juillet 1962, Marcotte atteint le sommet : il est nommé chef d'état-major.

Pourtant, c'était vrai : l'homme n'avait presque aucun pouvoir. Stone rechercha dans les Bulletins officiels ses attributions spécifiques : il était chef, mais seulement en titre.

C'est ainsi que Marcotte reprit sa marche en avant. Stone découvrit des articles parlant des charrettes d'officiers mis à la retraite anticipée : des ennemis de De Gaulle aussi bien que de Marcotte. Il lut les appels aux accents pseudo-patriotiques lancés par le ministre des Armées de l'époque pour que l'industrie emploie tous ces « héros » retirés du service de la nation.

Marcotte devenait de plus en plus entreprenant, multipliant les déclarations et se mêlant de politique. Des bruits couraient sur les conflits qui l'opposaient aux commandants des trois armes, sur ses frictions avec le ministre.

Ce fut le début de la crise de l'OTAN qui devait aboutir, en 1966, à l'annonce du retrait des troupes françaises du commandement intégré. Ce fut pour Marcotte une nouvelle occasion de soutenir le président. On assista alors au départ de ses principaux rivaux : les commandants des trois armes, pourtant ses anciens, et bien installés, et vieux amis de De Gaulle, cédèrent la place à des successeurs moins assurés de leur commandement. Opposés à de Gaulle qui entendait garder ses distances vis-à-vis des Américains, ils se retrouvèrent de plus en plus isolés ; et Marcotte en tira bénéfice : il était devenu réellement indispensable. De Gaulle avait indubitablement escompté que quatre années de reprise en main suffiraient à faire rentrer l'armée dans le rang. Pourtant, en 1966, elle continuait de faire bloc contre lui, plus encore qu'aux moments les plus chauds de l'insurrection algéroise. Toute l'armée ou presque — à l'exception de Marcotte.

Fin 1967 : la stratégie « tous azimuts ». Suivie de peu par la mort de Marcotte, deux jours après l'annonce de son maintien en fonction pour un an, bien qu'il eût atteint la limite d'âge réglementaire. L'épilogue excepté, c'était vraiment ce qu'on peut appeler une carrière réussie.

Mais rien de ce qu'il avait lu ou entendu ne permettait à Stone de se représenter en Marcotte le monstre qu'on lui avait dépeint. Après tout, ses ennemis n'avaient rien d'autre à lui reprocher que son arrivisme et son opportunisme, tout comme ils avaient déjà tenté de discréditer les gaullistes en les traitant d'extrémistes fanatiques. Marcotte était peut-être ambitieux et opiniâtre : mais y avait-il d'autres moyens de survivre et de faire son chemin dans une conjoncture aussi malsaine ? Qui pouvait dire si Marcotte avait vraiment cru ou feint de croire aux causes qu'il avait défendues pour atteindre aux sommets ? Tout le monde pouvait prétendre ce qu'il voulait. Sur ce qui se passe dans la conscience d'un homme, toutes les suppositions sont possibles.

Stone passa la soirée de vendredi à relire toutes ses notes. Où était la faille ? Les explications ne manquaient pas : haines, jalousies, rancœurs, rivalités... Mais ou était la faille ?

Il eut l'idée de téléphoner à Mélanie. Peut-être lui apporterait-elle des suggestions, voire des faits nouveaux. Mais son téléphone ne répondait pas. Il n'avait nulle envie d'appeler quelqu'un d'autre, il ne voulait pas se disperser. Il y avait trop de données, de faits, d'idées qui se bousculaient dans sa tête. Il préférait les laisser s'ordonner en circuit fermé.

Il finit par se rendre sur la côte normande, à Cabourg où il passa le week-end en solitaire, à marcher le long de l'interminable plage, si belle et mélancolique. En ces premiers jours de mai, la mer agitée était vide.

Le lundi matin, il résolut de suivre une autre piste. Il alla jusqu'au siège du journal *le Monde* et se rendit à la documentation. Cela faisait cinq jours qu'il ne s'était ni changé ni rasé. Ses effets dégageaient une odeur remarquable et il était vraiment trop sale pour être admis, se dit le documentaliste. Mais Stone parvint à forcer le barrage.

Dix minutes plus tard, il avait devant lui un épais dossier d'« articles sur l'armée française » à côté duquel on avait déposé une chemise intitulée « général Henri Marcotte ». Il s'en empara et se mit à la consulter fébrilement.

Son regard fut soudain attiré par une phrase :

> « ... que, même en temps de paix, le chef d'état-major bénéficiait de la même autorité qui lui est normalement reconnue en temps de guerre... »

Il sauta un peu plus loin :

> « ... le commandant en chef des trois armes... Dans la très grande majorité des cas, le chef d'état-major devrait être le seul... »

Ses yeux remontèrent au début de l'article, il était daté d'une huitaine de jours après l'accident. Il rendait compte d'un discours prononcé par Marcotte quelques semaines auparavant, dans lequel celui-ci exigeait une autorité accrue sur les commandants des trois armes.

Stone passa à l'article suivant, paru dix jours plus tard : le successeur de Marcotte avait l'intention de demander les mêmes pouvoirs que ceux réclamés par Marcotte.

Il continua. 28 avril : le successeur de Marcotte avait été investi des mêmes pouvoirs que ceux qu'avait réclamés Marcotte... Non. Il relut avec plus d'attention :... que ceux qu'avait obtenus Marcotte juste avant de trouver la mort.

La version avait bel et bien changé.

Il réétudia la période antérieure à l'accident. Nulle part il n'était question d'un quelconque discours réclamant des pouvoirs d'exception. Pourquoi n'en avait-on pas parlé ? Pourquoi s'était-on mis à en parler à demi-mot après sa mort ? Pourquoi la version avait-elle changé, pourquoi passait-on des pouvoirs « demandés » aux pouvoirs « obtenus » ? Apparemment, le journaliste n'était pas très au fait : ou bien avait-il été obligé de s'en tenir à ce qu'on lui avait dit ?

Stone se renversa sur sa chaise, allongea et écarta ses jambes sous la table, laissa pendre ses bras de part et d'autre de son corps, et ferma les yeux. Soudain il frappa du poing sur la table en s'écriant : « Mais oui ! » Le documentaliste sursauta. Il s'apprêtait à demander au trublion de faire silence, mais Stone se leva et s'approcha de lui :

— Je voudrais une copie de ces trois articles.

L'autre eut envie de protester, mais Stone avait retrouvé toute son assurance. Il le bouscula gentiment pour l'encourager et l'entraîna vers la machine à photocopier.

Le soir même, Stone fêta sa découverte dans un de ses restaurants préférés en compagnie d'Agnès de Pisan. Elle avait consenti à lui pardonner, ne fût-ce que pour un soir. Ils continuèrent donc à fêter l'événement chez elle. En fait, ce n'était pas qu'il eût découvert quelque chose, mais, à ce qu'il lui semblait, l'absence de quelque chose. Ce qu'on appelle communément une faille.

CHAPITRE VI

Charles Stone était un joueur. Il n'aimait pas prendre de risques ni subir le suspense. Ce qu'il aimait, c'était y contraindre les autres joueurs. C'était là un de ses plaisirs par procuration.

En son for intérieur, il savait parfaitement ce qu'il lui restait à faire. Il lui fallait trouver un partenaire avant de distribuer les cartes. L'homme sur lequel il porta son choix était un vieux parlementaire, membre influent de la commission de la Défense nationale, Robert Campini. Il avait perdu une main pendant la dernière guerre, on l'avait retrouvé mêlé à la plupart des complots de la IVᵉ et de la Vᵉ République et il avait été l'un des hommes clés de la lutte contre l'OAS en métropole. Si le discours de Marcotte avait effectivement été prononcé et si quelqu'un était en mesure de lui fournir des informations à ce sujet, c'était bien Campini.

Stone l'avait vaguement rencontré, quelques mois auparavant, à l'occasion d'un dîner politique. On l'y avait invité comme le figurant étranger de service, censé y apporter un peu d'air frais. Ses récits sur les jungles de Malaisie avaient amusé Campini qui lui avait demandé de lui passer un coup de fil lors de son prochain passage à Paris. Stone y était déjà revenu pas mal de fois, mais il décida de prendre Campini au mot

77

et convint d'un rendez-vous avec lui deux jours plus tard.

Campini l'attendait, tout sourire, dans un vaste bureau de l'Assemblée nationale. Le bureau était une pièce d'apparat ; c'était à l'étage au-dessous et dans l'aile opposée que se trouvait celui, plus modeste, où Albert Duchesne avait perdu sa dernière bataille. Nul n'y travaillait vraiment, c'était plutôt un lieu de réception. Quant au personnage, il était tel que Stone en avait gardé le souvenir : un homme énergique et coriace, très imbu de lui-même. Il racontait comment il avait dit ceci au président, cela au Premier ministre, comment il se dépensait sans compter pour maintenir le pays dans la bonne direction.

Devant cette avalanche de mots, Stone resta muet, émettant de temps à autre quelques grognements approbateurs ; puis le débit du discours devint moins rapide, laissant entre les phrases quelques « blancs » dont Stone profita pour orienter la conversation vers ce qui l'intéressait. D'abord le précédent gouvernement, puis les exploits de Campini sous de Gaulle, puis les problèmes de l'armée, enfin Marcotte.

— Je suis en train de faire quelques recherches et je me heurte à une petite difficulté : un document que je n'arrive pas à me procurer.

Campini prit un air protecteur : n'était-il pas au courant de tout ?

— Vous n'avez qu'à demander. J'obtiens toujours ce que je veux.

Présomptueux comme il l'était, il ne pouvait faire moins que de lui proposer son aide.

— Il s'agit d'un discours qu'aurait prononcé le général Marcotte en janvier 1968. Il y était question d'un accroissement des pouvoirs du chef d'état-major général. J'en ai trouvé la référence, mais rien de plus.

— Ça ne me dit pas grand-chose, mais ne pose aucun problème. Revenez me voir dans une dizaine de jours, le 30, et vous l'aurez. C'est toujours amusant de retrouver quelque chose que tout le monde a oublié.

Campini ne passa pas les dix jours suivants à rechercher le discours en question, il avait d'autres choses à faire. Au demeurant, dans l'heure qui suivit sa promesse, il l'avait déjà oubliée. Il devait assister à une réunion du Bureau du parti, ensuite à une réunion de la commission de la Défense nationale, et puis, surtout, le Premier ministre avait demandé à le voir le lendemain. Lui-même avait jadis été secrétaire d'État et espérait bien le redevenir ; au moins secrétaire d'État, voire plus. Le Premier ministre était un des chefs historiques de la Résistance. Ils avaient donc quelque chose en commun. Cette fois, peut-être que...

Neuf jours passèrent, puis sa secrétaire lui rappela la promesse faite à l'Anglais. Car elle avait décidé qu'il était anglais.

Campini jura entre ses dents : il oubliait toujours les menus engagements qu'il prenait. À qui pouvait-il bien demander ça en vitesse ? Ah ! Il avait dans l'après-midi une réunion restreinte de la commission de Défense nationale. Il s'y trouverait bien quelqu'un pour l'aider.

Il s'agissait en fait d'un petit comité de coordination non officiel, composé de cinq députés de la majorité et de cinq officiers supérieurs occupant dans l'armée des postes prépondérants — mais pas nécessairement ceux que le public estime importants. C'étaient tous des hommes influents, au sens littéral du mot, ce qui ôtait toute signification véritable aux titres officiels dont l'État les avait pourvus.

Ils se rencontraient de manière informelle, çà et là dans Paris, quelquefois à midi, quelquefois au petit déjeuner. Cet après-midi-là, la réunion avait lieu dans une petite salle d'un immeuble faisant face à l'Élysée. Il n'y avait pas d'ordre du jour précis, mais chacun se dit préoccupé par un nouveau mouvement de jeunes recrues, cette fois non loin de Paris. Les appelés protestaient contre le mauvais état de l'équipement qui leur était octroyé — deux d'entre eux étaient morts, écrasés par un camion dont les freins avaient lâché au cours d'une manœuvre. Cet accident avait entraîné une manifestation d'une centaine de soldats qui avaient bloqué la route d'accès à leur caserne. Le ministre avait décidé d'en arrêter dix et de frapper vite et fort, pour l'exemple. Les choses n'avaient fait que s'aggraver, l'opposition s'était emparée de l'affaire, et ainsi de suite. Toujours pareil : le problème était autant politique que militaire. Ça faisait partie des inconvénients de la conscription.

La plupart des présents étaient partisans de la manière forte, à l'exception de l'amiral Cachan, qui aimait bien voir l'Armée de terre s'enferrer dans les difficultés, et du général Dehal pour la simple raison qu'il était plus intelligent que les autres. Celui-ci suggéra de faire aux deux victimes des obsèques assorties des honneurs militaires, de mettre aux arrêts l'officier du train responsable du transport des troupes, et d'arrêter également dix des meneurs. De la sorte, il serait répondu aux griefs de tout un chacun et un exemple serait donné.

Les autres furent d'abord déconcertés, mais ils se rangèrent vite à sa proposition quand ils surent que l'officier du train était un inconnu, sans aucune relation influente à Paris. Ils décidèrent donc de recommander la solution de Dehal à leurs ministres et chefs d'état-major respectifs.

C'est ce moment d'euphorique unanimité que choisit Campini pour poser la question concernant le discours de Marcotte. Cette question tomba dans l'indifférence générale.

— Que voulez-vous savoir au juste ? demanda l'amiral.

Campini expliqua brièvement qui était Stone.

— Ça ressemble fort à un provocateur, lança Dehal.

— Peut-être bien, répondit prudemment Campini en se demandant s'il n'avait pas abordé là un sujet délicat. L'un de vous sait-il quelque chose à son sujet ?

Il épela l'adresse et le nom de Stone.

— Ce discours était une gaffe monumentale, expliqua posément le voisin de Campini, membre du cabinet militaire de la présidence. Vous savez qu'il est censé ne jamais avoir existé.

— Catton a raison, renchérit l'amiral. Nous avons eu toutes les peines du monde à étouffer ça. Si le président venait à apprendre que quelqu'un met son nez dans cette histoire pour refaire parler d'elle, il serait furieux.

La simple mention de Pompidou incita Campini à sortir sa main artificielle de la poche de sa veste. S'il ennuyait le président avec cette histoire, il avait bien peu de chances d'appartenir un jour à un nouveau cabinet.

— Alors, que dois-je lui répondre ?

Catton posa une main ferme sur son épaule et lui murmura d'une voix doucereuse :

— Découragez-le, Campini.

— C'est cela, éloignez-le, ajouta Dehal. Vous êtes expert en ce genre de chose.

Quand Stone se présenta le lendemain, l'accueil fut loin d'être aussi chaleureux qu'à leur précédente rencontre. Campini le fit entrer, ferma la porte à clé derrière lui, glissa la clé dans sa poche et lui déclara d'emblée :

— Je n'ai pas pu trouver le discours dont vous m'avez parlé. Je crois d'ailleurs qu'il n'a jamais existé. Vous avez dû faire erreur.

Stone fut enchanté mais prit un air faussement surpris :

— Curieux. Mes références étaient pourtant si précises...

Campini se pencha par-dessus le bureau monumental et répéta en balançant sa main artificielle gantée de blanc sous les yeux de Stone :

— Vous vous êtes certainement trompé.

Son regard furieux et son ton laissaient entendre que n'importe quel individu un peu sensé eût été capable de reconnaître qu'il s'agissait là d'une erreur.

— Mais dites-moi, qu'est-ce que vous vouliez en faire ?

Stone prit son air le plus ingénu :

— J'aurais aimé savoir quelle sorte de pouvoirs Marcotte voulait voir attribuer au chef d'état-major général. Mais si vous me dites que ce discours n'existe pas, je ne veux pas abuser davantage de votre temps.

Il se leva pour prendre congé.

— Asseyez-vous. (Avec une raideur mécanique, la main de Campini le contraignit à reprendre sa place.) Je suis peut-être en mesure de vous aider. Posez-moi des questions.

C'était un ordre, et Stone le comprit. De toute manière, la porte était fermée à double tour, il n'avait donc pas le choix. Il commença par poser des questions sur l'armée, sur Marcotte. À chacune d'elles, Campini se contenta de répondre par « oui » ou par « non », ou encore par « je ne sais pas ». Son regard était de plus en plus chargé de menace. De temps à autre, il se penchait lentement en avant pour souffler quelque grain de poussière imaginaire sur la surface parfaitement lisse et nette de son bureau. Puis il levait les yeux et revenait à Stone, comme tout surpris de le retrouver encore là. Et ces yeux-là exigeaient de nouvelles questions. Et chaque nouvelle question faisait surgir de nouveaux fantômes — se levant douloureusement et planant dans des attitudes grotesques ou tourmentées, les yeux braqués sur eux : ceux des terroristes de l'OAS dont Campini s'était occupé ; entre le moment de leur capture et celui de se débarrasser de leurs cadavres.

C'était comme si le monologue de Stone se répercutait à travers l'espace vide et immaculé de la pièce pour aller se perdre dans l'enceinte de l'Assemblée nationale, parmi tous ses membres librement élus qui siégeaient de l'autre côté de la porte, à quelques pas de là. Il s'écouta parler et se rendit compte que sa voix devenait progressivement plus hésitante, mal assurée.

Les répliques brèves et mécaniques de Campini renforçaient son impression d'isolement. Chaque « oui » et chaque « non » étaient comme des détonations anéantissant les derniers vestiges de la vie extérieure. Le monde tenait entre ces quatre murs. Et ce monde était vide.

La partie était habile et admirablement jouée. Stone en était fasciné, comme hypnotisé par la puissance cachée de cette main de bois qui frappait le bureau à intervalles réguliers.

À deux reprises encore, il tenta de prendre congé. Chaque fois il dut se rasseoir et continuer. Les questions se succédaient, ponctuées par les réponses brèves et cassantes. Quand Stone devait s'interrompre pour réfléchir à de nouvelles questions, un silence compact s'installait. Campini emprisonnait littéralement son visiteur du regard. Stone, ne laissant paraître aucun trouble, essayait de percer le secret de ce regard, mais il n'y découvrait rien de plus que son propre reflet.

Il rompit ce lourd silence en se mettant tout tranquillement à rire. Il se mit à rire, à rire comme si vraiment il trouvait tout cela très drôle, et Campini, d'abord surpris, ne tarda pas à l'imiter. On aurait dit deux vieilles connaissances parfaitement au courant des tours que chacune réservait à l'autre. Ils se découvraient égaux et se détestaient cordialement. Stone coupa court :

— Il est temps que je m'en aille.

Le député se leva, traversa la pièce, sortit la clé de sa poche, ouvrit la porte tout en barrant le passage. Quand Stone arriva à sa hauteur, il lui serra la main gauche avec force, mais sans le laisser encore partir :

— Il y a une chose que je voudrais vous faire comprendre, monsieur Stone, c'est qu'il n'y a pas de pouvoir militaire en France.

Le ton était glacé. Il ouvrit la porte en grand et poussa son visiteur vers la sortie.

Stone se retint de sourire jusqu'à ce qu'il se fût suffisamment éloigné dans le couloir. Il avait visé juste, la piste était bonne. S'ils avaient quelque chose à cacher, c'est qu'il y avait quelque chose à trouver.

Campini était lui aussi satisfait. Il avait réussi comme personne à décourager cet intrus : rien ne valait décidément l'expérience des vieux professionnels.

Le lendemain, en fin de matinée, Philippe Courman traversait en claudiquant la salle à manger d'un appartement cossu du XVIᵉ arrondissement et s'asseyait à distance respectueuse de son hôte, un individu à l'allure indolente. Les deux hommes semblaient craindre d'attraper quelque chose au contact l'un de l'autre. Ils ne s'étaient pas serré la main, n'avaient pas encore échangé une parole.

— C'est au sujet de Marcotte.

— Oui ?

Courman était absolument impassible. Il ne bougea que les lèvres qui formèrent un ovale parfait lorsque le mot « oui » en sortit.

— Quelqu'un s'intéresse au fameux discours.

— Oui ?

— Je pense qu'il vaudrait mieux savoir pourquoi.

— Aucun intérêt.

L'homme mou et replet se cabra en entendant la réponse de Courman, il se leva de son siège et s'approcha d'une fenêtre. Le dos tourné, il se composa un sourire puis fit face à nouveau, résolu à se montrer convaincant.

— Mais moi, ça m'intéresse, et je veux savoir ce qui intéresse ce type. Et vous êtes le mieux placé pour le découvrir.

— Je vous l'ai dit, ça ne m'intéresse pas.

— Mon cher, vos nouvelles fonctions vous ont donné un peu trop d'assurance. (Son sourire se fit encore plus large.) N'oubliez pas, n'oubliez surtout pas, mon cher Courman, que les gens qui ont bâti leur édifice en partant du ruisseau doivent de temps à autre, quelle que soit la hauteur dudit édifice, redescendre les étages et aller chasser eux-mêmes les rats des égouts.

Courman ne laissa paraître aucune réaction. Il se contenta de lever les yeux et croisa le regard fixé sur lui.

— Vous vous figurez que vous aurez prise sur moi éternellement ?

Le sourire de son hôte se transforma en franc éclat de rire.

— Je dirais que nous sommes liés par un pacte d'assistance mutuelle et que nos intérêts sont communs. Le nom de cet individu est Charles Stone. Voici également son adresse. Nous n'avons pas besoin d'un travail soigné, mon cher. Il s'agit simplement de le repérer et d'agir selon ce qu'exigera la situation.

— J'ai besoin d'une écoute téléphonique.

— Qu'à cela ne tienne. Vous avez aux Invalides un petit lieutenant qui vous rend quelques menus services de temps à autre, si je ne m'abuse ? Dans cette affaire, inutile de recourir à la filière habituelle, ce serait trop malcommode. Allez le trouver et expliquez-lui ce que vous attendez de lui.

Courman ne montra aucune surprise à l'annonce que les services rendus par son lieutenant étaient connus. Il se contenta de répondre sèchement :

— C'est la dernière fois.

— Je l'espère. Je l'espère vivement. Il n'y aurait pas eu de dernière fois si ce Stone s'était mêlé de ce qui le regarde.

Courman se mit sur ses pieds. Une vive douleur lui parcourut la jambe. Il détestait les sièges de style, trop bas pour lui. Il détestait le sourire de cet homme, sa suffisance. La haine était pourtant un sentiment auquel il se laissait rarement aller ; elle l'empêchait de voir clair.

CHAPITRE VII

En arrivant à son bureau, le premier geste de Courman fut d'organiser une enquête rapide sur les activités de Stone. Il devait savoir à qui il avait affaire. L'un des membres de son organisation était un détective privé qui tenait une petite agence rue du Temple. Il s'appelait Peduc. C'était un homme irrésolu, qui n'obtenait pas toujours de bons résultats, mais il pouvait convenir. Courman l'appela au téléphone et lui donna vingt-quatre heures pour rapporter des renseignements. Puis il rendit visite au lieutenant qui le fournissait en « écoutes » parallèles.

Le jeune homme était entre les mains de Courman, ce qui ne l'empêchait pas d'adhérer à sa mission. Mais d'une manière trop prévenante, exagérément dévouée. Il était assis dans le café minable de la rue du Commerce où ils étaient convenus de se retrouver, non loin des Invalides, mais du mauvais côté de la ligne de métro aérien qui sépare le VIIe arrondissement du XVe. Il promit que tout serait en place en fin d'après-midi. Courman aurait un premier compte rendu dès le lendemain soir 31 mai.

C'était une besogne trop urgente pour le Groupe interministériel de contrôle, et cette mission particulière devait être accomplie en dehors de la procédure habituelle. Le GIC était un organisme trop lourd, trop de lignes sans importance y étaient écoutées par trop de gens inintelligents.

C'est la raison pour laquelle Courman y gardait en permanence un contact direct. Quelques années auparavant, il avait assisté parmi les officiels — ministres de tutelle et responsables des divers services de sécurité — à l'inauguration du nouveau centre d'écoutes qui venait d'être aménagé derrière les Invalides. Il n'avait guère été impressionné.

Ce centre avait été construit dans l'idée que tous ses utilisateurs étaient animés d'un idéal commun : servir la France. Si cela voulait dire que chaque ministère serait informé de ce qu'écoutaient les autres et de ce qu'ils avaient appris, c'était un faux espoir. Si cela signifiait que Courman avait les moyens d'apprendre ce que savaient les uns et les autres, c'était une tout autre histoire. Impossible de s'informer sans l'informer du même coup. C'est d'ailleurs ce qui préoccupait sérieusement la Sécurité militaire, le Deuxième Bureau, le Service de Documentation et de Contre-Espionnage ou SDECE, chargé de veiller sur la sécurité extérieure de la France, ainsi que le ministère de l'Intérieur et la DST, chargée de la sécurité du territoire, la présidence de la République et tous les autres services intéressés, qui n'avaient nulle envie de faire du renseignement sur le dos de leurs chers concurrents mais tenaient ferme à conserver leurs petits secrets pour eux-mêmes.

Ce n'était pas manque de confiance envers le général Caillaut qui dirigeait ce service. Non, il était de la famille, c'était un officier d'infanterie sorti de Saint-Cyr. Il essayait de mener son affaire avec autant d'honnêteté et de scrupules que les circonstances le lui permettaient. Mais c'était le Centre lui-même qui se trouvait mis en cause.

Les longues rangées de tables d'écoute étaient installées dans un vaste hall. Pour les manipuler, on avait spécialement recruté une armée de traîne-savates au quotient intellectuel fort moyen, pour la plupart d'inoffensifs retraités de la SNCF. Jugés trop frustes pour s'écarter de leur mission, trop vieux pour nourrir des ambitions personnelles, ils étaient de toute confiance. Inconvénient : leur compétence n'était pas du tout évidente. Leur mémoire était une vraie passoire et l'ordre n'était pas leur fort. Et qui peut dire la différence entre une erreur stupide et une erreur délibérée ?

Tout autour de ce hall central étaient disposés des bureaux affectés aux divers services utilisateurs d'écoutes téléphoniques.

C'est entre leurs mains avides que les cheminots allaient remettre le résultat de leur précieux travail.

Il y avait sans cesse des erreurs. Il arrivait toujours que la mauvaise bande tombât entre de mauvaises mains, juste assez longtemps pour être recopiée avant qu'on ne la restituât. C'est la raison pour laquelle Courman, dans les cas importants, faisait appel à un de ses hommes introduits dans l'administration du GIC. Le lieutenant de Saint-Lambert était peut-être d'un naturel un peu trop indépendant, mais il savait agir vite et avec discrétion, aidé en cela par un des cheminots qui recevait en échange de petites commissions que Saint-Lambert lui versait en liquide. Il faisait du bon travail, et sa récompense lui était remise avec les précautions d'usage, en général lorsqu'il venait apporter une bande dans le bureau du lieutenant.

Celui-ci disposait également d'une équipe spéciale capable à tout instant de s'introduire dans les égouts de Paris et de fixer une bretelle sur la ligne de la victime désignée. Les fameux égouts de Paris, assez larges pour s'y promener en gondole, avec le nom de chaque collecteur inscrit au-dessus de l'orifice par où il s'en vient grossir le courant principal...

Dans la mesure du possible, Saint-Lambert évitait de recourir aux services de l'administration des téléphones. Ç'aurait été la procédure normale, mais elle était complexe, trop bureaucratique, et comportait toujours le risque de complications avec des membres des syndicats. Il évitait également que ce genre de travail ne fût bousillé par un de ces abrutis du GIC, et que la bande enregistrée n'atterrît ainsi dans le mauvais ministère par suite d'une simple erreur d'étiquettes. Les louches combinaisons des clients de Courman, venant à la connaissance des services du ministère de l'Intérieur, pouvaient s'avérer plus qu'embarrassantes.

C'est pour la même raison que Courman exigeait qu'on lui livrât la bande originale des enregistrements de l'écoute de Stone, et non pas un simple décryptage. Ça faisait un idiot de moins dans le circuit. De plus, il aimait à entendre lui-même la voix qui prononçait les mots. Il y avait tellement de façons différentes de dire la même chose : les hésitations, les petites quintes de toux...

Le résultat de l'enquête du détective lui parvint à son bureau l'après-midi suivant, avec cinq heures de retard. La première bande lui fut livrée presque en même temps. C'est le lieutenant de Saint-Lambert en personne qui la lui apporta en rentrant chez lui après sa journée de travail au GIC.

Courman lut d'abord le rapport, enfoncé dans un fauteuil de cuir tout fendillé, les feuillets calés entre son estomac et le rebord du bureau. Ces trois pages résumaient les détails essentiels : passeport irlandais ; fréquentes visites en France ; écrit des articles de temps à autre ; liste succincte et non exhaustive des articles en question ; les gens qu'il fréquentait, que Courman connaissait de nom pour la plupart. La moitié appartenait au Tout-Paris. L'autre moitié était composée de personnalités influentes du monde des affaires ou des milieux gouvernementaux, donc susceptibles de protéger Stone si jamais il lui arrivait des ennuis. Il convenait d'agir avec prudence. Une douzaine de photographies étaient jointes dans une chemise, clichés anodins de tout ce que Stone avait fait dans la journée et durant la soirée précédente, c'est-à-dire rien de particulier.

Quittant son appartement en fin d'après-midi, il s'était rendu dans un café où il avait rencontré un homme plus âgé que lui, l'air un peu négligé sur cette photographie. Peduc avait noté au dos qu'ils avaient passé deux heures à parler de femmes et de philosophie. En cet homme mur, Courman reconnut un écrivain assez célèbre. Stone s'était ensuite rendu — Courman supposa que c'était à dîner — dans un hôtel particulier du quai Voltaire. C'était une de ces grandes demeures bâties il y a une centaine d'années dans le style du dix-huitième. Huit autres personnes y étaient également entrées. Peduc avait réussi à reconnaître l'une d'elles : un banquier à la réputation bien établie. L'hôtel lui-même appartenait à une famille d'hommes politiques qui avait servi les deux dernières Républiques et continuait de servir celle-ci. Le lendemain matin, il était raisonnablement sorti vers les 10 heures, s'était rendu en voiture au bois de Boulogne, avait nagé dans la piscine du Cercle sportif dont il était probablement membre, puis s'était dirigé vers une galerie de la rue de Seine qu'il avait visitée, avait déjeuné seul au restaurant Chez Georges, avait rendu visite à un avocat, etc. Tout cela montrait simplement que Stone s'était accordé deux jours de bon temps après sa fructueuse visite à Campini.

Courman examina attentivement chaque photographie. Ce genre de clichés pouvaient s'avérer utiles et en même temps induire en erreur. Il les mit en balance avec le rapport écrit pour tenter de donner vie au personnage. Il en conclut que Stone se déplaçait beaucoup trop et écrivait vraiment trop peu. Il était évident qu'il avait de l'argent. C'était un jeune homme bien bâti, mais les muscles ne signifiaient rien : des hommes de faible constitution ont souvent une personnalité plus forte. Il devait être facile de le neutraliser : c'était un homme aux intérêts passagers, un dilettante en quelque sorte.

Assez bizarrement, c'était exactement ce que pensaient de Stone la plupart de ses amis. Et pour cette même raison que beaucoup l'aimaient bien.

Courman mit de côté le rapport, il se redressa, s'empara d'un magnétophone posé sur un coin du bureau et y introduisit la bande magnétique.

Au début, il n'y avait que des conversations personnelles entre Stone et ses amis, rien d'important. Courman prit quelques notes. Connaître le détail de la vie privée des gens lui plaisait : des tas de choses qui peuvent paraître insignifiantes se révèlent si importantes à l'usage. Il y avait ensuite une conversation entre Stone et un agent de change de Londres, qui se terminait par la vente de quelques actions. Puis une femme lui avait téléphoné, l'invitant à dîner dans deux semaines, mais Stone déclinait la proposition, répondant qu'il était déjà invité ce soir-là. Puis il avait téléphoné à une galerie, celle qu'il avait visitée, au sujet d'un tableau qu'il y avait remarqué. Il y avait ensuite un silence.

Celui-ci ne dura que quelques secondes. Il s'agissait en fait du début d'une autre conversation. Le lieutenant en avait effacé les premiers mots, le nom de l'interlocuteur ayant été prononcé. Celui-ci n'était autre que François de Maupans, dont le lieutenant connaissait la famille. Il n'avait nulle envie de compromettre de proches amis dans ce genre d'histoires louches. Mais il avait laissé le reste de la conversation sans y attacher grande importance.

Courman était furieux. Il fit revenir le ruban en arrière à deux reprises, pensant avoir commis une erreur ; mais non, aucun doute : la bande avait été partiellement effacée. Il fut encore plus furieux quand il eut écouté la conversation :

— ... mieux que je ne pensais.

— Tu veux dire que tu as déjà les preuves ?

— Que c'est bien ça qui s'est passé, oui. Comment et pourquoi, pas encore.

(Celui-là, c'était Stone.)

— Que veux-tu dire ?

— J'ai retrouvé trace d'un discours que Marcotte a prononcé juste avant sa mort. Ce discours a été complètement étouffé. Je viens de voir Campini.

— Campini, ce vieux roublard ?

— Lui-même. Il a vu rouge et m'a tenu enfermé dans son bureau assez longtemps pour me faire comprendre que je ferais mieux d'abandonner et d'oublier toute l'affaire.

— Pour l'amour de Dieu, Charles, fais attention. Je t'ai dit qu'ils formaient un petit cercle avec leurs règles bien à eux...

— Peu importe, du moment qu'il pense que j'ai laissé tomber. Mais je vais avancer avec plus de précautions : je n'ai nul désir de finir comme Marcotte. Tout ce qu'il me faut à présent, c'est mettre la main sur ce discours. Le reste apparaîtra en cours de route ou quand je serai arrivé au bout de mes peines.

— Écoute, Charles...

Il y avait de nouveau un blanc sur la bande : le lieutenant avait également censuré la fin de la conversation, quand Stone et Maupans étaient convenus d'un rendez-vous. Son patron se débrouillerait bien sans ces détails de leur rencontre. S'il lui demandait ce qui s'était passé, il répondrait qu'un de ces cheminots retraités s'était trompé, avait branché l'appareil trop tard et coupé trop tôt.

Courman écouta la bande magnétique jusqu'au bout, mais il n'y avait plus rien d'important. Il repoussa le magnétophone avec un geste de colère, pivota sur son siège et empoigna le téléphone. Il appela Peduc, le détective, au moment où celui-ci rentrait chez lui.

— Prenez Stone en filature.

— Est-ce que j'ai oublié quelque chose dans le rapport ?

— Vous avez tout oublié, lui cria-t-il. Filez-le vous-même si c'est nécessaire, vingt-quatre heures sur vingt-quatre. Je veux un rapport complet chez moi tous les matins à 7 heures.

Il y eut un silence à l'autre bout du fil.

— Vous m'avez bien compris ?

Peduc, qui avait nourri l'espoir de passer la soirée au cinéma après un bon repas dans un petit restaurant de la rive gauche en compagnie de son épouse, femme plus ordinaire que de raison, dut faire effort pour répondre :

— Bien entendu, monsieur Courman. Je m'en occupe moi-même dès ce soir. Je préfère commencer tout de suite, pour ne pas courir le risque qu'il soit déjà sorti.

— Parfait. Occupez-vous-en immédiatement. Je saurai vous remercier, Peduc. Rappelez-vous que c'est une mission de grande importance.

Courman aimait traiter ses hommes avec courtoisie. Il concevait son organisation comme un petit club.

Il jeta un coup d'œil à sa montre : il était 19 heures. Il prit appui sur ses bras pour se redresser et sortit de son bureau en boitillant. Devant la porte, son secrétaire l'attendait avec impatience.

— Je vais m'absenter quelques jours. Dès votre arrivée, demain matin, appelez le lieutenant de Saint-Lambert à ce numéro. Demandez-lui de venir désormais chaque matin chez moi, à 7 heures.

Il décommanda son chauffeur qui l'attendait sur le trottoir et se dirigea vers la station de taxis la plus proche en traînant la patte. Il donna l'adresse du 76, rue Taitbout, à une cinquantaine de mètres de l'endroit où il se rendait effectivement.

Comme chacun pouvait s'en rendre compte, Petit-Colbert n'était pas particulièrement grand. Il était en revanche bâti comme une armoire. Il passait tous ses après-midi et jusqu'à ses soirées au Sauna-Bain turc du 80 *bis*, rue Taitbout. C'était une façon agréable d'occuper son temps libre, bien qu'il se plaignit régulièrement du manque de soleil.

Les Bains étaient abondamment pourvus de sofas en caoutchouc mousse de couleur mauve. Les cloisons de sapin, couvertes d'humidité, embaumaient l'atmosphère, et sur les sofas se prélassaient une foule de jeunes gens venus là dans l'espoir d'en rencontrer d'autres qui leur plaisaient, ne fût-ce que pour la soirée.

Colbert n'était ni aussi jeune ni aussi svelte que la plupart d'entre eux l'auraient souhaité. Mais il était l'objet d'une certaine admiration. Robuste et carré comme il l'était, il faisait l'affaire de certains. Il n'était d'ailleurs ni stupide ni ennuyeux. Il témoignait d'une assurance, ou mieux d'une certaine expérience qui paraissait éveiller en eux un intérêt notable. Il possédait également une forme d'intelligence qui devait plus à la sensibilité — dans son cas, quelque chose de viscéral — qu'à la réflexion.

L'établissement était fréquenté par une race de gens qui avaient réussi et qui espéraient bien ne jamais y rencontrer leurs connaissances. Avec un peu de chance, ils y arrivaient. Si on avait posé la question à Colbert, il aurait rangé la clientèle pour moitié dans les affaires, pour moitié dans l'administration et la politique. Une part non négligeable de cette seconde catégorie était composée d'anciens élevés de l'École nationale d'administration, pépinière de la technocratie française en passe d'exproprier le gouvernement lui-même. Colbert aurait ajouté que c'étaient bien les pires : les plus candides, les plus frustrés, les plus vicieux de tous. Il avait un jour confié à Courman, dans un moment d'abandon :

— Si jamais vous rencontrez un jeune puceau de trente ans, je veux dire vierge de partout, je vous parie ma fin de mois que c'est un énarque.

Colbert travaillait pour Courman dont il était un vieux fidèle. L'époque étant relativement paisible, il avait échoué aux Bains turcs. Il en profitait pour nouer relation avec ceux que sa carrure intéressait et qu'il jugeait dignes d'intérêt. Il devenait leur confesseur et s'arrangeait pour les faire photographier, nus devant l'Éternel, mais dans ses propres bras. Dans le meilleur des cas, il réussissait à obtenir d'eux quelques lignes d'affection. Courman payait ce genre d'informations à la pièce, ou plus exactement à la tête du client.

Ces jeunes gens haut placés venaient ensuite grossir les rangs de la nouvelle vague dans son organisation. Courman aurait été horrifié d'entendre à ce propos parler de chantage. Après les premières explications désagréables, ils devenaient en général des membres zélés, tirant autant de profit qu'ils en procuraient à Courman. C'est d'ailleurs ainsi qu'avait été recruté Saint-Lambert.

Mais Colbert était plus qu'un simple informateur. Dans les moments délicats, il se révélait également un homme de main aux multiples ressources. Il exultait chaque fois que l'usage de ses muscles — son « intelligence physique », aurait-il pu dire — était requis. C'était pour lui comme des week-ends d'entraînement au grand air. En outre, il savait se servir d'une arme ;

c'est lui qui, à peine âgé de dix-sept ans, avait tiré une balle à bout portant dans le crâne du gardien de Courman, celui-là même qui l'avait autrefois accusé, à la prison de Dijon en 1944. Au fusil, c'était également un tireur d'élite, même à plus longue distance. Un homme de l'art rompu à un très vieux métier.

Il était paresseusement vautré au fond d'un divan, dans l'attente d'un ami éventuel, contemplant le léger bourrelet qui s'était formé au cours des dernières semaines, faute d'exercice, sur son estomac habituellement tendu, quand le gérant s'approcha pour lui remettre une enveloppe. À l'intérieur, il trouva la carte de Courman.

— Il vous attend au bureau, murmura le gérant à son oreille.

Le cœur de Colbert tressaillit. Y aurait-il de l'entraînement dans l'air ?

Charles Stone n'avait pas abandonné la chasse. Peut-être était-il moins excité, moins nerveux, moins pressé de faire le pas suivant. Ses amis et Courman n'avaient pas entièrement tort quand ils le traitaient de dilettante. Maintenant que le suspense avait disparu, il pensait avoir toute la vie devant lui pour continuer et découvrir les tenants et les aboutissants de l'affaire.

En outre, après quelques jours de silence, Campini se calmerait et oublierait. C'est pourquoi Stone s'abstenait de rien faire. Il se distrayait, voyait ses amis.

Ainsi, le mercredi de la semaine suivante, il alla déjeuner au Bois avant de se rendre aux courses en compagnie de Maupans et de quelques autres relations. Il avait espéré que Mélanie Vincens se joindrait à leur groupe, mais elle n'était pas là.

Le soir même, Maupans donna une soirée particulièrement réussie, à laquelle il avait convié des amis dont l'importance était en soi divertissante, par opposition avec l'autre moitié, insignifiante et frivole, de ses relations habituelles. Stone était invité, comme toujours en pareil cas, ainsi que le général Pierre Dehal, membre du Comité de coordination pour les affaires militaires.

Mais Dehal n'était pas là en tant que général. Il s'y trouvait en tant qu'homme d'agréable compagnie, volontiers amusant, capable de laisser chez lui sa très ennuyeuse épouse. Il était aussi populaire dans les milieux où évoluait Maupans qu'il l'était parmi ses compagnons d'armes.

Il souriait en permanence, le cigare à la bouche, un verre de whisky à la main, appelant tout un chacun par son prénom — ce qui, dans ce monde-là, n'allait pas de soi — et faisant de tous ses amis.

C'était un homme fort, aux formes lourdes. De cette sorte d'hommes qui passent leur jeunesse à faire du sport et laissent leurs muscles s'affaisser doucement en masses flasques et satisfaites de l'être. C'est du moins ce que se disaient la plupart des gens. En fait, il détestait le sport. Ce type d'activité l'ennuyait au plus haut point. Elle l'avait toujours ennuyé. Il avait passé l'essentiel de sa jeunesse à éviter les dépenses physiques, à rêver qu'il était devenu assez âgé pour qu'on lui fichât la paix avec ça.

Il y avait une autre raison à sa popularité. Dehal savait toujours arranger une affaire. Dans l'armée, tout le monde était au courant. Il était ambitieux, mais personne n'y prêtait cas : il pensait comme la plupart des officiers, était utile à leurs intérêts. Dans ce milieu d'hommes attachés aux traditions, aux usages, il était un de ceux qui avaient le moins peur de mettre la main à la pâte. Les autres l'admiraient, avaient besoin de lui. Ses succès étaient ceux de l'armée. Il n'arriverait jamais tout à fait au sommet de la pyramide, mais peu importait. Il couvrirait une bonne partie du chemin. On s'attendait à ce qu'il devienne, d'ici un an ou deux, chef d'état-major de l'Armée de terre, et chacun s'en réjouissait. Il était le type d'homme qu'il fallait pour traiter avec les politiciens, l'opinion et les représentants des deux autres armes.

Le lendemain soir, Stone dîna chez un peintre qu'il estimait ; ils étaient amis, parents d'esprit : Stone retrouvait dans ses toiles beaucoup de ses incertitudes et quelques-uns de ses plaisirs. Puis il se rendit à quelque réception tardive. Il avait oublié qu'on pouvait s'ennuyer à ce point. Il y avait là une foule de petits aristocrates catholiques de province pérorant à propos d'oncles, de neveux, de cousins au premier, au second ou au troisième degré, et de mille autres pièces rapportées qui composaient leur univers évanescent.

Quand il rentra chez lui, il était 1 h 30 du matin. Il traversa le salon plongé dans l'obscurité, pénétra dans la salle à manger. Au moment où il poussait la porte, un choc violent l'atteignit à l'épaule et il tomba de tout son long en entraînant une chaise dans sa chute. Il resta à terre, étourdi, comme s'il trouvait normal d'être là, la figure enfouie dans le tapis et les jambes empêtrées dans les pieds de la chaise. Y avait-il un autre monde que ce monde de ténèbres où il avait sombré ? Il n'arrivait plus à se souvenir. À terre il avait chaud, il se sentait bien, en sécurité.

Comme dans un cauchemar, il se sentit agrippé, soulevé de terre. Un poing fermé, surgi de nulle part, comme s'il n'appartenait à personne, l'envoya valser sur la table. Au moment où le coup porta, le propriétaire du poing poussa un grognement.

Deux mains s'avancèrent vers la table pour l'empoigner à nouveau. Cette fois, il avait suffisamment recouvré ses esprits pour réagir. Il fallait arrêter ce petit jeu. Il agrippa une veste et tira dessus de toute la force dont il était capable.

Il s'arrangea pour étreindre son agresseur jusqu'à l'étouffer, ils dérivèrent à travers la pièce, bousculant les chaises, dansant une danse grotesque dans l'obscurité la plus complète, poussant au passage la porte du salon où ils pénétrèrent. L'homme réussit alors à se dégager et envoya Stone au tapis d'un nouveau coup puissamment assené.

Stone parvint à s'asseoir, encore à moitié étourdi, cherchant à accoutumer son regard à l'obscurité. Il réussit à deviner au-dessus de lui une silhouette trapue qui s'approchait.

La silhouette s'arrêta à un mètre de lui et une voix étrange sortit de l'ombre :

— C'est pour t'apprendre à te mêler de ce qui ne te regarde pas.

La silhouette leva le pied en arrière, s'apprêtant à frapper Stone à la tête.

Dans l'épaisseur de la nuit, il lui sembla que l'ombre de ce pied et de cette jambe, décrivant une courbe majestueuse, était en train de devenir le foyer de l'univers.

« Contente-toi de lui faire peur ! » La recommandation de Courman revint à l'esprit de Petit-Colbert.

C'était d'une subtilité délicate pour un homme de son gabarit.

Profitant de cette seconde de méditation, l'homme étendu par terre se redressa, frappa. Son poing atteignit l'ombre entre les deux jambes, de plein fouet. Stone entendit un cri de douleur. Son épaule suivit la trajectoire de son poing et bouscula l'homme. Stone se remit debout et, sans même viser, donna un violent coup de pied dans la masse gisant par terre. Celle-ci poussa un grognement et si Stone s'était penché pour prêter l'oreille, il aurait pu entendre l'air s'en échapper en sifflant, et un hoquet tout de suite après. Mais il y voyait mieux maintenant et se mit à frapper sans relâche. Il frappa une dernière fois à la tête, puis l'homme ne bougea plus.

Il courut à la porte, l'ouvrit, revint vers l'homme assommé. Il le traîna au-dehors et le poussa dans l'escalier. En claquant la porte qu'il verrouilla à double tour, il entendit le corps dégringoler les marches du premier étage.

Il se précipita sur le téléphone, appela la police. Et brusquement, là, dans l'obscurité, dans le calme retrouvé de cette nuit fraîche et inhabitée, il entendit un policier lui répondre et il frissonna. Il frissonna et raccrocha. Était-ce un effet de son imagination ? Il se sentit pris de panique, consulta fébrilement l'annuaire, empoigna le combiné et appela un autre poste de police, écouta de nouveau la réponse... Le doute n'était plus permis.

Ça lui avait trotté dans la tête durant toute la matinée. Son téléphone était neuf : cela faisait à peine deux mois qu'on le lui avait installé, le son en était très clair. Ces derniers jours, chaque fois qu'il entrait en communication, il avait noté une légère baisse de puissance. S'il n'y avait prêté attention et n'avait rien su des écoutes téléphoniques, sans doute n'aurait-il jamais remarqué cette légère différence.

Mais là, dans le silence nocturne, il avait parfaitement relevé la baisse de puissance occasionnée par le branchement d'une « bretelle ».

Il raccrocha et s'assit calmement dans le noir. Il ne servait strictement à rien d'appeler à l'aide. L'écoute téléphonique et l'agression dont il avait été victime ne pouvaient avoir qu'une seule et même origine. Ce n'était guère le moment d'aller se jeter dans les bras de leur police.

CHAPITRE VIII

Il s'écoula près d'une heure avant que Stone ne bougeât de sa chaise. Il avait une entaille à la joue droite ; le sang en avait dégoutté lentement, séchant au fur et à mesure et formant une épaisse croûte semblable à la coulée de cire d'une vieille chandelle. Une de ses épaules lui faisait mal, il ne savait trop laquelle car la douleur était diffuse, il n'en ressentait pas les élans. Son esprit était trop ébranlé par cette trombe qui lui était tombée dessus.

Sa première impulsion fut de prendre un peu de recul, de partir à la campagne ou ailleurs. Non qu'il eût peur : ce genre de bagarre ne l'effrayait pas. Prendre quelque distance vis-à-vis d'une situation dont le contrôle lui échappait.

Il essaya de résister à la tentation d'une sortie aussi commode : il se souvenait avec une certaine gêne de la discussion qu'il avait eue à Noirmoutier. Était-il vraiment en si mauvaise posture ?

Non, il ne fallait pas dramatiser. Y avait-il moyen de reprendre le contrôle ? Qu'est-ce qui leur faisait peur ? Qu'est-ce qui pouvait lui donner prise sur eux ?

Quand Stone se fut remis d'aplomb, frissonnant et courbaturé, il avait déjà une petite idée derrière la tête.

Il fit la lumière, nettoya sa blessure et se dirigea vers sa bibliothèque. Les tiroirs du bureau avaient été ouverts et à moitié vidés, ses papiers jonchaient le parquet. Le placard où il avait rangé la mallette d'acier, avec ses notes et ses bandes concernant Marcotte, était lui aussi ouvert. Il jeta un rapide coup d'œil autour de lui et s'en revint au salon. La mallette était là, posée près de la porte, elle n'avait pas été ouverte, l'infortunée silhouette n'avait pu l'emporter.

Stone s'en saisit et retourna vers la bibliothèque. Il en retira les cassettes où avaient été enregistrées ses conversations avec Portas et Campini et il en fit deux copies sur un magnétophone ordinaire. Il glissa ces copies dans une serviette et replaça les originaux dans la mallette d'acier.

Sur une petite table d'angle se trouvait une machine à écrire. Stone y introduisit deux feuillets séparés par un papier carbone et se mit à taper. Il fit un résumé de ses hypothèses, de tout ce qu'il avait lu et entendu et de tout ce qui venait de lui arriver. Ce travail lui prit du temps et une faible lumière grise éclairait déjà la cour quand il en eut terminé. Il y en avait sept pleines pages. Il rangea les originaux à l'intérieur de la serviette et les doubles dans la mallette.

Il prit un bain, endossa un costume foncé et quitta son appartement, tenant la serviette d'une main, la mallette de l'autre. Il ne prit pas sa voiture, mais un taxi qui le conduisit jusqu'à sa banque, une succursale américaine installée sur les Champs-Élysées. Les portes étaient encore fermées mais il savait que le directeur arrivait ponctuellement à 8 heures chaque matin, et il était déjà 8 heures passées. Il sonna et tendit sa carte au portier :

— Dites-lui que c'est urgent.

Quelques instants plus tard, il se retrouvait dans le bureau de Christian Smith. Stone lui confia la mallette métallique, avec des instructions précises. S'il n'avait pas donné signe de vie dans les trois jours, Smith devait envoyer quelqu'un de la banque à Londres pour la remettre en main propre à un certain Roderick Williams. L'adresse était celle d'un important journal dont le dénommé Williams était rédacteur en chef.

Avant de partir, Stone retira de la mallette la petite liasse de ses notes manuscrites, en fit un double sur la photocopieuse de la banque et les replaça avec les bandes originales et le mémorandum dactylographié. Il glissa les photocopies dans sa serviette.

Le directeur ne posa pas de questions. C'était un homme discret, à la hauteur de sa tâche.

Stone sortit de la banque. Il faisait maintenant grand jour. Il traversa jusqu'au milieu de l'avenue où se trouvait une file de taxis en attente, et se fit conduire à l'aéroport d'Orly.

L'adjoint de Peduc faisait le guet devant la banque ; il s'ennuyait ferme et ne tenait pas en place, dévisageant la foule qui déambulait sur le large trottoir en se rendant à son travail. Comme tous les matins sur le coup de 9 h 15, il y avait au moins trois personnes au mètre carré sur les trottoirs des Champs-Élysées ; et une sur trois au moins était une jolie femme. Entre-temps, la banque avait ouvert ses portes, et quand Stone en sortit dans la foulée de clients plus ordinaires, l'adjoint de Peduc avait les yeux ailleurs. Il ne vit pas passer l'homme à la serviette, il ne le vit pas se faufiler dans la foule ni monter dans un taxi. Ce n'est qu'une heure plus tard qu'il commença à se demander pourquoi Stone mettait si longtemps à sortir.

Au même moment, Stone avait pris place dans un Boeing 727 qui s'apprêtait à décoller pour Londres. Il était arrivé quinze minutes avant l'heure du vol et comme, hormis sa serviette, il n'avait aucun bagage, il était monté directement à bord.

De l'aéroport de Londres, il appela Roderick Williams et se retrouva peu après dans son bureau. Williams connaissait bien Stone — pour autant qu'on pouvait le connaître, naturellement. De temps à autre, il publiait un de ses articles. Mais ils se fréquentaient également en dehors du journal et lorsque Stone l'appela depuis l'aéroport en lui disant qu'il s'agissait d'une affaire très importante, il le crut sur-le-champ. Toutefois, après avoir lu son bref récapitulatif, Williams leva vers Stone des yeux un peu déçus.

— C'est une charmante histoire, mon garçon, mais que veux-tu que j'en fasse ? Ce ne sont pour les trois quarts que des présomptions. Pas un nom, pas une organisation à qui attribuer le meurtre. Je ne peux pas me permettre d'imprimer ça.

Stone l'arrêta d'un geste tranquille.

— C'est bien évident. Mais je ne te le demande pas. Pas maintenant. Je te demande deux choses. Tu as lu cette histoire. Si j'obtiens les preuves, est-ce que tu la publieras ?

— C'est une autre question, Charles. L'histoire en elle-même est bonne. S'il y a des preuves, je la publie sans problème.

110

— Parfait. Deuxième chose : tu as sans doute remarqué que mon résumé se termine mal, sur une note violente, si tu préfères.

Tous deux se mirent à rire. Il y a toujours quelque chose d'un peu ridicule à parler de violence dans les locaux d'un journal. Avait-elle encore quelque réalité ou bien n'était-ce plus que de la copie ? La duchesse avait-elle vraiment mangé son chien ou n'était-ce qu'une bonne blague à reléguer en petits caractères dans les pages intérieures ?

— Je ne sais ce qui peut arriver maintenant après les menaces verbales, la table d'écoute et l'énergumène qu'on a envoyé me casser la figure. Je veux une protection rapide en cas de besoin. Rien n'est plus rapide, pour faire réfléchir ces gens-là, que la publicité. Si les choses se gâtent, je voudrais pouvoir te joindre immédiatement et j'aimerais que tu me promettes de publier quelque chose, n'importe quoi, dans les vingt-quatre heures qui suivront.

— Aucun problème. Si les choses tournent mal et que tu es en danger, mon vieux, ton histoire devient aussi intéressante que celle de Marcotte lui-même. Plus tu auras d'ennuis, mieux ça vaudra pour moi.

— Parfait. Je vais laisser cette serviette chez un vieil ami à moi, Martin Sherbrooke, dont je vais te donner l'adresse et le numéro de téléphone. Au fur et à mesure que je progresserai dans mon enquête, je lui enverrai copie de mes notes ou des bandes magnétiques que j'aurai enregistrées. Tout sera donc tenu à jour en permanence. Je le préviendrai que tu es susceptible de le contacter, et réciproquement.

Williams était un homme mûr mais débordant d'énergie. Seule sa démarche laissait deviner qu'il exerçait d'importantes responsabilités : une sorte de flânerie tranquille et méditative dont il avait pris l'habitude au fil des années, en réaction contre l'attitude de trop de journalistes qui l'entouraient, pressés d'aller et venir et qui ne voyaient rien. Il raccompagna Stone à pas lents jusqu'à la porte.

— Tu as mis le nez dans une drôle d'histoire. Pourquoi l'ont-ils supprimé de cette manière ? Avec dix-huit innocents, par-dessus le marché, et sur une île de l'océan Indien. Cela semble si compliqué, si tordu. Pourquoi ne pas l'avoir simplement descendu ou empoisonné, ou exécuté d'une manière plus classique ? Si tu pouvais répondre à cette question, tu pourrais répondre à toutes les autres. Bien entendu, personne ne se souvient plus vraiment de Marcotte, bien qu'il paraisse avoir été doté d'un bon profil journalistique. Mais il y a tous les autres, et peut-être même l'ensemble du système, et c'est cela qui m'intéresse. Ah, j'y pense, une dernière chose. Tu indiques cinq catégories de gens susceptibles d'avoir fait le coup. Le fait que ta ligne soit surveillée te permettra peut-être de resserrer ton choix.

— J'ai bien peur que non. Il y a au moins une dizaine de groupes différents qui ont accès aux écoutes téléphoniques, et Dieu sait combien d'individus, parmi eux, s'en servent pour leur usage personnel. Écouter les conversations des gens occupe toute une profession en France.

Stone prit congé et s'en alla trouver Martin Sherbrooke. Celui-ci était un ancien officier de parachutistes, devenu éditeur de revues. Il habitait dans le centre de Londres, à Knightsbridge, une demeure de style victorien aux appartements agréables pleins de coins et de recoins. Sa femme était sortie, il était resté chez lui pour travailler. Sherbrooke et Stone étaient des amis de longue date. Ils s'étaient rencontrés en Extrême-Orient : Sherbrooke était alors officier d'active et Stone travaillait à son étude sur la guerre de guérilla en faisant en sorte d'y participer. Ils s'étaient trouvés embarqués ensemble dans une petite opération — Stone théoriquement en observateur. En fait, ils s'étaient épaulés l'un l'autre pendant trois rudes journées et cette solidarité était restée entre eux une habitude. Depuis lors, chacun rendait service à l'autre à tour de rôle. C'était maintenant le tour de Sherbrooke et il était enchanté de faire ce que Stone lui demandait. Bien qu'il s'en défendît, il ruait dans les brancards à mener cette existence de bureaucrate qui le tenait enfermé cinq jours par semaine, son corps peu à peu enlisé dans la gélatine du commerce. Le seul détail qui l'ennuyait un peu, c'était que toute l'action se déroulât de l'autre côté de la Manche.

Ils convinrent qu'il garderait la serviette et y ajouterait au fur et à mesure tous les documents que Stone lui ferait parvenir. Il accepta également de ne jouer que le rôle de boîte aux lettres et de contact de Williams en cas d'urgence. Stone insista sur les limites de sa participation. Il ne souhaitait pas voir son ami s'exposer inutilement.

Sherbrooke ouvrirait dès le lendemain matin un coffre dans les sous-sols de chez Harrod's, le plus grand magasin de Londres. C'était à deux pas de chez lui, il pourrait aller y déposer rapidement les envois de Stone. Le mot de code dont ils convinrent pour la combinaison du coffre était « azimut ». Ce fut Stone qui le suggéra. Mais il s'abstint de s'étendre en explications sur la stratégie du général Marcotte.

À l'avenir, tout contact entre eux serait soumis à une discrète vérification. Stone commencerait chacun de ses appels en demandant la Norwich Union.

Si c'était Sherbrooke qui l'appelait, il demanderait à parler à M. Colin. Stone répondrait qu'il s'agissait d'une erreur de numéro, raccrocherait et irait rappeler son ami depuis un café.

En cas d'extrême urgence, Sherbrooke devrait remettre les documents à Williams dans les plus brefs délais.

À 3 heures de l'après-midi, Stone était de retour à son appartement parisien après être passé à la banque ou il avait récupéré sa mallette d'acier. Le directeur eut l'air tout heureux de le revoir bien avant le délai prévu, et se permit même de le lui dire. Peduc et son adjoint faisaient le guet rue de Grenelle devant chez Stone. Peduc frémissait à l'idée de ce qu'il allait devoir écrire dans son rapport, celui qu'il lui fallait remettre à 7 heures le lendemain matin. Il poussa un soupir de soulagement quand il vit leur homme descendre d'un taxi. Tandis que celui-ci disparaissait dans la cour, l'adjoint murmura :

— Il n'a plus sa serviette.

— Comment ?

— Il est parti ce matin avec cette mallette et une serviette. Maintenant il n'a plus que la mallette.

— Oh Seigneur, soupira Peduc.

Son expérience lui disait que quelque chose d'important s'était produit, et il ne savait quoi.

Stone avait soigneusement réfléchi à l'étape suivante. Il avait assuré sa protection. Il lui restait à faire savoir à l'ennemi qu'il l'avait doublé. Le moyen le plus simple était d'utiliser le téléphone. Car s'il ignorait encore qui ils étaient, il savait qu'ils l'écoutaient. Le seul problème était de trouver quelqu'un à qui téléphoner pour lui raconter son histoire. Il ne voulait pas causer d'ennuis à ses amis.

Il pensa soudain à Campini. Il était certain que celui-ci n'était pas vraiment compromis dans l'affaire. Son agresseur s'était manifesté peu de temps après l'entrevue déplaisante qu'il avait eue avec lui et, dans l'intervalle, Stone n'avait rien fait qui justifiât cette intervention. Il s'assit confortablement dans un des fauteuils du salon, décrocha le téléphone et composa le numéro de l'Assemblée nationale. Devant lui s'étendait la vue reposante du jardin, sa verdure printanière qu'un doux soleil faisait briller. Cinq minutes plus tard, il avait Campini au bout du fil, manifestement surpris par son appel, mais suffisamment intrigué pour avoir accepté la communication.

— Que puis-je pour vous, monsieur Stone ?

— Mais rien. Je tenais simplement à vous remercier de votre aide. Je crains bien que toute cette affaire Marcotte ne soit plus compliquée que vous n'imaginez.

— Vraiment ?

— Après votre amicale mise en garde, j'ai eu un visiteur, au milieu de la nuit, qui m'a mis en garde beaucoup plus sérieusement. À coups de poing. (Silence à l'autre bout du fil.) Aussi ai-je pris quelques précautions. J'ai mis en sécurité à Londres un double de tout mon travail. Si ces mises en garde venaient à se

115

renouveler, ces copies parviendraient très rapidement à la presse.

— Mais pourquoi me racontez-vous tout cela ? Je n'ai rien à voir là-dedans.

— Je voulais seulement vous remercier de votre prévenance.

Un court silence, puis Stone l'entendit raccrocher. Il devait donner un second coup de téléphone, mais pas sur cet appareil-ci. Il sortit et se dirigea vers un café du boulevard Saint-Germain d'où il appela François de Maupans : il voulait rencontrer Mélanie Vincens. Qui mieux qu'elle pouvait lui indiquer quelqu'un en mesure de l'aider, quelqu'un qui aurait entendu des rumeurs, quelqu'un qui pouvait avoir une idée, n'importe laquelle ?

Maupans recevait à dîner ce soir-là. Il proposa à Stone de l'ajouter sur la liste de ses invités, ainsi que Mélanie si celle-ci était libre.

Il lui raconta également qu'il avait reçu la visite d'un vague ami de la famille, un certain Gérard de Saint-Lambert, officier d'active. Celui-ci était venu l'avertir que son ami Charles Stone avait des ennuis et lui conseiller de se tenir à l'écart sous peine d'en récolter lui aussi.

Malgré l'insistance de Maupans, le jeune officier avait refusé d'en dire davantage :

— J'ai déjà pris un énorme risque en venant vous trouver. Comment je le sais ne vous regarde pas.

Stone écouta son récit en silence. À la fin, Maupans lui demanda si cette histoire avait un lien avec l'affaire Marcotte. Stone savait pertinemment que oui, mais il esquiva la question en prétextant qu'il devait se rendre à une réunion quelconque et qu'il était déjà en retard.

Il ne voulait plus impliquer personne dans cette affaire, sauf nécessité impérieuse.

Peduc dut laisser sa tasse de café à moitié pleine pour reprendre la filature de Stone qui venait de sortir. Il n'aimait rien tant que prendre son café, il ne demandait rien d'autre que de pouvoir le siroter tranquillement jusqu'au bout. Cet après-midi-là, il ressentit comme jamais la sordidité de sa propre vie.

CHAPITRE IX

Lorsqu'il fit son entrée dans l'appartement de Maupans ce soir-là, l'un des profils de Stone était tuméfié et d'une lividité bleuâtre. Maupans n'aimait pas la violence ; plus que les coups, c'était la vue de leurs séquelles qui lui répugnait. Au milieu d'un déchaînement de violence, on n'avait jamais le temps d'être indigné. C'est une fois le calme revenu que l'imagination et l'éloquence reprenaient leurs droits.

Son estomac, gentiment préparé à affronter une soirée mondaine, se souleva lorsqu'il aperçut Stone à l'entrée de la salle, l'œil poché et la lèvre ornée d'une croûte vermeille aux multiples strates. Maupans l'arrêta aussitôt et l'entraîna dans un couloir conduisant à un petit salon.

— Assieds-toi. (Stone obéit machinalement.) Qu'est-il arrivé ?

Tout en l'interrogeant, Maupans, malgré son malaise, examinait le visage de Stone.

— C'est assez évident. J'ai été agressé. Lui aussi d'ailleurs — je veux dire : l'autre — et il en a pris plus que moi.

— Ce n'est pas une grande consolation, Charles. Raconte-moi exactement où tu en es. Je t'avais pourtant averti, dès le début, d'être prudent. Tu ne comprends rien à ce pays, au moins pour ce qui est de sa partie souterraine.

Stone haussa les épaules, comme il avait l'habitude de faire quand il était embarrassé pour répondre, et il expliqua du mieux qu'il put ce qui s'était passé. Tandis qu'il parlait, l'impatience de Maupans grandissait : il eut bien du mal à attendre la fin du récit sans l'interrompre.

— Donc tu as découvert une évidence : Marcotte a été tué par un groupe ou un individu parmi cent mille. Pendant ce temps-là, ils t'ont découvert, toi, seul et bien en vue. Pas très brillant comme résultat. Pourquoi penses-tu que personne d'autre ne s'est essayé à faire cette grande découverte ? Parce que ça ne valait pas le coup d'y laisser sa peau.

— François ! Calme-toi. (Stone se dirigea vers un petit bar, servit deux whiskies et en tendit un à Maupans.) Premièrement, j'ai la situation en main. Ils ne peuvent plus bouger. Deuxièmement, maintenant qu'ils se sont manifestés, ils commettront tôt ou tard une erreur et se découvriront eux-mêmes. Troisièmement, cette affaire dépasse amplement le cas Marcotte. Pense à tout ce qui risque de se cacher derrière. Il ne fait aucun doute qu'il y a dans ce pays une faction payée par l'étranger ou agissant pour son propre compte...

Maupans se pencha brusquement en avant et reposa son verre si violemment sur la table qu'il roula et se renversa par terre.

— Oh, merde ! s'écria-t-il, laisse, laisse-le où il est... Mais, pour l'amour du ciel, écoute-moi ! (Il s'était levé et tournait en rond à grands pas nerveux autour de la tache de whisky.) Pourquoi veux-tu qu'une faction soit payée par l'étranger ? Pourquoi veux-tu qu'on ait besoin de payer quelqu'un ? Il y a dans ce pays suffisamment de gens qui feraient ça pour rien. Et même si tu découvres un jour que de l'argent a changé de mains, il y a toutes les chances pour que ce soit un simple financement plutôt qu'une histoire de corruption.

Et où vas-tu chercher cette stupide histoire de faction ? Ça te rassurerait, n'est-ce pas ? Eh bien, tout ce qu'il te reste à faire, c'est de la découvrir et de la révéler au grand jour ! Non, en France, ça ne se passe pas comme ça. Chez nous, chaque étage de la société en cache trois autres, toute faction se subdivise en cinq ou dix autres, et même si celles-ci sont rivales, elles se protègent mutuellement en cas de péril extérieur.

Et après, quand tu auras trouvé les coupables, quand tu auras publié leurs noms, quand tu auras eu leur peau ? Et après ? Je te promets qu'ils auront veillé à ce qu'on s'occupe de toi, et les quelques individus que tu auras dénoncés seront remplacés du jour au lendemain.

— François, aimerais-tu écouter mon enregistrement de Campini ? Je te ferai lire mes notes. Tu verras l'effet que ça peut faire.

— Grands dieux, non ! Ne me montre rien du tout. Je n'ai pas l'intention de me mêler de cette affaire. Je t'aiderai du mieux que je pourrai ; je veux dire que je t'aiderai en tant qu'ami, mais non tes desseins. Si tu tiens absolument à devenir un martyr, cela te regarde. Je n'ai nulle envie de mettre ma vie en jeu pour rien, c'est clair ? Car même si la moitié du gouvernement était avec toi, cela ne les empêcherait pas de t'écraser, toi et ta petite croisade de quatre sous.

Stone haussa les épaules et se leva. Tandis qu'ils s'en revenaient par le couloir, Maupans ajouta en maugréant :

— Tu n'as décidément rien compris à la France.

Mélanie Vincens n'avait pas oublié Stone. Elle se souvenait fort bien de lui et était ravie de le retrouver assis auprès d'elle ce soir-là.

Ce genre de plaisir était de ceux qu'elle n'éprouvait plus guère. Un plaisir éphémère. Une sorte d'émotion qu'elle n'appréciait plus. Elle cherchait plutôt à les éviter, comme elle évitait tout ce qui arrive trop vite et finit sans qu'on s'y attende. Sa vie était une succession d'émotions étouffées qui avaient tissé un très triste et étrange cocon, à l'intérieur doux et feutré, où elle trouvait refuge.

Mais le plaisir est le plaisir. Si elle ne pouvait l'empêcher de se manifester, il lui fallait bien le porter comme un habit d'emprunt, avec nervosité, jusqu'à ce qu'on vînt le lui ôter.

Stone pressentait tout cela. Il lui parla de toutes les choses tristes que la vie était supposée lui avoir prodiguées, y compris ses traces de coups qu'il expliqua par quelque accident drôlatique. Elle comprit à son tour qu'il se moquait gentiment d'elle et se mit à rire. Elle rit encore plus fort quand il évoqua le morne destin de pacotille à quoi se réduisait son existence cernée par la banalité — désignant tout en parlant la tablée de convives qui les entouraient.

Ils buvaient un excellent Chablis qu'on leur avait servi pour accompagner le saumon poché de la Loire. Le voisin de Mélanie appartenait au cabinet du ministre des Affaires étrangères. Cela faisait une dizaine de minutes qu'il essayait de s'introduire dans leur conversation. Il avait rempli ses obligations à l'égard de sa voisine de droite, une comtesse de très vieille souche qui s'occupait d'élevage de chevaux, en parlait beaucoup, et, comme disaient certains de ses amis, commençait à leur ressembler. Malgré toutes les ressources de la diplomatie, il ne parvint pas à capter l'attention de ses autres voisins. Ceux-ci se parlaient à voix basse en se faisant face, et ignorèrent totalement le reste des convives d'un bout à l'autre du dîner.

Mélanie parla un peu de sa vie à Stone : elle menait actuellement une enquête sociologique pour le compte d'un institut de recherches ; c'était très ennuyeux, ce qui lui convenait parfaitement.

Elle ne semblait pas avoir prêté la moindre attention au mouton de pré-salé qu'on leur avait servi comme plat principal, garni de ces champignons sauvages au nom charmant de « trompettes de la mort ». Elle buvait son Château-Margaux 1949 comme s'il se fût agi d'un breuvage insipide fait pour étancher la soif.

Stone en avait de petits frissons dans le dos, mais il devinait confusément que cette inappétence devant la vie résultait davantage d'un effort de volonté que d'une indifférence naturelle. Quoi qu'il en fût, il avait rencontré dans sa vie tant de palais indifférents à la bonne chère qu'il avait appris à ne pas s'en soucier, à ignorer leur crime et à se concentrer pleinement sur son propre plaisir.

Il avait remarqué que lorsqu'elle l'écoutait ou que quelqu'un d'autre lui parlait, Mélanie mettait une main devant sa bouche, dissimulant ainsi la moitié de son visage. C'était chez elle un signe d'insécurité permanente, le geste de l'enfant qui se cache derrière une porte. Ce qu'il y avait derrière cette main n'était pourtant pas dépourvu de charme.

Après le dîner, il lui offrit de la raccompagner. Elle habitait une petite rue près des Invalides, non loin de chez son père. C'était une rue tranquille, sans boutiques, uniquement bordée d'immeubles d'habitation bâtis quelque soixante-dix ans auparavant. Elle invita Stone à monter prendre un cognac chez elle.

L'appartement était exactement comme il l'attendait : remarquablement conventionnel. Aucun indice de la personnalité de l'occupante. Les meubles n'étaient ni anciens ni modernes, pas même fonctionnels. Il n'y avait que le strict nécessaire.

— La vie vous a à ce point fait reculer ? demanda-t-il d'un air innocent.

Elle regarda tout autour d'elle :

— Je suppose qu'ici tout doit vous paraître bien ordinaire. Je n'y fais plus guère attention. Quelle importance cela a-t-il ? Venez vous asseoir.

Il se laissa tomber sur un divan.

— Ai-je l'air tellement vaincue ? Je ne sais. Je me regarde par moments et je m'étonne. J'imagine que je porte encore le poids d'une enfance très difficile. Mais il paraît que c'est à la portée de tout le monde de se libérer de son enfance, n'est-ce pas ? Seulement moi, je n'ai jamais voulu essayer. Je ne me vois pas remettre encore ma vie en question.

Elle se tenait à l'autre bout de la pièce et remplit tout en parlant deux verres de cognac, posément, comme s'ils devisaient à propos d'une tierce personne.

— Même si je m'en libérais, je ne pourrais pas retourner en arrière et je n'aurais rien à mettre à la place. Que me resterait-il ? Absolument rien. Je serais comme mon père. J'aurais réussi à m'analyser, mais à côté de la vie. Alors je reste comme je suis.

Ils rirent ensemble.

— Ce que vous dites n'a aucun sens. Si vous vous analysez, il vous reste au minimum la force qui vous a permis de le faire.

— Exactement. Le goût et la capacité de détruire. Ça revient à ne pas exister.

Ce fut au tour de Stone de regarder autour de lui :

— Voila qui me ressemble.

— C'est aussi pourquoi vous êtes là. De temps à autre, j'ai besoin d'être audacieuse, ou peut-être est-ce l'ennui ? Mais l'expérience est en général si vivifiante que j'en sors terrifiée et me garde de la renouveler avant des mois.

— Jusqu'ici vous n'avez rien fait.

Elle s'approcha et prit place à ses côtés.

— Pourquoi êtes-vous allé en Malaisie ?

Il la regarda d'un air perplexe.

— Qu'en savez-vous, et qui vous l'a dit ?

— Serait-il interdit de parler de vous hors de votre présence ? C'est François de Maupans qui a commis ce grand péché et moi qui l'ai induit en tentation. Alors ?

Il se laissa glisser en arrière, la tête posée sur le dosseret, le verre de cognac au contact de ses lèvres.

— J'y suis allé pour des raisons très romantiques. Il s'agissait d'un endroit où mon existence ne pouvait être influencée par personne. Ça me permettait, voyez-vous, de vérifier si j'existais bien. La guerre qui m'entourait était une sorte de décor composé d'un peuple et d'un monde étrangers à ma propre réalité.

Le heurt entre cette réalité et une fiction capable de tuer m'a ouvert les yeux sur ma propre existence. J'espère que ma réponse a été suffisamment obscure ?

— Pas tout à fait. Et qu'avez-vous découvert ?

— Des vérités qui dépassent l'imagination. Qu'à vivre des produits de la terre, on attrape de sévères diarrhées. Qu'il faut parfois décamper si vite et si loin que s'arrêter pour baisser son pantalon, c'est choisir la mort. Que chez les véritables égocentriques, la douleur sert d'antidote à la peur. Qu'il ne vaut pas la peine de chercher à isoler votre existence, parce que vous n'existez pas. Et ainsi de suite.

Il vida son verre à petites gorgées.

— Ainsi vous ne croyez à rien.

— Certainement pas, grands dieux, certainement pas. Je crois. Je crois à tout, profondément. Je ne repousse absolument aucun idéal ni aucune espérance. Aucun point de vue n'est à rejeter d'emblée.

Elle se mit à rire.

— Ne riez pas, je suis sincère. Je retiens tous les idéaux, ne serait-ce que pour voir ceux qui survivront au terme du voyage.

— Et quels sont ceux qui ont survécu à la Malaisie ?

— Aucun, ma chère. Par bonheur, j'ai la mémoire courte et ils me sont tous revenus.

Une heure plus tard, Mélanie était étendue sur son lit. C'était un grand lit, acheté pour elle et son mari. Stone, à côté d'elle, était tout de même un peu surpris de se retrouver là. Plus il s'approchait d'elle, moins elle paraissait écrasée par la vie. Elle se donnait des airs d'être lassée de tout, désarmée, mais ce n'était peut-être qu'une simple défense. Elle était menue et fragile, mais elle entraînait Stone, exigeait de lui tout ce dont il était capable, au point qu'il commença à se demander si elle n'attendait pas de lui plus qu'il ne pouvait lui donner. Il se savait trop égocentrique pour être vraiment troublé et suffisamment fort pour ignorer toute inquiétude.

Il fut réveillé vers le milieu de la nuit par de petits sons aigus. Elle était allongée contre lui, presque sur lui, et riait doucement.

— Qu'y a-t-il ?

— Rien, ce n'est rien. Je n'ai pas l'habitude d'être aussi courageuse.

— Pourquoi courageuse ? Il n'y a rien là de dangereux.

— Quelle définition vulgaire du courage ! Pour moi, c'est très différent. Je me sens courageuse quand j'agis d'une manière qui m'oblige à constater que je suis en train de passer à côté de la vie. Semer l'insatisfaction en soi-même relève d'un grand courage. Ce qui me sauve, c'est que moi aussi j'oublie facilement.

La première chose que j'aie remarquée, c'est votre distance. Je m'en suis aperçue à Noirmoutier. Une apparente réserve vis-à-vis du monde extérieur. Je crois que certaines gens doivent vous envier votre façon de vous esquiver. Mais cette même réserve me frustre beaucoup, à présent. Vous faites l'amour à distance, oh, très bien, avec compétence — ils se mirent à rire l'un et l'autre — mais j'aurais pu tout aussi bien être une autre. Vous ne vous abandonnez jamais, pas même l'espace d'une seconde. Vous ne vous laissez pas atteindre par la sueur et la crasse, vous êtes bien au-dessus de tout cela.

127

Elle se rapprocha de lui et se blottit dans ses bras. Stone glissa la main sur elle et se mit à la caresser.

— Vous savez, je n'ai pas oublié ce que vous m'avez raconté sur votre mari quand nous étions à Noirmoutier, dit-il à mi-voix.

— Que voulez-vous dire ?

— Ce que vous m'avez raconté a pris un sens pour moi.

— Bien sûr que ça a un sens ! Et alors ?

— Je me suis intéressé à cette histoire.

— Comment ?

— J'ai examiné de près toute l'affaire Marcotte, la façon dont il est mort. Et j'ai découvert que vous aviez raison.

Il se tut, mais elle n'ajouta rien. Elle s'était écartée de lui et demeurait immobile.

— Je sais qu'il a été tué car, après avoir posé ici et là quelques bonnes questions, mon téléphone a été branché sur table d'écoute et on a envoyé un homme de main me défoncer le portrait. Mais j'ignore encore qui.

Il lui fit part de ses recherches et de ses découvertes. Au bout d'un moment, elle alluma ; ses seins durs étaient de marbre ; son visage aussi, d'une immobilité absolue.

— Pourquoi avez-vous fait cela ? (Il s'apprêtait à répondre, mais elle reprit :) Qui vous a demandé de vous occuper de ça ? Qui vous a dit que je voulais remuer le passé ?

— Il vous suit malgré vous à petits pas, répondit-il.

— Vous ne ressemblez guère à un justicier. Pourquoi donc faites-vous cela ? Pour vendre une histoire, n'est-ce pas ? Vous voulez remuer mon passé pour de l'argent ! Et vous me demandez de vous aider ? C'est donc pour cela que vous êtes venu ?

Elle parlait sans faire le moindre geste. Stone sortit du lit et commença à se vêtir.

— C'est cela : partez. Je ne veux pas de détrousseurs de cadavres à côté de moi. J'ai déjà passé presque toute ma vie en leur compagnie. Si vous avez des goûts macabres, allez donc voir mon père. Moi, ça ne m'intéresse pas.

Stone pensa qu'elle allait se mettre à pleurer, mais elle n'en fit rien.

Il contourna le lit, l'embrassa délicatement.

— Je suis désolé, lui dit-il dans un souffle.

Puis il s'en fut.

Le ciel au-dessus de lui était limpide. Les étoiles brillaient si fort dans la nuit que leur clarté venait presque renforcer l'éclat des lampadaires. Stone parcourut une centaine de mètres dans la rue déserte, puis obliqua vers sa voiture. Il ne regarda ni dans un sens ni dans l'autre avant de traverser. Tout le monde était couché, à cette heure les balayeurs eux-mêmes n'étaient pas encore levés. Pourtant, alors qu'il atteignait le trottoir opposé, son attention fut attirée par l'apparition intermittente d'une ombre à quelque cinquante mètres devant lui.

Il monta dans sa voiture et démarra en douceur. La silhouette n'avait point disparu. Elle s'était nonchalamment installée à bord d'un véhicule. Avant de tourner le coin de la rue, Stone la vit mettre le moteur en marche et allumer les feux de position.

C'était l'heure où Paris est vraiment désert. Il ne

croisa que trois autres voitures place de la Concorde et n'en remarqua pas une seule sur le pont qu'il emprunta pour traverser la Seine. Pas une seule, hormis celle qui le suivait.

Quand il arriva en bas de chez lui, la voiture suiveuse s'arrêta discrètement à une centaine de mètres de là tandis qu'il se garait. Il descendit de voiture et s'en revint en passant tout près de l'autre. La silhouette était toujours la même, dans une attitude d'attente nonchalante, bien qu'elle parût un peu gênée quand Stone lui décocha un regard au passage.

On ne l'avait donc pas oublié. Ils en avaient toujours après lui. Il s'en voulait de ne pas l'avoir remarqué plus tôt.

Il monta jusque chez lui avec méfiance. Deux mots se répondaient dans sa tête. Prudence et rapidité. Prudence et rapidité. Le temps pressait.

CHAPITRE X

Bien malgré elle, Mélanie avait fourni à Stone une suggestion intéressante. Le lendemain matin, tout en cherchant le numéro de téléphone de son père dans l'annuaire, il dissipa ses remords d'un haussement d'épaules. Il se souvenait de l'adresse, rue de Constantine, et y découvrit effectivement un M. Rogent.

Il dactylographia une courte lettre à Sherbrooke à Londres, dont il garda un double. Simplement pour lui dire qu'il était filé et donner le signalement de son suiveur et de sa voiture. Il y aurait sans doute d'autres silhouettes et d'autres voitures, mais Stone était un garçon méticuleux.

Il effectua une courte promenade dans l'air piquant et légèrement humide du petit matin, passa devant une boîte aux lettres où il jeta l'enveloppe à destination de Londres, puis se dirigea vers un café, différent de celui de la veille au soir, d'où il allait pouvoir appeler M. Rogent. Il dit qu'il était un ami de Mélanie. Une voix rauque lui répondit de passer un peu plus tard dans la matinée.

À peu près au même moment, le général Pierre Dehal se retournait et ouvrait les yeux. Il ouvrait toujours les yeux dans la même direction : celle du lit de sa femme. Celle-ci dormait encore. La journée commençait bien. Non qu'il n'aimât point sa femme. Elle faisait partie de sa vie, il avait de la tendresse pour elle et l'idée ne lui serait pas venue de s'en séparer. Celle des lits jumeaux, en revanche, émanait de lui.

Elle était très affectueuse, mais d'une affection parfois un peu encombrante, du moins aux petites heures du jour. Peut-être était-il trop occupé et avait-il fini par estimer que son lit était le seul endroit où il lui était encore possible de réfléchir et de se reposer. En tout cas, c'étaient deux choses qu'il préférait faire seul. Il se retourna de l'autre côté et son regard se posa sur trois grandes sculptures de jade qu'il avait rapportées de sa guerre en Indochine. Il faisait alors partie du Quartier général à Hanoi et il avait tout loisir de profiter des occasions bradées dans l'affolement par les marchands chinois. Une de ces sculptures représentait une danseuse élancée, d'un vert transparent, vêtue d'une robe aux mille plis légers tenus en l'air par de minuscules oiseaux chanteurs qui semblaient vouloir encourager son essor.

Cette forme féminine, fluide et glacée, lui confirma que la journée serait bonne, comme elle le faisait chaque fois qu'il se réveillait le premier, seul et en paix.

Le général, quand il n'était pas en représentation avec son cigare, son whisky et son large sourire, n'était plus le même homme. Il semblait peu sûr de lui et, malgré son embonpoint, donnait une impression de chétivité.

Tant qu'il était seul, ce manque de confiance en soi ne lui faisait pas peur. Presque au contraire, c'était son

132

lien avec sa propre réalité, avec ce qu'il était et désirait en fait rester. Parfois il appelait cela son « âme » dans ses conversations avec lui-même. Hors cette petite sphère privée, il avait néanmoins décidé de ne jamais devenir ce dont il avait l'air. Mais au fond de lui-même, qu'il le voulût ou non, il ne croyait pas beaucoup à tout ce qu'il passait sa vie à défendre. Un mépris naturel pour tous les clans qui s'entre-déchiraient autour de lui : telle était la manifestation la plus évidente des mouvements profonds de son âme.

Bien entendu, tout comme son manque de confiance en soi, ce mépris trouvait à se dissimuler derrière son cigare, derrière une foule de poses et de manières propres à la moyenne bourgeoisie, derrière les fausses antiquités de son ameublement et derrière ces idées sans lesquelles il n'eût été accepté nulle part, à défaut desquelles ses supérieurs comme ses inférieurs n'auraient pas hésité une seconde à se débarrasser de lui.

Ils savaient pourtant qu'il n'était pas réellement l'un des leurs. S'ils avaient voulu se donner la peine d'y bien regarder, le mépris de Dehal à leur endroit était presque manifeste. Tout le monde savait qu'il était d'origine modeste, et non pas issu d'une lignée de saint-cyriens. Il ne faisait pas partie du sérail mais on l'y avait laissé pénétrer. Comment avait-il fait son compte ? En se rendant utile. En se montrant habile et en faisait semblant. Il n'avait pas peur de regarder en face les réalités quotidiennes que ses prétendus amis trouvaient si déplaisantes.

En même temps, ça leur procurait un certain plaisir de voir un homme aussi compétent, bien plus compétent qu'eux-mêmes, se donner un mal de chien pour imiter leur façon de vivre. C'était le parfait prosélyte, il en faisait toujours un peu trop afin d'être sûr de ne pas se tromper. Il était plus catholique, il faisait plus petit aristocrate que la plupart de ses amis n'auraient jamais pu espérer le paraître. Eux se contentaient de l'être.

Aussi pouvaient-ils se sentir supérieurs et le mépriser à loisir. Si Dehal avait été gaulliste, ce mépris n'aurait pas pris la peine de se cacher. Mais c'était un dévoué serviteur, un efficace exécutant qui, ce matin-là, quitta son lit d'excellente humeur à l'idée de l'après-midi qui l'attendait en compagnie d'une charmante femme nommée Agnès de Pisan. Il l'avait rencontrée deux semaines plus tôt au cours d'une réception chez François de Maupans. C'était sans conséquences sur l'affection qu'il portait à son épouse. Sans conséquences. Il s'agissait en l'occurrence de deux univers séparés.

Stone avait sonné à la porte de M. Rogent depuis un bon moment. Il ne percevait aucun bruit de l'autre côté. Il sonna une nouvelle fois et, dans le silence qui suivit, il entendit des sons étouffés. C'était le bruit de quelque chose qu'on traînait avec peine et de quelque chose d'autre frappant le plancher à longs intervalles réguliers.

Ce bruit se rapprocha plus qu'il ne s'amplifia, et la porte s'entrouvrit de quelques centimètres. Il y avait une chaîne de sécurité. Une voix d'homme demanda au visiteur de se présenter. Stone reconnut la voix rauque qui lui avait répondu au téléphone et déclina son identité. La porte se referma, puis s'ouvrit à nouveau avec lenteur, laissant apparaître sur le seuil M. Rogent.

Stone se trouva en présence d'un homme mince, peut-être de haute taille, mais sa manière de se pencher sur ses deux cannes ne permettait pas de s'en rendre compte. Ses cheveux faisaient à son visage un halo blême. Rogent examina Stone, puis se retourna et reprit sa marche traînante dans le vestibule.

— Voulez-vous être assez aimable pour fermer la porte et remettre la chaîne, dit-il sans jeter un regard en arrière.

Stone s'exécuta et le suivit. Le vestibule n'était pas éclairé, malgré l'absence de fenêtres. Stone entrevit dans l'obscurité des piles éparses de livres et de dossiers. Un mobilier éclectique disposé çà et là sans raison.

Le vestibule donnait sur un grand salon, ou plutôt sur ce qu'il restait d'un salon. Rogent traversa la pièce et se laissa tomber en grimaçant de douleur dans un fauteuil de cuir placé près d'une fenêtre. Il décrivit un arc de cercle avec une de ses cannes pour désigner la pièce :

— Mon quartier général, dit-il.

En fait, Stone se demanda s'il ne vivait pas vingt-quatre heures sur vingt-quatre dans cette pièce. Dans le coin opposé, il y avait un canapé ; un drap, des couvertures et une robe de chambre y gisaient en désordre. Ce lit étroit était entouré de paires de chaussures disséminées sur le parquet et par une muraille de revues, de journaux, de livres qui pouvait atteindre parfois un demi-mètre et isolait cette zone du reste de la pièce. Une brèche étroite dans cet amoncellement devait permettre à Rogent de s'introduire dans le centre de la pièce meublé d'un bureau et d'une table qu'une chaise unique séparait. Le bureau faisait face à une grande alcôve ouverte sur deux larges baies. Bien entretenue, la pièce eût sans doute été claire et agréable. La table était tournée de l'autre côté et croulait sous un monceau de photographies, l'une d'elles signée par le général de Gaulle, à l'époque où il était chef de la Résistance et encore loin de se retrouver à la tête de l'État, et d'autres de martyrs de la Résistance capturés et torturés à mort, comme Jean Moulin, Fred Scamaroni, qui n'avaient pas assez vécu pour dédicacer leurs photographies. À l'un des murs latéraux était suspendu un portrait de jeune femme dans un cadre d'argent à l'ancienne mode : probablement la mère de Mélanie.

Un lustre de cristal poussiéreux pendait au plafond, comme surgi d'un autre âge. Sur la table, une bouteille d'eau minérale et un verre à moitié vide. Le bureau était couvert de papiers. Une autre muraille de livres séparait cette zone du recoin où Rogent s'était assis, le dos tourné à la lumière, le visage dans l'ombre.

— Prenez donc une chaise.

Stone emprunta l'étroit passage communiquant avec le centre de la pièce, prit la chaise posée entre la table et le bureau et s'en revint s'asseoir près de lui.

— Les amis de ma fille viennent me voir, mais pas elle.

Il attendit la réponse de Stone.

— Mélanie ne sait pas que je suis ici. J'avais besoin de son aide. Comme elle me l'a refusée, j'ai pensé à vous.

— C'est à quel sujet ?

— Les circonstances de la mort de son mari.

— Qu'espérez-vous apprendre de moi ? Je ne bouge jamais d'ici.

— J'ai besoin d'un contact. On me file, mon téléphone est écouté. J'ai besoin d'une piste pour parvenir à découvrir qui ils sont.

— « Ils » ? Vous voulez dire ceux qui ont tué Marcotte ?

— Oui.

Il frappa le plancher avec sa canne gauche.

— Si vous me demandiez de le prouver, je ne le pourrais pas. Je n'essaierais même pas. Marcotte n'était pas mon genre. Mais c'est probable, oui : j'imagine qu'ils l'ont tué. Voulez-vous que je vous raconte une histoire ?

Ce n'était pas une question. Stone était libre d'écouter ou de s'en aller.

— J'essaierai de ne pas être trop long. Vous voyez dans quel état je suis ?

— La Gestapo ? avança Stone d'une voix compatissante.

— La Gestapo ! Qu'est-ce qui a pu vous mettre une idée pareille dans la tête ? Croyez-vous que je serais ici si ç'avait été la Gestapo ? Certainement pas ! Je serais mort, comme ma femme, et ç'aurait sans doute mieux valu pour moi. Savez-vous quel âge j'ai ? Cinquante-cinq ans. Cinquante-cinq ans et j'en parais soixante-dix, quatre-vingts. J'ai déjà l'air d'un cadavre. Oh, je sais à quoi je ressemble. Ne croyez pas que je passe mon temps à contempler l'épave que je suis devenu, mais vous, regardez bien, regardez le naufrage ! Non, ça n'était pas la Gestapo. C'était la Milice. (Il se pencha en avant, projetant le poids de sa tête et de son buste sur ses deux cannes, et éructa :) Des Français !

Il y eut un silence. Malgré l'impression plutôt pénible, Stone ne pouvait détacher son regard du vieil homme.

— Voulez-vous savoir ce qu'était la Milice, monsieur Stone ? Vous n'y tenez pas, vous pensez que c'est sans rapport, mais il n'y a rien de moins sûr. Vous jugerez vous-même.

— Ils se battaient pour le compte des Allemands ?

— Pas pour les Allemands, monsieur Stone. C'était la Gestapo française. Des Français ! Ils se battaient avec les Allemands mais pour la France, pour leur France à eux. Nous étions aux deux extrêmes. D'un côté la Résistance, de l'autre eux. Aucun des deux camps ne regroupait plus de quelques milliers d'hommes. L'un comme l'autre étaient haïs du reste de la population. Pourtant, je me demande parfois si leur France à eux n'était pas plus proche que la nôtre de celle de la grande majorité des Français. Nous nous battions contre l'ensemble du système qui avait conduit la France à sa perte. Eux se battaient pour le protéger, parce qu'ils n'avaient pas encore touché leur part du butin.

Tout le monde nous haïssait. Nous étions des destructeurs, des traîtres, nous mettions en péril l'ordre bourgeois, la morale et la religion, bref, tout ce à quoi ils étaient attachés. Mais nous avons gagné, et c'est ça le plus drôle. Oui, quelle farce ! La victoire ? Croyez-vous que quelques milliers peuvent vraiment remporter une victoire sur cinquante millions ? Sur le papier, nous étions les vainqueurs et chacun voulait l'être avec nous. Tout le monde devint gaulliste, tout le monde devint résistant. Mais la vérité était ailleurs, monsieur Stone. Je suis resté dans l'armée après la guerre. J'étais encore jeune et je m'étais rapidement remis des sévices que j'avais subis. Mon corps ne m'a lâché qu'il y a dix ans. Ça n'a pas fait long feu, vous savez :

138

tout s'est démantibulé d'un seul coup. On dit que c'est souvent comme ça. Je vous racontais donc — de sa canne, on aurait dit qu'il chassait l'autre sujet — que je suis resté dans l'armée. Dans mon régiment, nous étions trente-cinq officiers. Deux seulement venaient de la Résistance. Seulement deux ! Savez-vous qu'au bout de six mois, j'en étais à devoir m'excuser pour mon individualisme et mon non-conformisme ?

Eux, les trente-trois autres, passaient leur temps à célébrer les hauts faits de leur guerre difficile. Nous, nous nous taisions, nous en arrivions même à critiquer notre propre passé : la pression, monsieur Stone, était irrésistible. Vous ne pouvez pas survivre en milieu fermé à trente-trois contre deux. Pour avoir de l'avancement, il n'y avait pas d'autre solution que de devenir un des leurs. De toute façon, quel que fût notre comportement, c'était peine perdue. Vous savez, une classe qu'on trahit n'oublie jamais.

Par la suite, j'ai cédé et je suis entré au Conseil d'État, une merveilleuse invention bureaucratique à la française. C'était presque pire. J'y étais inconnu, je pouvais donc dissimuler un peu mon passé. Ceux qui ne le faisaient pas étaient tenus à l'écart. On peut vivre seul en temps de guerre, mais non pendant les longues années du temps de paix. Finalement, j'ai laissé tomber ça aussi, et j'ai commencé à m'occuper de politique. (À peine avait-il terminé sa phrase qu'il devint soudain très pâle et lança à Stone un regard implorant :) Aidez-moi, je vous prie. Vite.

Stone se leva aussitôt et l'aida à se transporter vers le vestibule. Un couloir sortait vers la gauche, nu et crasseux. Il indiqua la direction à prendre à Stone qui le souleva dans ses bras et le porta à l'autre bout. La porte de la salle de bains était ouverte ; Stone le déposa sur le seuil. Le vieil homme, oubliant qu'il n'était pas seul, se mit à ôter sa veste et à baisser son pantalon avec un empressement maladroit. Stone referma la porte et attendit à l'extérieur. Il entendit la voix rauque gémir et sangloter. Il décida de s'en retourner au salon, hors de portée de ces bruits.

Philippe Courman était assis depuis un bon moment à réfléchir. Ce matin-là, à 7 heures, il avait reçu comme à l'accoutumée une bande magnétique et un rapport. Il commença par écouter la bande. C'était l'enregistrement de la conversation avec Campini. Il l'écouta attentivement, avec recueillement.

Il avait déjà compris que quelque chose n'avait pas marché. Petit-Colbert n'avait pas eu l'air aussi enjoué que d'habitude quand il lui avait fait son rapport. À l'évidence, il n'avait pas réussi à effrayer l'homme. Il n'avait probablement pas eu le dessus sur Stone et avait peur de l'avouer.

Courman écouta une seconde fois la conversation pour s'assurer qu'il n'avait rien négligé. Il se demandait si Stone avait réalisé que sa ligne était écoutée. Il y avait quelque chose de trop réservé dans ses autres communications, et de trop dégagé dans le ton de celle-ci.

Il entama la lecture du rapport de Peduc et se mit à jurer dès les premiers mots. Peduc était moins tortueux ou moins intelligent que Petit-Colbert ; il n'avait pas cherché à mentir. Tout était là : le type avait disparu dès les premières heures de la matinée et n'était réapparu que sur le coup de 3 heures de l'après-midi ; dans l'intervalle, la serviette qu'il portait avait disparu. Il avait largement eu le temps de se rendre à Londres.

Courman appela un de ses contacts à Air France et lui demanda de consulter les listes de passagers de la veille. Cinq minutes plus tard, l'homme lui confirmait qu'un dénommé Charles Stone avait bien pris l'avion pour Londres.

Courman reprit sa lecture. Un coup de téléphone donné d'un café. Il jura de nouveau. Aucun doute, Stone s'était rendu compte que son téléphone était écouté. Et puis le dîner. Stone avait raccompagné une femme chez elle et y était resté plusieurs heures.

Dans l'annuaire des téléphones par rues, il chercha la rue Bousquet, parcourut la liste des abonnés jusqu'au numéro 12, puis celle des occupants de l'immeuble. La troisième personne indiquée était Vincens, Mme T. Il s'arrêta. Il connaissait ce nom-là. Courman n'oubliait jamais les noms. Il traversa la pièce et compulsa quelques dossiers. Il jeta son dévolu sur une vieille coupure de presse contenant la liste des victimes de l'accident d'avion qui avait coûté la vie à Marcotte.

Quelques instants plus tard, il appelait Peduc et lui demanda de prendre Mme Vincens en filature.

Courman se sentait à l'aise sur cette chaise dure, entouré des masses de dossiers qui encombraient tout son appartement.

Tout dans ces petites pièces sécrétait une impression d'anonymat. Elles n'avaient ni cachet ni décoration particulière. Tout y était usé, maussade, à l'instar de ce quartier reculé du IXe arrondissement. Courman habitait cet appartement depuis qu'il l'avait confisqué à un collaborateur, en 1944. Il ne s'était jamais soucié ni d'en changer ni de l'aménager. Cette chaise dure et haute convenait bien à sa jambe malade et quant à la situation de l'appartement, elle répondait parfaitement au peu de soin qu'il attachait à son intérieur et à son goût de l'anonymat. C'est au-dehors qu'il avait une image à donner. Pourtant, un ordre précis régnait parmi ce désordre apparent.

Après être resté quelques instants sans bouger, les yeux ouverts, l'air absent, il décrocha son téléphone et composa un numéro.

— J'ai de mauvaises nouvelles pour vous.

— Lesquelles ?

Courman fit part de ses découvertes de la matinée. Il y eut un silence à l'autre bout du fil.

— Savez-vous ce qu'il est allé porter à Londres ?

— Pas vraiment.

— Alors, il n'y a pas grand risque a en finir dès maintenant.

— Ce ne serait pas prudent, répondit Courman.

— Vous devez donc avant toutes choses récupérer les doubles.

— Exactement. Le meilleur moyen est de surveiller son courrier. Que proposez-vous ?

Il y eut un autre silence.

— Je ne veux pas mêler trop de gens à ça, sauf nécessité. J'ai quelques amis dans divers bureaux de poste, ils peuvent vous donner un coup de main. Mais vous devez avoir vos propres contacts ?

— C'est d'accord. Faites-moi parvenir une liste dans le courant de l'après-midi. Je vous préviens, nous jouons une partie serrée.

— Pour le moment, les choses ne doivent pas aller plus loin.

Rogent réapparut une vingtaine de minutes plus tard, progressant lentement avec ses cannes. Il s'excusa : la Milice ne lui avait pas laissé tout ce qui est requis pour fonctionner normalement. Une infirmière dormait dans l'appartement et venait tous les après-midi, mais, le matin, il essayait de se débrouiller seul.

Ils s'étaient rassis en silence. Rogent s'évertuait à remettre son corps et ses idées en place avant de reprendre le fil de son récit.

— Politiquement, j'étais gaulliste. Nous étions encore moins nombreux que durant la guerre. Il y en a tellement qui le sont devenus au cours de ces douze dernières années de paix pour rejoindre le camp de la majorité. Mais, à l'époque, seuls les durs étaient restés, les irréductibles comme Chaban, Debré, vous connaissez leurs noms. Et puis, soudain, il y eut 1958, et de Gaulle revint au pouvoir avec sa petite équipe de francs-tireurs qui allaient gouverner la France pendant la décennie suivante.

C'est là que j'en arrive à Marcotte. Vous savez, les gaullistes ne gouvernaient pas, en réalité. Comment l'auraient-ils pu ? Ils avaient besoin de l'appui de la population, et la population, comme l'armée, détestait de Gaulle et les gaullistes. Elle l'a soutenu en 1958 parce qu'elle avait peur des colonels, vous vous rappelez, les insurgés d'Alger et, par la suite, parce qu'elle avait peur que les communistes ne gagnent les élections en s'alliant aux socialistes. C'est cette peur-là qui a maintenu de Gaulle au pouvoir. La peur et les concessions qu'il a dû faire ; comme celle de s'entourer d'une flopée d'antigaullistes. De quoi pensez-vous qu'était composé son parti, l'UDR ? D'un amalgame des vieilles forces antigaullistes, ces classes moyennes qui continuaient à vivre de leur propre peur.

De Gaulle avait une curieuse habitude. Il était dur avec ses amis : ou bien ils étaient avec lui, ou contre lui. Là, pas de compromis. C'est cette rudesse qui lui fit perdre la moitié de ses fidèles, notamment dans l'armée où ils étaient déjà bien peu nombreux. Mais vis-à-vis de ses ennemis, des opportunistes ou de ceux qu'il ne connaissait pas, il n'avait plus aucun principe. Même s'il les méprisait, il entendait les utiliser et marchandait avec eux comme il ne l'aurait jamais fait avec un ami. C'est pourquoi, vers la fin, il était entouré de gens qu'il n'estimait ou ne connaissait même pas, tandis que ses vieux fidèles étaient tenus à l'écart. Voilà ce qui explique la présence de Marcotte. Au début, il n'était qu'un pion sur l'échiquier, destiné à contenir une armée hostile. Mais l'armée ne se départit pas de son hostilité et lui-même devint un pion indispensable, peut-être même plus qu'un pion vers la fin.

— Qu'en est-il de la stratégie « tous azimuts » ? De Gaulle était-il au courant ?

— Ça m'étonnerait. De Gaulle avait donné une importante conférence de presse quelques jours avant la publication de cet article. Et vous savez à quel point il se réservait les questions de politique étrangère et de stratégie. Il semble vraiment impossible qu'il n'en ait rien dit à la conférence de presse pour laisser le soin à Marcotte d'annoncer un changement de politique aussi radical. Vous devriez poser cette question à des gens qui sont plus au courant. Je vous donnerai quelques lettres d'introduction si vous revenez me voir cet après-midi.

Il s'est également passé quelque chose de très curieux. J'étais allé aux funérailles de Marcotte, aux Invalides, à cause de Mélanie et de mon gendre Thomas. Comme je connaissais bien de Gaulle depuis la guerre, il échangea quelques mots avec nous. Eh bien, il était littéralement furieux, dans tous ses états ! Peu de gens auraient été capables de s'en rendre compte, mais j'ai travaillé avec lui dans des circonstances difficiles et je savais reconnaître certains signes. Il était tendu, il tremblait presque, avec un air de froide contrariété qui était chez lui l'expression de la rage. Il remarquait à peine les gens qui étaient là et n'adressa la parole à personne en dehors des familles des victimes. Je ne sais s'il avait de l'estime pour Marcotte, mais il était visiblement furieux que cet homme eût été supprimé sans que lui, président de la République, ait pu l'empêcher ni ne puisse faire payer le ou les responsables. C'est bien cette sorte de frustration enragée que nous lui avions connue pendant la guerre... À présent, je pense que vous devez partir.

Il s'arrêta sur le pas de la porte et ajouta :

— Je connais au moins deux de mes tortionnaires. L'un est banquier à Paris, l'autre est un homme d'affaires florissant dans le Midi de la France. J'ai essayé de les poursuivre en justice. Sans aucun succès. Ils n'avaient pas eu la bonté d'amener des témoins dans la cellule où ils m'avaient si gentiment questionné et mutilé avec tant de savoir-faire. Que pouvais-je prouver ? Strictement rien. J'ai souvent réfléchi à cette situation étrange qui fait qu'on est du côté des vainqueurs et qu'on perd quand même. Je n'y pense plus, désormais. Je passe mes journées à essayer de ne plus avoir de haine, mais c'est un pari difficile. Mélanie ne comprend pas à quel point c'est difficile, et c'est pour cela qu'elle m'en veut. Elle pense que je l'ai fait souffrir : c'est ma propre souffrance qu'elle n'a pas supportée.

CHAPITRE XI

Stone revint un peu plus tard dans l'après-midi. Une femme âgée aux grosses mains d'infirmière-major lui ouvrit la porte et lui tendit quatre lettres écrites par Rogent. Elle venait de le coucher. Il l'avait priée de remettre les enveloppes à Stone.

Stone mit ces introductions à profit au cours des dix jours qui suivirent. Avançant prudemment, ne posant que des questions allusives, il s'arrangeait pour amener ses contacts à lui en procurer d'autres parmi leurs relations. Chacun d'eux en connaissait au moins un autre qui était en mesure de l'aider. Ils étaient plutôt surpris de voir un étranger s'intéresser à ce point aux affaires françaises, mais ils n'eurent jamais vent de l'objectif précis qu'il poursuivait, car il s'arrangeait toujours pour ne jamais laisser deviner à personne le sens exact de ses recherches. S'ils l'avaient su, nul doute qu'ils eussent mis moins d'empressement à l'aider. Tout l'art consistait à tourner autour d'une même question en cercles de plus en plus resserrés, mais en s'abstenant de bondir sur la réponse qui se trouvait au centre.

Le matin, en sortant de chez Rogent, il avait remarqué qu'ils étaient désormais deux à le suivre. Il mentionna le fait dans une nouvelle lettre à Sherbrooke ; ce n'était qu'un petit fait additionnel, mais il se demandait bien ce que ça pouvait signifier : pourquoi deux ?

C'était une idée de Peduc. Chaque jour, de 9 heures à 18 heures, il participait en personne à la filature. Dans sa poche, il avait deux listes. Celles de différents contacts dans les bureaux de poste de Paris. En tout trente-cinq noms qui lui permettaient de couvrir environ un quart de Paris. Comme l'avait dit Courman, ils jouaient une partie serrée. Il s'agissait pour eux de mettre dans le mille du premier coup.

Les gens que rencontrait Stone étaient des hommes politiques, des officiers d'active ou à la retraite, des hauts fonctionnaires — tous avaient connu Marcotte et s'en étaient fait une idée. Chacun avait son opinion. Chacun avait capté quelque chose à travers la lorgnette de ses propres intérêts, soit qu'il eût connu des déboires à cause de Marcotte, soit qu'il l'eût combattu, qu'il se moquât de lui ou le redoutât, l'eût envié ou détesté. Il y avait de tout, mais Stone n'avait encore trouvé presque personne qui l'eût aimé. Ses admirateurs étaient rares ou bien ne se vantaient plus de l'avoir été.

Il les interrogea sur la stratégie « tous azimuts », sur les relations de Marcotte avec l'armée, avec de Gaulle, avec telle ou telle personnalité, sur les pouvoirs qui étaient les siens. Bref, il posa des questions sur tout hormis sa mort, car sur ce point nul ne lui serait probablement venu en aide. Tous ces éléments fournirent à Stone une vue d'ensemble du contexte de l'affaire.

Il rencontra Malambert, un protestant glacial et efflanqué qui avait été aux Affaires étrangères sous de

Gaulle ; il avait fait enrager les Américains à merveille en invoquant à tout bout de champ l'indépendance de la France. À peine Stone eut-il fait mention de la stratégie « tous azimuts » qu'il l'interrompit de ce même ton sarcastique qui avait ulcéré tant de gouvernements étrangers.

— Ah oui, c'était une idée de Marcotte. Vous savez, je n'ai jamais compris pourquoi il l'avait eue. Personne ne lui avait rien demandé.

Stone répliqua :

— Ça ne faisait vraiment pas partie du vocabulaire du général de Gaulle ?

— Absolument pas, répondit l'ancien ministre.

Deux jours plus tard, il rencontra le successeur de Marcotte, l'un des rares généraux à ne s'être jamais éloigné de De Gaulle. Il confirma que l'idée était bien de Marcotte.

Le plus affirmatif fut Pierre Mirbeau, l'un des hommes clés du secrétariat de la présidence en 1967, peut-être l'un des plus proches confidents de De Gaulle. Sage et désintéressé, il avait été la voix de la raison dans cette période difficile. Lui mieux que personne était en mesure de dire ce que pensait réellement de Gaulle.

Ils se rencontrèrent au dernier étage du Conseil d'État où le nouveau gouvernement avait relégué Mirbeau après des années de bons et loyaux services. Il avait été trop honnête, le seul peut-être à avoir pleuré sincèrement le jour du départ de De Gaulle. Les autres, ambitieux et jaloux, ne pouvaient lui pardonner sa loyauté ni ce pouvoir qu'il avait exercé sans l'avoir jamais recherché.

— Ça n'était pas du tout la façon de voir du général

de Gaulle. Absolument pas ! dit-il à propos de l'article de Marcotte.

— Peut-être de Gaulle y trouvait-il quelque utilité sur le plan de la politique intérieure ? suggéra Stone.

— C'est exactement le contraire. Les positions extrêmes du général Marcotte suscitèrent une vague de critiques à l'encontre du gouvernement. Ces critiques n'étaient ni souhaitables ni réfutables.

— De Gaulle ne pouvait pas le désapprouver ?

— Ç'aurait été trop compliqué. Il aurait fallu limoger Marcotte.

Pour limoger Marcotte, se dit Stone, il aurait fallu pouvoir le remplacer. Or de Gaulle était seul, détesté de tous. Marcotte était son seul rempart contre l'ensemble des officiers.

L'image devenait de plus en plus précise : Marcotte accédant au pouvoir contre l'armée, et, sur certains points, allant plus loin que de Gaulle lui-même. Stone en tirait la seule conclusion logique possible : de Gaulle n'était pas au courant de son article sur la stratégie « tous azimuts ». Il avait été mis devant le fait accompli.

Les rares à prétendre qu'il était au courant affirmaient que le président avait fait connaître verbalement son accord à Marcotte. Mais Stone put s'entretenir avec l'homme censé avoir transmis cet accord, et celui-ci ne se souvenait de rien de semblable. Peut-être avait-il oublié. Mais c'était bien improbable : ce n'était pas le genre de chose qu'on oublie.

Stone envoyait chaque nouvelle pièce du dossier à Londres, soit sur bande, soit par écrit. De temps à autre, il y joignait une nouvelle synthèse de ses recherches pour rendre compréhensible l'ensemble des documents recueillis. Et Peduc continuait de le suivre avec morosité, attendant de le voir se diriger vers le bon bureau de poste. Quand l'occasion finit par se présenter, il faillit ne pas s'en apercevoir. C'était un vendredi matin. Stone était en train d'expédier l'un de ses rapports dans un bureau de poste de l'Ouest parisien, près du palais de Chaillot. Peduc consulta ses listes et, à sa grande surprise, découvrit que le receveur était un certain Foullement, capitaine en retraite.

Peduc bondit hors de sa voiture, laissant son compagnon assurer seul la filature de Stone. Il se précipita dans le grand hall sinistre et caverneux, bousculant deux vieux retraités qui attendaient au guichet de toucher leur mandat.

— Le bureau du receveur ?

La jeune fille du guichet lui indiqua une porte à l'autre bout du hall. Il traversa en hâte le carrelage jaune sale et poussa la porte sans frapper. Foullement leva sur l'intrus un regard courroucé, mais quelques mots d'introduction suffirent à le rendre coopératif. C'était un homme fort et grisonnant qui était toujours passé inaperçu. Il n'avait jamais occupé que des postes administratifs et il était passé de l'armée aux PTT sans changement notable, pas même en ce qui concernait son respect inné de l'autorité hiérarchique.

Il fit descendre quelques marches à Peduc, jusqu'à la salle de tri, mais quand ils y arrivèrent, le courrier à destination de l'étranger avait déjà été rassemblé et fourré dans un sac. Ils se regardèrent. Cinq employés les dévisageaient, se demandant ce que venait faire là le receveur. Foullement s'avança dans leur direction.

— Attendez une minute. Mon ami vient juste de jeter par erreur une lettre dans la boîte. Il s'agit de quelque chose d'assez important. Heureusement qu'il me connaît.

Il empoigna le sac de courrier et le traîna dans un coin de la pièce.

— Elle devrait être là-dedans.

Peduc se mit à sortir les enveloppes, il y en avait plusieurs centaines. Il eut vite fait d'en mettre certaines de côté, adressées à Londres. La bonne était-elle parmi elles ? Il releva tant bien que mal les adresses. Les employés ne le quittaient pas des yeux et Foullement commençait à donner des signes de nervosité.

— L'avez-vous trouvée ? Le temps presse, il faut faire partir le sac.

Peduc avait déjà relevé dix adresses. Il trouva une onzième enveloppe.

— La voilà, c'est celle-ci !

Remerciant tout le monde comme un enfant à qui l'on vient de donner une barre de chocolat, il s'esquiva au plus vite. Dehors, il ouvrit la lettre : ce n'était pas la bonne. C'était un étudiant qui écrivait à sa famille à Kensington. Il se vengea en déchirant la correspondance en petits morceaux qu'il jeta dans le caniveau. Courman devrait se débrouiller avec les dix adresses qu'il avait notées : c'était déjà mieux que rien.

Le lendemain matin, Stone fut mis sur une nouvelle piste : un député au franc parler, ni ancien ministre ni ministrable, lui donna une introduction pour le moins inattendue auprès d'un ami intime de Marcotte, qui en comptait si peu. Cet ami était un officier qui avait

« volontairement » quitté l'armée après la mort de Marcotte et avait choisi de s'exiler dans un petit château de l'Est. Il avait dû y emporter une bonne partie des papiers personnels de Marcotte.

Stone l'appela aussitôt par téléphone et obtint un rendez-vous pour le soir même. C'était à trois cents kilomètres de Paris, la communication était mauvaise et la voix assourdie. Le député n'avait donné qu'une seule recommandation à Stone : apporter avec lui une bouteille de Ricard. Le bruit courait que l'alcool aidait l'ex-officier à supporter l'inactivité de sa nouvelle existence.

Le « château » n'était qu'une grosse ferme entourée de forêts. Ces bois étaient riches en sangliers et leurs lisières abondaient en faisans. Le colonel Gigotte passait son temps parmi les arbres à chasser ; il vendait son gibier à un commerçant de la région qui le revendait à Paris. Gigotte, lui, détestait le gibier comme toute nourriture trop recherchée : il se contentait de soupes et de pommes de terre. C'est un régime qu'il avait adopté peu après sa démission, comme pour bien marquer le caractère monacal de son exil.

Mais Stone ne savait rien de tout cela quand il arriva là-bas, seul, dans le soir tombant sur les premières lignes de la forêt. Il avait semé son suiveur dans la banlieue de Paris en se bornant à appuyer sur l'accélérateur.

À première vue, la demeure paraissait assez sinistre. En y regardant d'un peu plus près, elle n'était qu'à l'abandon.

Elle se dressait au centre d'une vaste clairière. Les vagues d'herbe folle semblaient débouler de la lisière des bois jusqu'aux murs ocre pâle de la maison. Le bâtiment était jouxté par un hangar délabré en tôle ondulée ouvert à tous les vents. À l'intérieur, on apercevait pêle-mêle des machines agricoles rouillées et de vieilles Jeep. Une autre Jeep, découverte, était stationnée près de la porte d'entrée principale sur un terre-plein boueux. Stone gara sa voiture derrière elle et descendit. Les hautes fenêtres des deux étages étaient pour la plupart non éclairées ou fermées par des volets.

Comme il restait là à contempler la façade, un homme d'âge moyen à la tenue débraillée ouvrit la porte et s'avança sur le perron.

— Hé, monsieur Stone ?

Stone hocha la tête en signe d'acquiescement et marcha à sa rencontre. Le colonel était un homme de proportions moyennes, sans signe particulier, sauf que son organisme mal soigné, comme pour échapper à la gaine trop étroite de la peau, s'était mis à enfler de partout ; toute sa physionomie était déformée comme une outre trop pleine par ce gonflement des chairs sous leur robuste enveloppe.

À ce laisser-aller, Gigotte ajoutait une agitation constante : séquelles d'une perte de pouvoir mal digérée. La boisson l'aidait tant bien que mal à la faire passer.

Il se dit très heureux d'accueillir Stone. Et encore plus heureux que celui-ci fut venu pour l'écouter. Ils prirent place dans un salon vieillot qui paraissait être resté tel que depuis un demi-siècle.

Il avait hérité cette maison d'une vieille tante, dix ans auparavant, et n'avait jamais eu l'envie ni les moyens de la remettre en état. Le mobilier hétéroclite était composé aussi bien de tables en marqueterie, élégantes mais bancales et maculées, que de chaises et de tapis fanés, de portraits de famille déprimants, bric-à-brac typique de ce qu'une vieille dame aime à accumuler autour d'elle. Au milieu de tout cela évoluaient trois énormes chiens qui avaient carte blanche pour se prélasser dans les fauteuils et parfois même sur les genoux de Gigotte. Pour l'heure, celui-ci n'avait de cesse de leur donner de grandes claques pour les éloigner du divan sur lequel il s'était affalé. À portée de main, une bouteille de Ricard : le député ne s'était pas trompé sur ses goûts.

Gigotte emplit à moitié deux grands verres, laissant à Stone le choix d'y ajouter ou non de l'eau. Pour sa part, il ne s'en versa qu'un filet, à peine de quoi troubler le pastis.

Puis il se mit à parler de Marcotte. Il s'agissait pour l'essentiel des mêmes vieilles histoires, mais racontées cette fois du point de vue opposé, par un admirateur. L'accent était mis sur le rôle de Marcotte dans la Résistance, sur sa déportation en Allemagne. Sa façon de descendre chez lui en parachute pour le week-end devenait un trait d'originalité. Ses arrivées au bureau en tenue de combat trahissaient une volonté délibérée de choquer le petit monde des officiers ronds-de-cuir. Il s'était donc attiré la haine de l'armée traditionnelle, celle qui refusait de vivre avec son temps, de penser en termes de guerre atomique. Les mêmes faits : sauf que l'accent était mis sur les uns plutôt que sur d'autres.

Stone songea qu'il n'était point là pour prendre parti, mais pour apprendre quelque chose de nouveau. Il essaya d'orienter le monologue de Gigotte vers des domaines plus inédits : la lutte de Marcotte pour une extension de ses pouvoirs. Gigotte le suivit sur ce terrain et se mit à évoquer leurs conflits avec les autres généraux et avec le ministre de la Défense nationale de l'époque.

— Il détestait Marcotte plus que personne au monde, car tout son pouvoir dépendait de l'absence de pouvoir du chef d'état-major général. Chaque fois que Marcotte marquait un point, il était l'un des premiers perdants.

Il poursuivit par une longue description de ces rivalités, de ces jalousies, de ces luttes ouvertes ou feutrées. Au bout d'un quart d'heure, Gigotte lui-même n'en pouvait plus de ses chapelets d'invectives. Le silence s'installa. Gigotte vida son verre puis se tourna vers Stone, le regard en feu (c'était l'alcool qui entretenait cette flamme au fond de ses yeux) :

— La haine est un stimulant. Un stimulant qui maintient la plupart des gens en vie, soit parce qu'on les hait, soit parce qu'ils haïssent.

Il tenait sa main à l'horizontale, en travers de la poitrine comme à l'exercice, et prolongea son geste en pointant un doigt vers la bouteille de Ricard, vide à présent, sur la table à côté de lui :

— Et peu importe de qui il s'agit... Avez-vous envie de faire un tour dans les bois ?

Par la fenêtre ouverte entrait à flots l'air de la nuit. Stone plongea son regard dans l'obscurité du dehors :

— Nous ne verrons pas grand-chose à cette heure-ci...

— C'est le meilleur moment. Venez avec moi.

Le colonel se leva et sortit de la pièce, sans laisser à Stone d'autre choix que celui de le suivre. Stone arrêta le magnétophone dissimulé dans sa poche et qui, dehors, ne lui serait d'aucune utilité. Il lui suffirait de se souvenir de ce que lui dirait Gigotte. Celui-ci endossa un vieux blouson de parachutiste accroché dans le hall et en lança un autre à Stone. Puis il empoigna un fusil posé contre le mur et ouvrit la marche en direction de la Jeep.

Le moteur eut quelque mal à tourner. Stone prit place à côté du chauffeur et tint son fusil, cependant que Gigotte actionnait nerveusement le démarreur. Enfin la Jeep démarra en pétaradant. Gigotte alluma les phares, fit demi-tour sur l'herbe et, sans s'orienter apparemment dans une direction précise, fonça vers la sombre muraille des bois. À faible distance, une étroite trouée leur apparut. C'était l'entrée d'un sentier bourbeux où la voiture s'engouffra en cahotant. À tout instant ils devaient baisser la tête pour éviter les branches basses. Couvrant le bruit du moteur, Gigotte s'était mis à hurler comme s'il se fût adressé à tous les arbres de la forêt et à toutes les bêtes qui s'y cachaient.

— À la fin, nous aurions sans doute remporté la victoire, sans cet accident. (Il avait levé les yeux vers le ciel dissimulé par les branches, laissant la Jeep faire une embardée hors des profondes ornières remplies de boue.) Nous leur avions déjà damé le pion à tous : aux généraux, au ministre. Nous avions même réussi à mettre de Gaulle dans notre camp. Mais un homme mort ne peut plus remporter de victoire.

Six mois avant... je crois bien... oui, c'est ça, en juin 1967, Marcotte présenta ses exigences à de Gaulle. Il lui déclara : « Donnez-moi les pouvoirs que je réclame, ou bien ne comptez plus sur moi. » Oh, il ne le dit pas comme ça, bien sûr. Il rédigea un rapport et exprima ça sous forme de recommandations. Mais de Gaulle pigea tout de suite. Saloperie d'engin !

Le moteur se mit à tousser. Il écrasa l'accélérateur, la voiture fit une embardée et décolla presque du sol. Mêlée à l'air humide et aux vapeurs d'essence, la douce odeur des sapins parvenait aux narines de Stone.

— Ou il donnait les pouvoirs à Marcotte, reprit le colonel en hurlant, ou bien Marcotte donnait sa démission. Voyez-vous, il devait prendre officiellement sa retraite en mars. Le vieux voulait le garder, mais lui ne tenait pas à rester aux mêmes conditions : à continuer à faire des courbettes et des simagrées à tous ces généraux, amiraux, secrétaires d'État, sans compter son bon à rien de ministre.

Tenez. Nous parlions de haine. Celui-là, personne ne le déteste. Il a été ministre pendant toute la durée du désastre algérien, et il ne s'est pas fait un seul ennemi. Il faut être un sacré incapable pour laisser une aussi plate impression. Attention ! Vous avez vu ?

Devant eux, en travers du sentier, se dressait une forme noire dardant sur eux des yeux brillants.

— Un sanglier !

Gigotte arrêta brusquement la Jeep et alluma les phares antibrouillard. L'animal, pris dans le faisceau, resta figé sur place. C'était un mâle puissant, haut de près d'un mètre. Gigotte empoigna son fusil et monta sur son siège, appuyant le canon de l'arme sur le pare-brise. Le coup de feu déchira la nuit ; sous l'impact, la bête bondit littéralement en l'air. Atteinte à l'épaule, elle retomba à terre où elle continua de leur faire face, figée, le regard vitreux. Puis elle prit son élan comme pour charger leur Jeep découverte.

— Merde ! murmura Gigotte en tirant un nouveau coup de feu.

Il la manqua, mais la détonation stoppa la bête qui fit demi-tour et se mit à détaler.

Le colonel vociféra à l'oreille de Stone :

— Allez-y ! Allez-y ! Prenez le volant ! Suivons-le !

Stone se faufila derrière lui et s'installa au volant. Il appuya sur l'accélérateur et se lança aux trousses de l'animal qui galopait devant eux. Gigotte s'était arrangé pour se caler en position verticale, le fusil toujours appuyé au pare-brise, gardant à peu près l'équilibre malgré les cahots.

Chaque fois que le sanglier faisait mine de quitter le sentier pour s'enfuir à travers bois, Gigotte tirait un coup de feu dans cette direction pour le ramener sur la piste.

— Arrêtez de tirer à côté, s'écria Stone, tirez-lui donc dessus !

— Surtout pas ! Ils sont capables d'encaisser une vingtaine de cartouches si vous ne les atteignez pas au bon endroit. Ça ne ferait que l'inciter à courir en tous sens. Plus vite ! Rapprochez-vous !

La voiture bondissait dans la boue. Les branches leur fouettaient le visage, les roues patinaient dans les ornières et chaque fois que le sentier obliquait légèrement, une barrière d'ombres surgissait devant eux. S'ils réussissaient à garder la bonne direction, c'était grâce au tracé rectiligne du sentier, tiré au cordeau comme seuls les Français aiment à le faire : leur manière à eux de mettre un peu de logique dans le désordre de la nature.

Par intervalles, Gigotte tirait un nouveau coup de feu qui se répercutait dans un silence surnaturel, là-haut, bien au-delà des pétarades de la Jeep et des grognements du sanglier en fuite.

— Patience, c'est pour bientôt ! Vous allez voir ! hurlait Gigotte. Ne manquez pas ça !

Le silence retomba entre eux pendant une trentaine de secondes. Un bouquet d'arbres surgit brusquement dans les phares. C'était un carrefour. L'animal, stupide, pris de panique, s'était arrêté pile, incapable de choisir une direction. Il leur fit face, mentalement acculé, et les regarda fixement.

— Arrêtez-vous à une quinzaine de mètres et coupez le moteur, dit Gigotte. Nous allons lui donner sa chance.

Stone fit comme il lui était demandé. Pendant peut-être une dizaine de secondes, l'animal attendit que la Jeep silencieuse qui le fixait de ses phares redonnât signe de vie. Puis il prit son élan et chargea. Gigotte attendit qu'il se fût rapproché à moins d'une douzaine de mètres et fit feu. La balle atteignit le sanglier en plein front, juste entre les deux yeux, pulvérisant le minuscule cerveau. La forme s'arrêta net, s'effondra comme en une muette reddition.

Ils descendirent de voiture et s'approchèrent avec précaution, s'assurant que la bête était bien morte. Les dents jaunâtres étaient découvertes, prêtes à la charge : l'animal avait cru à sa chance. Chacun d'eux empoigna deux pattes et ils traînèrent jusqu'à la Jeep le cadavre mou et pesant : il devait faire dans les cinq cents livres.

Gigotte prit le volant et fit demi-tour. Il conduisait lentement et se remit à parler de Marcotte comme si de rien n'était.

— De Gaulle avait compris que nous étions de son côté, mais nous voulions une récompense, une juste récompense — il répéta le mot avec insistance — pour notre loyauté. Et savez-vous quelle fut sa réponse ? Rien. Pas un mot. Il nous tint en haleine pendant six mois. Finalement, comme Marcotte en avait assez d'attendre, il publia son histoire de stratégie « tous azimuts ». Il pensait qu'il n'avait plus rien à perdre. Alors, pourquoi pas ? Pourquoi ne pas les secouer tous un bon coup ? Il adorait faire ce genre de choses.

Mais quand, après ça, de Gaulle n'est pas sorti de son silence, nous nous sommes dit que tout n'était pas perdu, nous avons compris que si de Gaulle n'avait pas répondu, c'était parce qu'il ne savait pas quoi dire. Marcotte lui était vraiment devenu indispensable. Plus même qu'il ne le croyait. Et savez-vous comment le vieux montra qu'il avait cédé ? C'était à la réception qu'il donnait pour le Nouvel An. D'habitude, il promenait sa haute taille à travers la foule comme un demi-dieu parmi le commun des mortels, se penchant de temps à autre pour laisser tomber un mot dans l'oreille de tel ou tel. Ce soir-là, au contraire, il s'adressa à Marcotte à voix haute, lui demandant quels étaient ses projets. Marcotte répondit que, comme il se sentait fatigué, il envisageait de se retirer à la campagne. De Gaulle répliqua que ce n'était pas une raison : lui aussi était très fatigué.

Dieu sait pourquoi il avait choisi ce moyen. De toute façon, il avait cédé et c'était l'essentiel. Nous comprîmes que c'était gagné. Marcotte confirma sa victoire en prononçant un discours dans lequel il exigeait les pouvoirs qu'il n'avait eu de cesse de réclamer : c'était seulement pour s'assurer que sa position était bien claire, mais ce discours fit sauter au plafond pas mal de gens du gouvernement.

Ils quittaient à présent le couvert des bois et traversèrent la clairière où se dressait la demeure. Le ciel au-dessus de leurs têtes leur parut plus lumineux au sortir du long tunnel où ils avaient roulé. Gigotte stoppa devant la porte principale, descendit en recommandant de laisser le sanglier dans la Jeep et rentra en tapant des pieds. Stone le suivit après avoir fait un saut jusqu'à sa voiture pour y prendre la bouteille de Ricard. Une fois à l'intérieur, il l'offrit au colonel qui l'accepta avec une allégresse presque enfantine.

— Voulez-vous manger quelque chose ?

Il alla jusqu'à la cuisine où il déboucha la bouteille et servit deux verres bien tassés. Sur la cuisinière, il y avait deux grandes casseroles qu'il mit à réchauffer. Quelques minutes plus tard, il s'en revint avec deux bols de soupe et une assiette de pommes de terre trop cuites baignant dans du lait. Ils mangèrent en silence. Gigotte aspirait sa nourriture à grandes lampées bruyantes, comme s'il n'avait avalé que du vent. Puis il reprit son monologue sans transition, sauf pour dire qu'il appréciait fort le geste de Stone, tout en remplissant deux autres verres.

Le but de la visite était de faire parler Gigotte. Mais le colonel, d'habitude obligé de boire en solitaire, insistait pour que son invité bût autant que lui. Il insistait d'autant plus que la bouteille était un cadeau.

— C'est ainsi qu'une semaine avant de prendre sa retraite, Marcotte fut officiellement maintenu dans ses fonctions. Étant donné les circonstances, il lui était bien difficile de ne pas accepter...

— Mais il venait de mourir !

— Exact : deux jours après avoir été « prolongé »...

— Il a été assassiné ?

— Bien sûr ! Bien sûr qu'il a été assassiné !

162

— Par qui ?

— Par qui ? Comment le savoir ? Par ces salauds d'Américains, j'imagine : il disait toujours qu'ils finiraient par l'avoir. Je suppose que la stratégie « tous azimuts » leur était restée en travers de la gorge. De toute manière, Marcotte n'ignorait pas que quelque chose se préparait : la veille de son départ pour l'océan Indien, il me dit qu'il savait qu'il y avait du complot dans l'air et que je devais mettre ses papiers en ordre pour parer à toute éventualité. Il était tellement préoccupé qu'il refusait que sa famille l'accompagne. Par la suite, quelqu'un a dû le rassurer puisqu'il les a laissés partir avec lui.

— On m'a dit que vous aviez conservé certaines archives du général.

Gigotte leva les yeux sur lui. Il était complètement imbibé de Ricard et son regard brûlant commençait à se troubler.

— C'est donc pour ça que vous êtes venu ?

Il y avait de l'amertume dans sa voix.

— Ça pourrait me rendre service : je suis en train de chercher à identifier ses assassins.

— Que voulez-vous que ça me fasse ? Vous voulez les documents ? Très bien... (Il se leva d'un pas hésitant et sortit de la pièce, en criant par-dessus son épaule :) Si je pouvais en publier certains, ça me permettrait de quitter ce trou sans gros soucis d'argent. Ceux-là, je ne vous les ferai pas voir. J'ai en ma possession ses souvenirs d'Algérie. Savez-vous ce qu'ils me feraient si je venais à les publier ? Ils me rétrograderaient en troisième catégorie. Et vous savez ce que ça signifie ? J'y laisserais presque toute ma pension. Mais le reste, je peux vous le montrer.

Il revint dans la pièce en titubant, poussant du pied et faisant glisser devant lui un énorme carton rempli de dossiers.

— Et voilà ! dit-il en lançant un dernier coup de pied dans le carton. Le legs d'un grand homme pourrissant dans un carton d'épicerie : c'est le pouvoir dans sa forme ultime... (Stone réprima son impatience.) Allez-y. Vous pouvez tout lire. Présentez vos respects et n'oubliez pas de tout remettre en place. Moi je vais me coucher. Vous pouvez rester aussi longtemps que vous voulez.

Le colonel zigzagua hors de la pièce, laissant son invité seul. Stone arrêta une dernière fois le magnétophone caché dans sa poche. Il avait dû changer de cassette par deux fois au cours de la soirée.

La tête lui tournait, il avait trop bu. Il sortit, alla jusqu'à sa voiture, chercha à tâtons un petit étui de cuir contenant un appareil de précision chargé d'une pellicule ultra-sensible. Il l'emporta à l'intérieur et se mit à photographier les documents.

Il en eut pour jusqu'à 4 heures du matin. Il laissa le carton au milieu de la pièce et reprit la route pour Paris. Il dormit jusqu'à midi, puis s'employa à développer les pellicules. Il lui fallut encore vingt-quatre heures pour examiner le tout.

Avec ces documents il avait mis la main sur tout ce qu'il cherchait. D'abord les propositions de Marcotte à de Gaulle, suggérant une extension de ses propres pouvoirs, et qui dataient de juin 1967. Puis le brouillon d'un texte reniant les thèses de la stratégie « tous azimuts », manifestement griffonné dans un moment de dépression, mais qui était resté sans suite. Et surtout, le fameux discours dont Campini avait nié l'existence, et qui était daté de janvier 1968. Dans ce discours, prononcé devant la promotion « sortante » des écoles de guerre, Marcotte réclamait un contrôle absolu sur les chefs d'état-major des trois armes, et demandait que ses pouvoirs de temps de guerre fussent étendus au temps de paix. Il en donnait d'ailleurs la définition en citant l'exemple des responsabilités confiées au maréchal Joffre aux pires moments de la Première Guerre mondiale. Un véritable généralissime.

Stone fit deux tirages de chaque document, rédigea un bref récapitulatif de leur contenu et glissa un jeu de ces doubles dans une enveloppe adressée à Londres. Puis il s'écroula sur son lit. Il avait maintenant les preuves de trop nombreux mobiles. Tout ce qu'il lui manquait, c'était un coupable.

CHAPITRE XII

La capture d'un meurtrier, se disait Stone, allongé sur son lit, dépend souvent d'un petit détail. Mais plus il avançait, plus lui-même se perdait dans les détails. Tout ce qu'il s'était débrouillé pour découvrir jusqu'ici ne lui permettait pas d'avancer d'un pouce dans cette identification.

Peut-être aurait-il été plus simple de descendre dans la rue, d'empoigner une de ces ombres ridicules qui le suivaient et de taper dessus jusqu'à lui faire avouer quelque chose, ou, mieux encore, jusqu'à lui faire donner des noms. Ces misérables, tout compte fait, n'étaient pas des êtres si mystérieux : ils étaient là pour épier ses moindres faits et gestes.

Quel était donc le problème ? Le pauvre type qui l'attendait en bas n'était qu'un zéro, tout comme l'était probablement celui pour qui il travaillait. Combien d'intermédiaires avant d'arriver à celui qui tirait réellement les ficelles ? À celui qui avait ordonné l'élimination de Marcotte ? Si Stone commençait à remonter cette chaîne, les autres auraient tôt fait de cisailler le maillon le plus vulnérable. De ce côté-là, aucun problème.

Des documents qu'il avait lus, des conversations qu'il avait eues avec d'importantes personnalités, il avait tout obtenu sauf des noms. Tous ces gens-là étaient trop haut placés, trop confinés dans les fiefs de leur Olympe pour se préoccuper de savoir qui avait bien pu vouloir la mort de dix-neuf personnes. De surcroît, la plupart d'entre eux n'avaient aucune estime pour Marcotte. De son vivant, le général avait été un homme de pouvoir. Une fois mort, il n'était plus qu'un cadavre, un souvenir. Seules persistaient les passions et les haines.

Et s'il changeait de tactique ? Oui, songea Stone, s'il revenait un peu sur terre et laissait là ses visites aux ministres et autres généraux ? S'il traitait toute cette affaire comme un banal fait divers ?

Que se passerait-il si le meurtrier était à choisir entre un ministre, un général, le gouvernement tout entier et un vulgaire criminel de droit commun ? Il lui fallait redescendre à ras de terre pour regarder par en dessous leurs défroques et voir ce qu'il en était réellement de leur virginité. Redescendre là où les choses avaient réellement lieu.

Oui. C'est ainsi qu'il avait une chance de découvrir son homme.

En tout cas, il était sûr d'une chose : la même raison qui faisait qu'une importante personnalité l'avait fait filer par un zéro empêchait que cette importante personnalité s'en fût remise à un zéro pour supprimer le chef d'état-major général. Elle avait donc sans aucun doute contrôlé les opérations de très près, en prenant bien garde à ne pas se salir les mains.

Le lendemain, mardi 20 juin, Philippe Courman s'absorba dans les préparatifs de son enquête. Devant lui, les dix adresses relevées sur les enveloppes non décachetées à destination de Londres. Le téléphone retentit : c'était Peduc, plutôt nerveux. Son adjoint, chargé de la filature de Stone pour la matinée, venait de l'appeler. Il était pris de panique, avait communiqué cette panique à Peduc qui se sentait dans l'obligation de communiquer la sienne à Courman.

— Que se passe-t-il ?

— Il est sur le point de partir.

— Partir ? Pour où ?

— Pour la Réunion.

— Où ça ?

— La Réunion.

Il y avait des moments où Courman aurait aimé lui aussi céder à la panique comme la plupart des gens. Comme Peduc, ou comme ce pauvre Albert Duchesne. Mais non, ce n'était pas son rôle. Son rôle à lui, c'était de calmer les autres. Pour en obtenir ce qu'il voulait.

— Quand part-il ?

— À l'instant même, dans un quart d'heure. Il est complètement fou : il est d'abord allé déposer sa mallette métallique à sa banque, puis il s'est rendu à Orly sans rien emporter d'autre qu'une serviette. Il a pris son billet sur place. Les gens normaux ne s'envolent pas pour l'autre bout du monde avec une simple serviette. Qu'est-ce qu'il a l'intention d'aller faire là-bas ? Est-ce que je dois l'accompagner ?

Courman réfléchit un instant. À la Réunion, Peduc ne serait d'aucune utilité : il se sentait déjà perdu dès qu'il s'aventurait dans la banlieue parisienne. Il risquait au contraire de tout gâcher.

— Non. Attendez là-bas jusqu'à ce qu'il ait pris l'avion, puis rentrez chez vous. À propos, profitez de son absence pour jeter un coup d'œil dans son appartement. Mais proprement. Surtout, ne dérangez rien.

Courman raccrocha et s'empara d'un carnet d'adresses. Puis il appela l'inter et demanda un numéro à Saint-Denis, préfecture de la Réunion.

Robert Tocqueville avait séjourné quinze ans en France, assez pour y acquérir les manières susceptibles de le faire passer pour autre chose qu'un « petit Blanc ». N'empêche qu'il en avait été un parfait spécimen. Son père, quant à lui, avait été l'un de ces « pauvres Blancs » qui s'étaient échinés toute une vie durant sur une petite plantation de canne à sucre ; un Blanc plus pauvre que n'importe lequel de ces commerçants indiens ou chinois installés dans les villes, et guère moins que les ouvriers agricoles noirs qui travaillaient pour lui.

Si Tocqueville n'était plus un « petit Blanc », c'est qu'il avait à présent dépassé sa classe. Il se trouvait en France au moment de la débâcle et de l'énorme confusion qui avaient suivi la défaite de 1940, et il avait alors choisi le camp de De Gaulle. Non qu'il fût moins imprégné d'idées bourgeoises que tous ceux qui n'avaient pas fait comme lui. Pas du tout : simplement, il était loin de chez lui, et il était venu de si loin pour se battre. Ce n'était pas dans les rangs pitoyables des partisans du maréchal Pétain qu'il avait une chance de faire carrière. Il se rendit donc à Londres avec deux amis, et, à peine quelques semaines plus tard, il partait renforcer un groupe de Résistance dans le Jura, dans un coin de montagne réputé pour ses bons vins. Il trouva là l'occasion de se divertir assez vainement jusqu'à la victoire, jouant au boy-scout, sortant des bois de temps à autre pour harceler les Allemands. Ceux-ci prenaient leur revanche en ramassant des otages dans les villages voisins et en les passant par les armes.

Tocqueville faisait partie des recrues occasionnelles de la Résistance. Cependant, son chef trouva le moyen de se faire tuer dans les derniers jours de la retraite allemande. C'est ainsi que son groupe et lui-même se retrouvèrent pris en main par Philippe Courman, qui leur apparut soudain comme un sauveur au milieu du chaos général, leur promettant de veiller sur eux, de leur trouver du travail, de les employer lui-même si besoin était, de les nourrir, bref, de les prendre en charge : un boy-scout a toujours besoin d'un père.

Jusqu'en 1955, le jeune homme fut un bon exécutant, contribuant çà et là au succès de diverses causes défendues par Courman. Il n'avait pas de convictions politiques définies, sauf une : il croyait en l'action. Il n'était pas d'une intelligence remarquable ; c'était un homme fait pour ce qu'il aimait faire, et Courman veillait à ce qu'il demeurât toujours actif, non pas seulement comme homme de main mais aussi comme organisateur, comme incitateur. Un termite efficace dans le travail du bois.

En 1955, il rentra à la Réunion. Il s'était enrichi, s'était fait des relations, avait acquis une position sociale. C'était un homme « respecté » dans les plantations, notamment au moment des consultations politiques. La Réunion convenait on ne pouvait mieux à son style, celui d'un homme habitué à la manière forte. Il y régnait depuis longtemps une tradition de violences, de luttes de clans avec leurs règles propres placées bien au-dessus des lois. C'est ainsi, à l'âge de trente-cinq ans, qu'il découvrit l'adage de César et préféra devenir chef en son village plutôt que le second ailleurs. Peut-être au demeurant n'y était-il que sous-chef, mais, de toute manière, il n'était pas de ceux qui conçoivent, plutôt de ceux qu'on charge de convaincre.

Le coup de téléphone de Courman l'atteignit en fin d'après-midi. Tocqueville n'en revint pas de reconnaître la voix de son patron à l'autre bout du fil. Il était bien rare, en effet, qu'on lui confiât une mission spécifique : la Réunion est bien trop loin de la France pour requérir autre chose que des missions de routine.

Trouver Stone et le surveiller était une tâche plutôt facile, presque trop simple. Lorsque le jet d'Air France vira sur l'aile et descendit vers la mer, Tocqueville et son adjoint l'attendaient à l'aéroport.

Stone s'était assis dans l'avion du côté droit, en avant de l'aile. C'était le meilleur emplacement pour apercevoir l'île au moment de l'atterrissage. L'appareil descendit en s'orientant dans le même sens que celui qu'avait pris le DC 6 de Marcotte pour décoller. Il put voir Saint-Denis s'étendre au-dessous de lui et, derrière la ville, l'abrupt des montagnes.

Le vol avait duré quatorze heures. Stone s'était endormi au départ de Paris jusqu'à Djibouti où l'appareil avait fait une brève escale avant de repartir. Il s'était à nouveau assoupi peu après, ne se réveillant que pour la dernière heure de vol, l'appareil longeant encore le littoral africain vers le sud de l'océan Indien. Il vit poindre la Réunion vers 7 heures du matin. La lumière était différente, plus douce et vaporeuse.

L'« île des Poètes », se remémora-t-il. Les montagnes s'élevaient à quelques kilomètres seulement de la côte. À distance, c'était comme une barrière continue, aride et sans failles. Aucun pilote, les ayant aperçues une seule fois, n'aurait pu les oublier et diriger sur elles son appareil. C'était quelque part au milieu de cette masse rocheuse que Marcotte était mort.

L'aéroport était exigu, entouré d'une simple clôture. Il n'y avait qu'un vol quotidien pour Paris. Ce n'est pas le genre de trafic aérien qui requiert une grande rigueur administrative.

Du petit terminal jusqu'au centre de Saint-Denis, il y avait à peine dix minutes en taxi. Stone descendit dans le meilleur établissement, l'hôtel la Bourdonnais, bâtisse de béton avec l'air conditionné et les caractéristiques habituelles du confort moderne.

Il resta près d'une heure dans son bain, puis téléphona à la préfecture. Il avait un nom, celui d'un jeune énarque qui entamait sa carrière dans cette colonie juridiquement dotée du statut de département, c'est-à-dire partie intégrante du territoire français, à cette nuance près qu'elle en est éloignée de neuf mille kilomètres et que la grande majorité de sa population, à l'évidence, n'est pas excessivement occidentalisée. Stone se présenta et proposa à son correspondant de lui rendre visite à la préfecture. Le jeune homme était enchanté d'entendre quelqu'un qui venait de Paris, même s'il avait reconnu à son accent qu'il s'agissait d'un étranger.

Vingt minutes plus tard, Stone couvrit en flânant les quelques mètres séparant son hôtel de la préfecture. Il nota avec soulagement qu'il n'était pas suivi. S'il n'avait pas remarqué Tocqueville, c'est parce que ce dernier était un insecte local et savait parfaitement évoluer parmi ses congénères sans se faire remarquer.

Le bâtiment de la préfecture était une ancienne résidence coloniale à colonnade. Quant au jeune énarque, il correspondait exactement à ce que Stone s'était imaginé et avait espéré trouver : un garçon parfaitement inoffensif. Il n'était animé que d'un seul désir : savoir ce qui se passait à Paris, ce qu'y faisaient les gens, en particulier tous ses camarades de promotion de l'ENA géographiquement plus proches que lui des hauts lieux du pouvoir. Il voulait savoir qui était untel qui avait remplacé untel dans telle commission rattachée à tel ministère, et pourquoi. Il tenait absolument à être informé de toutes ces questions dont paraissait dépendre à ses yeux l'avenir de la France.

Stone devait constamment ramener la conversation sur la Réunion, mais c'était à l'évidence un sujet qui ne passionnait guère son interlocuteur, pas plus que les Réunionnais qu'il tenait en grand mépris :

— Ils ne survivent que grâce à nous. Leur vie économique est tout à fait artificielle. Tout ici est importé de métropole à des prix imposés. Nous l'appelons département, mais n'importe qui peut voir que ce n'est qu'une colonie, à cette différence près que ce sont ces gens-là qui nous exploitent. Rendez-vous compte : nous leur achetons chaque année deux cent trente mille tonnes de leur sucre au triple du cours mondial !

Il fit faire à Stone une courte visite du bâtiment. Il lui montra la chambre où M. des Brulys, gouverneur de l'époque, s'était tranché la gorge en 1809, quand les Anglais s'étaient emparés de l'île. Puis, au premier étage, la grande salle à manger réservée aux dîners officiels. C'était là, précisément, que Marcotte avait dîné juste avant de prendre l'avion. À côté se trouvait la salle de bal, décorée de cristaux vénitiens et de meubles laissés par la Compagnie des Indes, premier propriétaire des lieux. C'est en cet endroit que Marcotte avait rencontré les notabilités de l'île lors de la réception qui avait suivi le dîner officiel.

Avec un peu d'obstination, Stone s'arrangea pour savoir quels membres du personnel avaient travaillé là depuis au moins dix ans. Le jeune homme en cita quelques-uns, remarquant à peine l'intérêt insolite de son visiteur pour la domesticité. La visite terminée, ils s'en furent dîner ensemble.

Le même soir, Stone fit discrètement le guet aux abords de la préfecture. Au cours de sa visite, il avait repéré trois individus : deux huissiers et un vieux maître d'hôtel. Il attendit de voir sortir l'un d'eux. C'est le maître d'hôtel qui sortit le premier d'une porte de service. Il n'était plus en tenue et rentrait sans doute chez lui. Stone lui emboîta le pas, suivi à son tour par Tocqueville : on aurait dit trois taupes à la queue leu leu. Le maître d'hôtel s'engagea dans l'artère principale, la rue de Paris, en la remontant du côté des montagnes. Stone hésita, attendant l'occasion propice. Il souhaitait avoir une longue conversation tranquille avec cet homme. L'autre s'arrêtait de temps à autre pour bavarder avec des connaissances ; parfois il se contentait de leur adresser un signe. La plupart de ceux qu'il saluait étaient des métis comme lui.

Soudain il disparut : Stone se mit à courir pour le rattraper et découvrit une petite allée partant sur la gauche. Le maître d'hôtel était devant lui, disparaissant à nouveau dans un bar. Stone attendit un peu avant de l'y suivre. C'était un petit bar doté d'une

175

arrière-salle. L'homme était en train de parler avec le barman, métis lui aussi. Stone s'approcha, s'installa à côté de lui, commanda un punch, fit mine d'être surpris de reconnaître en son voisin le maître d'hôtel, lequel se rappela à son tour l'étranger à qui on avait fait visiter la préfecture.

Stone lui offrit un verre et se mit à parler, ou plutôt à le questionner sur la Réunion. Le maître d'hôtel était ravi. Il était rare de tomber sur quelqu'un qui ignorait tout des histoires du cru : une éponge neuve, prête à absorber tout ce qu'on lui dirait.

Avec persévérance, l'éponge en question s'attacha à le faire parler de la préfecture, de ce qu'on racontait parmi la domesticité. De là à évoquer la visite de Marcotte, il n'y avait qu'un pas.

Louis — ainsi s'appelait le maître d'hôtel — était de service ce soir-là, comme tout le reste du personnel. Ils avaient même recruté des auxiliaires en ville. Marcotte n'était d'ailleurs pas le seul visiteur important. Il y avait également Michel Debré, l'un des plus importants barons gaullistes, député de la Réunion, ancien Premier ministre, à l'époque ministre des Finances. Il était arrivé le même jour. Quelques jours plus tard, il y avait eu Guichard, alors ministre de l'Industrie. Et puis Bettencourt, secrétaire d'État aux Affaires étrangères. Pour une fois, l'île regorgeait de hautes personnalités accompagnées de tous leurs adjoints et conseillers. Le gouvernement avait organisé là une manifestation politique de première grandeur et la présence de Marcotte aurait pu paraître presque déplacée.

Louis se souvenait parfaitement de cette soirée, car il avait rarement eu l'occasion de rencontrer quelqu'un d'aussi difficile, d'aussi autoritaire que le chef d'état-major. « Rencontré » n'était peut-être pas le mot : il s'était contenté de le servir et de lui apporter deux messages téléphonés qui lui étaient parvenus au cours du dîner. Marcotte était de bonne humeur au début. À la fin, il était furieux.

Que disaient ces deux messages ?

Ils émanaient du pilote de son appareil qui ne souhaitait pas décoller ce soir-là. Mais Marcotte avait insisté.

Quelles étaient les raisons du pilote ?

Le mauvais temps, disaient les messages. Les hommes politiques attablés avec le général l'incitaient également à ne pas partir.

Pourquoi Marcotte était-il si pressé ?

Comment un maître d'hôtel aurait-il pu le savoir ? Après le second message, Marcotte s'était laissé convaincre. Mais quand ils eurent quitté la table pour se rendre à la réception, il changea d'avis et insista à nouveau pour partir.

Pourquoi avait-il changé d'avis ?

Le maître d'hôtel avait remarqué qu'à un moment donné, il s'était entretenu avec un officier supérieur, juste avant d'envoyer un dernier message. Il était vraiment furieux et il partit tout seul pour l'aéroport.

Quel officier supérieur ?

Il ne se souvenait pas. Un des nombreux inconnus qui avaient débarqué à la Réunion cette semaine-là.

La femme et la fille de Marcotte ?

Elles devaient le suivre peu après. Elles n'avaient pas non plus envie de partir et s'étaient disputées avec lui. Elles s'amusaient bien.

Quelle histoire étrange.

Le maître d'hôtel sourit d'un air entendu. Ils avaient tous pris du bon temps ce soir-là, y compris l'équipage. Trop de bon temps. C'était du moins le bruit qui courait. C'était la raison pour laquelle les journaux locaux avaient étouffé l'affaire aussi vite.

Ils l'avaient étouffée ?

Oh oui, alors. Très vite. Ça ne faisait pas une bonne publicité pour l'île, ni pour les Forces armées. C'était le tout premier accident à se produire à la Réunion.

Le soir même, Stone glissa sa bande magnétique dans une boîte aux lettres. Il l'avait adressée à Christian Smith, le directeur de sa banque à Paris, à la bonne garde duquel il avait une fois de plus remis sa mallette métallique. Une mallette où s'enrichissait sérieusement sa collection de bandes et de comptes rendus.

Tocqueville fit lui aussi son rapport sur la soirée. À cause du décalage horaire de quatre heures avec la France et de l'énorme distance entre les deux pays, son coup de téléphone atteignit Courman au cours du dîner. Un dîner qu'il s'était fait monter du restaurant d'en bas — vieille habitude, les soirs où il avait refusé toute invitation à des soupers politiques et mangeait chez lui pour pouvoir y travailler. La cuisine de ce restaurant était médiocre, mais elle lui convenait parfaitement.

Ce soir-là, il était resté chez lui dans l'espoir que Tocqueville l'y appellerait, mais également à cause de ses affaires courantes que l'attention exclusive portée à Stone l'avait conduit à négliger.

Un petit problème avait surgi dans la matinée. Son secrétaire lui avait téléphoné pour lui dire qu'un des maires UDR d'Auvergne, qui soutenait le gouvernement, avait déserté et se définissait maintenant comme indépendant. Il représentait une assez grande ville — suffisamment grande, en tout cas, pour héberger un représentant de l'administration centrale en la personne du sous-préfet.

Cournan était connu pour exercer une certaine influence dans cette région et le secrétaire général du parti l'avait appelé pour lui demander de s'occuper de l'affaire.

Il avait déjà trouvé l'homme le plus dévoué au parti dans la région, et le plus adéquat pour se débarrasser du déserteur et prendre sa place. Il était en train d'arranger tous les détails habituellement requis par le succès d'une telle opération.

Quelqu'un commencerait par rendre visite à l'imprimeur local. Celui-ci, en échange d'amabilités fiscales, prêtait ses rotatives gratis ou à bas prix. On lui ferait rapidement comprendre que le maire ne devait plus bénéficier de ces facilités ; du moins aux mêmes conditions.

La même personne rendrait ensuite visite au directeur du journal local. Celui-ci, en échange d'un soutien raisonnable, était régulièrement assuré de bénéficier d'annonces publicitaires payées par des entreprises appartenant à des partisans de l'UDR. Sans doute n'aimerait-il pas perdre cette publicité.

L'une des jeunes créatures de Courman travaillait d'autre part à la préfecture du département. Il l'appellerait personnellement pour s'assurer que, désormais, aucun permis de construire relatif à quelque projet soutenu par le maire ne serait accordé. Les constructeurs et promoteurs concernés auraient ainsi tôt fait de quitter son camp.

Le jeune homme devrait également examiner à la loupe tous les actes officiels signés ès-qualités par le maire. Il mettrait son point d'honneur à y trouver des choses déplaisantes : quelque action municipale approuvée sans que le quorum eût été atteint, ou bien encore un procès-verbal de réunion du Conseil municipal amendé après signature. On trouvait toujours des choses de ce genre. C'était une tradition nationale.

Passant à un niveau un peu plus élevé, Courman avait également identifié les gens qui s'occupaient des crédits ou des prêts accordés à la ville par l'administration ou, indirectement, par les banques. Crédits et prêts seraient considérablement réduits, voire coupés.

Et le reste à l'avenant. Chaque mesure négative était simultanément contrebalancée par une action positive visant à créer autour de l'homme choisi pour remplacer le maire un nouveau centre de pouvoir.

Courman en était là de ses réflexions quand la sonnerie du téléphone vint l'interrompre. Il délaissa ses tâches officielles et plus élevées pour s'occuper de l'homme de la Réunion. La communication était étonnamment claire. Tocqueville fit part de la conversation qu'avait eue Stone avec le maître d'hôtel : il s'était assis à une table voisine dans le même bar.

CHAPITRE XIII

Le lendemain matin, Stone prit un taxi et se fit conduire, par la rue de Paris puis, en tournant à gauche, par la rue du Grand-Chemin, jusqu'à l'extérieur de la ville. Le taxi emprunta alors la route nationale, dépassa l'aéroport et suivit la côte jusqu'à la petite bourgade de Sainte-Marie. Arrivé là, il tourna à gauche sur le CD 51, une petite route qui grimpait vers l'intérieur à travers les collines et menait finalement en pleine montagne. Quatre kilomètres plus loin, Stone fit arrêter le véhicule et demanda au chauffeur de l'attendre. Ils étaient arrivés à l'entrée d'un petit village, celui de Beaufond. C'est là que s'était écrasé l'appareil, à cinq kilomètres à vol d'oiseau de l'aéroport.

Stone se dirigea vers le hameau en traversant les champs de canne à sucre, chassant à gestes vifs les nuées de mouches qui tourbillonnaient autour de son visage. Parvenu à proximité des misérables bicoques, il chercha à percevoir quelque signe de vie. De derrière un mur émergea un homme blanc, sec et tout ridé. Stone s'avança vers lui. Monsieur Georges Baray était-il ici ? L'avion était tombé sur un terrain appartenant à ce Baray. L'homme regarda autour de lui d'un air ahuri, comme s'il avait dû s'attendre à la subite apparition de Baray. Non, il n'était pas là. Le villageois parlait un dialecte compliqué que Stone avait du mal à comprendre.

Que voulait-il au juste ?

C'était bien ici qu'était mort le général Marcotte ?

Le regard de l'homme s'alluma. Il y avait bien peu d'événements notables dans l'histoire du village, et celui-là avait certes été le plus remarquable.

Pourrait-il montrer à Stone l'endroit où c'était arrivé ?

L'homme le conduisit jusqu'à une clairière. Il lui fit voir les arbres décapités par la chute de l'avion. On distinguait encore sur le sol le tracé estompé d'un énorme soc. De cet endroit les villageois avaient fait un lieu saint : quelque chose s'y était produit qu'ils n'avaient pas compris.

Le paysan était là, ce soir-là. Ils étaient tous là. Où diable vouliez-vous qu'ils soient ? Ils avaient été jetés à bas de leur lit par l'explosion, s'étaient précipités hors de chez eux sous la pluie, avaient vu une flamme jaune jaillir à quelques pas de là.

À la différence de la plupart des villageois, il ne s'était pas approché de l'épave. Sa vieille expérience lui disait que ça pouvait à nouveau exploser. Mais, non loin de là, il avait vu la pauvre jeune fille qu'on avait dû détacher au couteau de son siège. On l'avait aussitôt évacuée. Et puis il avait vu les ministres, le préfet, les généraux. Ils étaient tous venus contempler le cratère, cette nuit-là. Oui, ils étaient tous venus cette nuit-là. C'était d'ailleurs bien la seule fois qu'ils étaient venus jusqu'ici. Ils étaient des centaines, soldats et officiers, sans compter les curieux. Ils avaient bousillé les cannes à sucre en allant et venant dans les plantations.

Avait-il remarqué quelque chose de particulier ?

C'est toute l'affaire qui était particulière. Il n'avait jamais rien vu d'aussi curieux : tous ces hommes importants, affolés, qui couraient dans tous les sens. Et pas seulement les caporaux et les sergents, non, mais les autres aussi, officiers, hommes politiques, jusqu'au préfet qui avaient l'air égarés. Quelques-uns erraient parmi les débris en quête de survivants. Le vieillard se souvenait des moindres détails. C'était comme un poème ou une chanson qu'il ne pouvait chasser de sa tête. Comme s'il avait entrevu l'autre monde. Toute chose dans l'univers dérivait désormais pour lui de cette nuit fantastique et diluvienne. C'était devenu son unique point de référence.

Ils étaient tous affolés ?

L'homme réfléchit. Le calme, il connaissait bien : c'était son monde à lui. Non, il y en avait un qui n'avait pas perdu son calme : un jeune militaire.

Il était donc en uniforme ? Stone s'était réfugié à l'ombre d'un arbre, il cassa un rameau avec lequel il s'éventa pour éloigner les mouches qui s'acharnaient sur son vulnérable épiderme.

Oui, il était en uniforme. Un officier à son avis. Un des premiers arrivés sur les lieux, à bord de la seconde voiture.

Qu'est-ce qu'il faisait ? Stone questionnait l'homme sans brusquerie mais avec célérité ; il ne voulait pas l'effrayer mais n'entendait pas lui donner l'occasion de s'arrêter en chemin.

Tandis que les autres restaient plantés à la lisière du brasier ou s'affairaient en tous sens, celui-là s'était avancé au milieu des débris avec une torche électrique à la main.

Que cherchait-il ?

Comme tous les autres, sans doute des survivants. Il marchait lentement, la tête baissée, ramassant de temps à autre des morceaux de métal qu'il rejetait ensuite. Le paysan s'en souvenait bien, c'était un homme mince et élancé, les flammes illuminaient sa silhouette au centre de la clairière entourée de ténèbres.

Est-ce qu'il avait trouvé quelque chose ?

Le paysan pensait que non.

Se souvenait-il d'autres détails le concernant ?

Non. D'autant qu'il s'était éloigné de l'épave quand les autres étaient arrivés ; il était resté dans l'obscurité, non loin de là, tandis que commençaient officiellement les recherches. C'était un jeune homme à l'air décidé, bien fait de sa personne.

Stone suivit le reste de la conversation d'une oreille plus distraite.

Ils n'avaient pas vraiment été indemnisés pour les dommages causés à la canne à sucre. L'homme s'adressait à Stone comme si celui-ci avait été un représentant de l'administration. Toute personne bien élevée qui s'en venait au village ne pouvait qu'être de l'administration. Sans doute un inspecteur des impôts. Il n'avait pas décelé l'accent étranger de Stone, impossible à différencier pour lui des accents variés de ceux qui venaient de la métropole, les « Zoreilles », comme on disait ici. Cette année-là, ils avaient donc perdu beaucoup d'argent.

Stone lui donna un billet de dix francs et s'excusa de devoir partir.

Le même soir, le vieil homme reçut une seconde visite. D'un autre étranger au village, venu lui aussi lui poser des questions. Celui-ci, pourtant, il l'avait déjà rencontré. On le voyait habituellement réapparaître à chaque campagne électorale. Le vieillard répondit avec application aux questions de Tocqueville, tout comme il l'avait fait pour Stone. En guise de récompense, il reçut une pièce de cinq francs : les gens du cru étaient décidément moins larges.

En quittant Beaufond, Stone reprit la route de Saint-Denis. Peu avant d'arriver en ville, le taxi obliqua à droite, vers la mer, par la route conduisant à l'aéroport. Stone descendit à une centaine de mètres des bâtiments et demanda au chauffeur de l'attendre devant la porte principale.

On distinguait très nettement les montagnes, raides et dominatrices dans leur beauté sans failles. D'une beauté sinistre, si l'on se rappelait cette nuit pluvieuse et l'épave en flammes. Au loin, Stone distingua le village de Beaufond. Pour un pilote partant de la côte, il n'y avait qu'un choix, évident. On avait bien du mal à penser qu'un homme sain d'esprit avait pu délibérément s'élancer au-devant de la mort.

Il dépassa le terminal, marchant à vive allure dans la chaleur du jour, et découvrit une porte de service portant l'indication : « Entrée interdite. » Il la poussa et traversa la piste en direction des hangars, simples abris métalliques dressés latéralement à l'aire d'envol. Dans le second de ces hangars se trouvait un Dakota sur lequel étaient en train de travailler deux hommes. Il poussa les doubles portes en matière plastique et s'avança :

— Bonjour, messieurs, lança-t-il. Y a-t-il ici un ingénieur au sol ?

Les mécaniciens en combinaison lui indiquèrent le fond du hangar où se trouvaient trois autres hommes qu'il n'avait pas remarqués. L'un des trois était manifestement le chef. Il s'en approcha et lui tendit la main.

— Ils m'ont dit que je pouvais vous trouver ici.

— Qui ça ?

— Les gens du contrôle, répondit Stone en faisant un geste vague en arrière. Je viens des bureaux du préfet.

L'ingénieur en chef eut un sourire aimable.

— Que puis-je pour vous ?

Mentionner un supérieur sur le ton de la parfaite assurance avait toujours de merveilleux résultats. C'est une chose que Stone avait apprise dès son enfance. Ensuite, il ne restait plus qu'à mettre les gens à leur aise.

— Rien de bien compliqué. Quelques petits renseignements. À dire vrai, c'est à propos d'une vieille histoire. Y a-t-il quelqu'un qui soit ici depuis au moins dix ans ?

— Moi-même, pour commencer, répondit l'ingénieur. En fait, je crois bien que c'est le cas de nous tous ici. Ce genre d'endroit, ou bien vous y venez pour longtemps, ou bien vous n'y venez pas du tout.

Les autres opinèrent. L'ingénieur en chef était un homme adipeux et peu nerveux. Le genre colonial, pensa Stone ; pareil à la plupart de ceux qui avaient choisi de rester dans l'île.

— L'aéroport a pas mal changé en dix ans. Jusqu'à ces huit dernières années, la piste était exécrable. Une vraie tôle ondulée. Aujourd'hui, nous accueillons les jets.

— Parlez-moi des pistes et des directions d'atterrissage. Est-ce qu'elles ont changé dans l'intervalle ?

— Il n'y a pas grand-chose à en dire. Vous n'avez qu'une piste, celle que vous avez vue si vous êtes arrivé par avion. C'est toujours la même, simplement plus longue et plus large. Quant au sens de l'atterrissage, c'est le même que celui du décollage. Il n'y a qu'une seule manière d'arriver ici, et il n'y en a qu'une seule de repartir : la mer à gauche et les montagnes à droite. Dès qu'un avion a décollé, il doit virer à gauche pour éviter les montagnes. C'est à cause des vents, voyez-vous. Ils ne changent jamais. Tout se passe toujours dans la même direction.

— Mais, dans ces conditions, qu'est-il arrivé au pilote de Marcotte ? Il a perdu la boussole ?

L'ingénieur s'arrêta et dévisagea Stone.

— Voilà donc ce qui vous amène. Je m'en doutais. J'ai toujours su que nous n'aurions pas fini d'entendre parler de cette histoire. (Les autres approuvèrent en silence.) Vous aimeriez connaître toute l'affaire, n'est-ce pas ? À la fin, vous ne serez guère plus avancé. Nous ne le sommes pas plus que vous, pas plus que ne l'a été la commission d'enquête. Venez donc vous asseoir.

Ils se dirigèrent tous quatre vers le fond du hangar où ils trouvèrent quelques chaises pliantes autour d'un bureau bancal. Sur celui-ci, une photo de l'épouse de l'ingénieur en chef : une métisse au physique plutôt ingrat. Peut-être était-ce à cause d'elle qu'il n'était jamais rentré en France : ça ne lui aurait pas plu, ou bien elle n'y aurait pas été acceptée, tandis qu'ici, à la Réunion, son mari était quelque chose, quelqu'un. De surcroît, comme tout métropolitain, il pouvait dire tout ce qu'il pensait, ce qu'aucun indigène n'aurait osé se permettre. L'ingénieur s'assit pesamment derrière son bureau, coucha la photographie de sa femme, face contre le bureau, comme s'il avait voulu protéger sa vertu, et considéra Stone avec une certaine ironie.

— Ce que je ne comprends pas, c'est pourquoi on a attendu quatre ans pour remuer tout ça. Ça ne sert plus à rien, maintenant. Je vous dis ça, mais, s'il faut être tout à fait franc, nous pensions bien que quelqu'un débarquerait un jour pour se mettre à fouiner un peu partout. On a refermé le dossier trop vite.

— On ne s'est pas assez posé de questions, dit l'un des trois autres avec grand sérieux.

Ses compagnons éclatèrent de rire.

— Pauvre Leclerc, dit le chef en montrant du doigt celui qui venait de parler, il n'arrêtait pas de dire qu'il avait des révélations à faire, mais personne n'a voulu l'écouter.

— Quelles révélations ?

— Laissez-moi commencer par vous raconter comment ça s'est passé. Après tout ce temps, ne soyez quand même pas impatient ! Marcotte était arrivé dans la matinée à bord de son DC 6. Il devait repartir le soir même, à 23 h 15. En fait, il partit avec dix minutes de retard. Pendant qu'il s'amusait à la préfecture, l'équipage avait fait la fête de son côté. Nous étions tous ici avec eux, en compagnie des jeunes officiers en garnison dans l'île et de quelques autres qui avaient suivi ou précédé le cortège : tous les chauffeurs de ces messieurs. On servait un punch très fort, une spécialité locale, et l'équipage y avait goûté. Tous les douze.

— Les douze ? fit Stone d'un ton surpris. (Cette évidence ne l'avait jamais frappé jusque-là. Pourquoi douze hommes d'équipage ?) Il n'est pas besoin de tant de monde pour faire voler un DC 6.

— Aller et retour, ça fait une sacrée durée de vol ; on avait prévu un double équipage, renforcé du côté des stewards : j'ai entendu dire que le type était plutôt exigeant.

— Et tous les douze étaient ivres ?

— Disons qu'ils avaient bu. Tous sauf un, qui prétendait qu'il ne buvait jamais.

— Mais pourquoi ?

— Ils ne pensaient pas devoir partir.

— Que voulez-vous dire ? Le vol était déjà programmé. Y avait-il quelque chose qui devait les retenir ?

— Je ne sais pas. Assez tôt dans la soirée, le commandant avait annoncé qu'ils passeraient la nuit ici. Le temps que le général leur fasse savoir qu'il tenait absolument à partir, il était trop tard. Ils avaient déjà bien commencé la fête.

— Et alors ?

— Alors, ils ont dit qu'ils ne voulaient plus partir, ils essayèrent de gagner du temps et, bien entendu, ils ne touchèrent plus au punch Ils invoquèrent toutes les excuses possibles, y compris les mauvaises conditions atmosphériques.

— C'est-à-dire ?

— Il pleuvait. Le temps était bouché. Pas une nuit à se baguenauder, mais rien qui puisse arrêter un avion. À la fin, Marcotte est monté dans l'avion sans eux, et il les y a attendus pendant une demi-heure. Il était fou de rage. Je l'ai aperçu juste avant le décollage : vous pouvez imaginer la tête qu'il faisait. Les autres ont été obligés de suivre. Le commandant fit une dernière tentative pour le convaincre de rester, mais il ne pouvait quand même pas dire : « Écoutez, je suis crevé et un peu pompette. » Un bon moyen de ruiner sa carrière. Marcotte lui répondit que si la tour de contrôle donnait l'autorisation de décollage, ils pouvaient partir. Ce qu'ils firent.

— L'avion était-il surchargé de carburant ?

— Pas du tout. Où est-ce que vous avez pris ça ? Les gens écrivent n'importe quoi. La vérité est qu'ils avaient prévu un vol de quatre mille kilomètres ; le rayon d'action normal de ce type d'appareil est de six mille kilomètres. Si nécessaire, il peut aller jusqu'à huit mille. Il leur restait encore de la place pour plus de deux mille litres de carburant. Si ç'avait été le cas, je le saurais : c'est moi qui ai fait remplir les réservoirs.

— Aviez-vous fait réviser l'appareil ?

— À son arrivée, oui. Nous devions le faire à nouveau avant le départ, mais nous n'en avons pas eu le temps. Le commandant avait annoncé qu'ils ne partiraient que le lendemain ; sur le moment, nous ne nous sommes donc pas préoccupés du contrôle de routine qui précède le décollage. Et brusquement, les voilà qui partent. Plus le temps de rien vérifier. Tout ce que nous avions pu faire, ç'avait été de remplir les réservoirs pendant la journée. De toute façon, l'appareil avait été vérifié à l'arrivée, neuf heures plus tôt.

— Est-ce qu'il était gardé ?

— Bien sûr. Comme tous les avions qui sont ici. Aucune personne étrangère n'est autorisée à pénétrer sur le terrain : c'est écrit à l'entrée.

— On n'avait pas disposé de garde spéciale ?

Il y eut un silence. Le troisième homme intervint :

— Je pense que la police avait suffisamment à faire

en ville à ouvrir l'œil. C'est plutôt rare de voir autant d'huiles débarquer ici.

Tous se remirent à rire.

— Et quelle est cette révélation que personne n'a voulu entendre ? demanda Stone en se tournant vers Leclerc.

— Oh, ce n'est pas à proprement parler une révélation, répondit-il avec lenteur. Il faut dire que je ne m'amuse jamais dans ce genre de fête. Tout le monde boit toujours trop. Il n'y a pas grand-chose d'autre à faire. C'est comme ça que j'ai remarqué cet officier de leur équipage qui ne buvait pas non plus. À 11 heures du soir, quand ils ont fait disparaître le punch, il n'avait toujours pas bu une seule goutte. C'était le seul qui continuait à dire au commandant qu'il fallait absolument retarder leur départ. Cinq minutes plus tard, je le revois, et voilà qu'il était bien plus saoul que les autres. Alors ça, c'était bizarre, je vous assure ! Tous les autres se moquaient de lui, et lui de son côté continuait à prétendre qu'il n'avait rien bu : ça les faisait tous rire. Il était au bord des larmes, il faisait tout ce qu'il pouvait pour paraître dans son état normal, et les autres ont dû l'emmener de force jusqu'à l'avion. Eux-mêmes n'avaient pas grande envie d'y aller, mais lui n'y tenait pas du tout.

Depuis qu'il s'était mis à parler, Leclerc s'était redressé sur sa chaise, le visage tendu. À présent qu'il en avait fini, ses muscles se relâchèrent.

Les autres avaient écouté son discours traînant dans un silence respectueux et moqueur à la fois. Nul n'y ajouta un mot. Il y avait quelque chose de grotesque dans cette image d'un homme ivre traîné de force vers sa mort.

— Au cours de cette fête, quelqu'un s'est-il comporté de manière inhabituelle ? Quelqu'un qui serait venu ici spécialement ce jour-là ?

— Non, nous connaissions tous ceux qui étaient arrivés de Madagascar dans l'avion de Marcotte. (L'ingénieur fit une pause puis reprit :) Il y avait bien un jeune officier, mais il était déjà là depuis quelques jours pour inspecter l'aéroport. Pour les cas d'utilisation militaire, vous voyez. Ils nous envoyaient régulièrement quelqu'un de la grande base de Madagascar.

— Qui était-ce ?

Tous haussèrent les épaules.

— Je ne suis pas sûr d'avoir jamais entendu prononcer son nom. C'était un garçon comme les autres. Je me souviens qu'il était plutôt grand et mince. (L'ingénieur s'arrêta de nouveau puis murmura :) Drôle d'histoire...

— D'après vous, qu'est-ce qui s'est passé ?

— Oh, ils étaient fin saouls et ils ont perdu le contrôle de l'appareil.

— Vous croyez vraiment ?

— Je ne sais pas. Aucune autre explication n'a jamais été avancée. Mais ceux de la tour de contrôle m'ont raconté ce qu'ils avaient entendu par radio.

— C'est-à-dire ?

— Rien. Le silence complet. Ça, c'est plutôt bizarre. Ils ne cessaient pas de dire au pilote de virer à gauche au lieu d'aller à droite : et lui n'a rien répondu, jusqu'à la toute dernière seconde. À ce moment-là, il a hurlé.

— J'avais cru comprendre qu'il avait essayé de s'en revenir vers la mer, mais qu'il était déjà beaucoup trop tard, dit Stone à tout hasard.

— C'est de l'imagination pure et simple, répondit l'ingénieur sur un ton ironique. Comment voulez-vous que quelqu'un ait pu voir ce que faisait l'avion à six kilomètres d'ici, à deux cents mètres d'altitude, en pleine nuit et avec la pluie qui tombait ?

— Deux cents mètres ? Il n'était pas monté très haut.

— Vous oubliez que ce genre d'appareil ne grimpe pas très vite.

Ils le regardaient, attendant de nouvelles questions.

— Vous avez raison. Je n'y connais pas grand-chose.

— Je vais vous dire ce que je ferais à votre place : j'irais voir le général Elestre. C'est lui qui commandait la zone. Il était arrivé dans le même avion que Marcotte et il s'est arrêté ici après l'accident. Mais il y a plus important : c'est lui qui a été chargé de ramener à Paris le rapport de la commission d'enquête. Et je suis sûr d'au moins une chose, c'est qu'il a refusé de prendre un avion militaire. Il a pris un vol régulier, et j'ai su qu'il était allé directement de l'aéroport à l'Élysée pour remettre le rapport en main propre à de Gaulle. C'est son adjoint lui-même qui me l'a dit ; depuis, nous n'avons plus entendu parler de rien.

Robert Tocqueville savait qu'il était inutile d'entrer leur demander ce qu'ils avaient raconté à Stone. L'ingénieur en chef l'aurait flanqué à la porte. Il n'était pas originaire de l'île et n'aimait pas les petits professionnels de la politique.

Mais Tocqueville avait des amis partout ; à défaut, il connaissait l'ami d'un ami. C'était son métier. Dans le cas présent, il connaissait le troisième homme qui avait participé à la conversation ; un peu plus tard dans la journée, il réussit en l'amadouant à lui faire répéter tout ce qui s'était dit.

Tocqueville n'était pas homme à perdre son sang-froid. Il tenait ça de Courman. Mais ce qu'il entendit le rendit soucieux. Il avait rencontré le jeune officier auquel on avait fait allusion à deux reprises : une fois à Beaufond, la seconde fois à l'aéroport. Tocqueville avait été chargé de lui transmettre un message le jour ou Marcotte avait trouvé la mort. Il ignorait le contenu de ce message, tout comme ce qui était arrivé à l'appareil. Mais il fallait empêcher les choses d'aller plus loin. Quelque chose lui disait que la limite était atteinte, et il avait assez de flair pour pressentir qu'on était au bord de la catastrophe. Il ferait part de ses craintes à Courman dans son prochain rapport.

Malheureusement, ce soir-là, il ne parvint pas à obtenir Paris.

Les lignes locales étaient soit bloquées, soit interrompues. Ou bien c'était encore autre chose. Il en allait ainsi un jour sur deux, sans que personne ne sût pourquoi. Il en fut contrarié, mais il devint franchement nerveux quand l'homme chargé de filer Stone lui apprit que celui-ci s'était arrangé pour prendre rendez-vous le lendemain matin avec d'autres officiers de l'aéroport, et, l'après-midi, avec deux journalistes parmi les moins « compréhensifs » de l'île.

Il n'avait reçu pour mission que de suivre Stone, mais c'était un homme averti et il connaissait bien la Réunion. Quand les gens se mettaient à parler, c'était mauvais signe. Après ça, il n'y avait plus moyen de les arrêter.

Stone dîna en compagnie du jeune énarque de la préfecture. Ils avaient quitté Saint-Denis par la sortie ouest, puis avaient emprunté une mauvaise route de montagne. Au bout d'une vingtaine de minutes, ils arrivèrent à un hôtel dont le grand restaurant donnait sur la mer. La salle était à peu près vide. L'ami de Stone expliqua qu'il y avait peu de touristes à la Réunion : ça coûtait trop cher. Air France exerçait un monopole qui lui permettait de faire payer le prix fort aux ressortissants de l'île. Il expliqua également comment étaient appliquées les décisions de justice : les criminels les moins stupides disparaissaient derrière les volcans, et les policiers n'arrivaient jamais à remettre la main dessus — ils n'aimaient pas s'aventurer dans les montagnes. De toute manière, les hommes qu'ils poursuivaient ou faisaient semblant de poursuivre leur étaient tous plus ou moins apparentés.

Puis il s'étendit sur toutes les autres choses désagréables qu'il pensait de la Réunion, tout en partageant avec Stone un dîner du plus pur type colonial, composé de mets importés, au-dessus des forêts qui dévalaient les collines jusqu'aux villages côtiers, à la rencontre de la mer.

Il était minuit passé quand Stone s'en revint à son hôtel. Il ouvrit la porte de sa chambre et fit la lumière. À ses pieds, ses quelques affaires jonchaient le sol. Le lit était défait. Il se dit qu'il avait été bien inspiré de poster ses enregistrements de la journée avant d'aller dîner.

La porte de la salle de bains était fermée. Il s'approcha pour l'ouvrir. De l'autre côté, il tomba nez à nez avec Robert Tocqueville, un pistolet braqué sur lui.

— Retourne-toi !

Stone obéit. Tocqueville l'empoigna par les deux bras, juste au-dessous des épaules. Au moment où Stone avait fait demi-tour, un autre homme était entré, avait refermé la porte et s'était approché. Il portait des gants de peau. Un de ses poings partit à toute volée en direction de l'estomac de Stone.

Celui-ci tenta de se protéger en lançant des coups de pied, mais Tocqueville lui appliquait fermement son genou dans les reins. L'autre homme le frappa à nouveau à l'estomac, puis au visage, puis de nouveau à l'estomac, et ainsi de suite, sans trêve ni fin.

Quand Stone reprit conscience, il découvrit sa serviette posée à côté de lui. Il était allongé sur une banquette inconfortable recouverte de caoutchouc mousse. Il ouvrit lentement l'œil gauche. Autour de l'autre œil, la peau était si tuméfiée qu'elle lui interdisait de rien voir. Il était 8 heures et demie du matin, le lendemain, et il se trouvait dans la salle des départs de l'aéroport. Le vol quotidien pour Paris partait à 9 h 30.

Une voix de femme lui parvint à travers une sorte de brouillard. Une voix nasillarde qui essayait d'être aimable et ne réussissait qu'à être parfaitement désagréable. Elle en faisait trop — ou bien était-ce à cause de la douleur qui traversait le crâne de Stone et lui courait en dents de scie par tout le corps ?

— Ils vous ont amené il y a une demi-heure. Ils avaient peur que vous ne ratiez votre avion.

— Qui ça, ils ? demanda Stone dans son demi-brouillard. Il souffrait terriblement, de partout à la fois. Pour le coup, il avait conscience de tout son corps, du moindre de ses muscles, du moindre de ses os.

— Vos amis. Les hommes qui vous ont amené.

— Quels amis ? Que s'est-il passé ?

— Apparemment, vous vous êtes un peu trop amusé la nuit dernière.

Stone avait refermé son œil gauche. Il s'efforça de le rouvrir pour la regarder à nouveau. Était-elle sérieuse, se moquait-elle de lui ou bien était-elle en train de mentir ? Elle souriait, élégante et inoffensive dans son uniforme d'Air France.

— Vous n'êtes pas d'ici ? demanda-t-il.

— Oh non ! répondit-elle d'une voix soulagée, comme si Stone avait repris goût à la plaisanterie.

— Inutile de vous demander si vous connaissez mes amis, n'est-ce pas ?

Il tenta de se mettre sur son séant, mais perdit l'équilibre. L'hôtesse dut le soutenir jusqu'à l'avion.

CHAPITRE XIV

— Je voudrais parler à monsieur Sherbrooke, de la Norwich Union.

— Je suis désolée, monsieur. Ici, ce n'est pas la Norwich Union.

— Écoutez-moi : votre directeur s'appelle bien monsieur Sherbrooke ?

— Oui, monsieur.

— Très bien : dites-lui que Charles Stone est en ligne, et mentionnez la Norwich Union. Faites vite, c'est urgent.

— Bien, monsieur.

Stone se trouvait dans une cabine téléphonique de l'aéroport d'Orly, appuyé à la paroi de verre, essayant de tenir debout. Il n'avait rien de cassé : juste une sévère correction. Dans l'avion, on lui avait prodigué quelques soins et il avait réussi à ouvrir l'autre œil. Il n'ignorait pas qu'il ne pouvait rentrer chez lui pour téléphoner. À l'autre bout du couloir, il avait déjà repéré Peduc. À l'évidence, Paris avait été avisé de l'avion par lequel il rentrait. La plaisanterie était bel et bien terminée.

— C'est toi, Martin ?

— Charles ! Enfin. Il y a deux jours que j'essaie de te joindre. Je pensais que tu étais mort.

— Écoute-moi, Martin. Je laisse tomber. Je voulais te dire que je suis décidé à arrêter. J'ai de nouveau été attaqué. Il est clair que notre système de doubles ne les a pas fait reculer. Je suis allé à la Réunion et je ne suis guère plus avancé.

— Charles, tu ne peux pas laisser tomber !

— Comment ça ? J'en ai bien l'intention ! Essaie de comprendre.

— Charles, écoute-moi bien. Il y a deux jours, j'ai reçu un coup de téléphone : quelqu'un qui prétendait appeler de ta part.

— Quoi !

— Exactement : on voulait savoir si j'avais bien reçu ton dernier envoi.

— Qu'est-ce que tu as répondu ?

— J'ai dit que je ne savais pas de quoi il parlait et que je ne connaissais pas de Charles Stone : il n'avait pas mentionné la Norwich Union. C'est depuis ça que j'essaie de te joindre. J'ai pensé qu'ils avaient fini par t'avoir, et j'étais sur le point de demander à Williams d'entamer la publication.

Au bout du fil, Stone restait silencieux. Il se sentait prisonnier de cette cabine de verre, attendant d'être délivré de la présence de cette ombre qui l'épiait, là-bas, dans le hall. Il ne demandait plus qu'une chose : pouvoir partir et oublier toute cette histoire.

— Tu comprends, Charles ? Tout ça veut dire que tu ne peux plus laisser tomber. S'ils se sont donné la peine de rechercher ma piste, ça n'est pas pour te laisser échapper, toi : tu en sais déjà trop. Il n'y a plus qu'une issue. Il faut que tu aboutisses avant qu'ils ne soient certains que je suis ton contact et n'essaient de se procurer les doubles. S'ils y arrivent, mon vieux Charles, tu es un homme mort.

Stone ne répondit pas.

— Tu m'entends ?

— Oui, oui, je t'écoute.

Il appuya son autre épaule sur la cloison opposée de la cabine.

— Charles, à partir de maintenant, envoie tout à ma secrétaire.

Il lui donna le nom et l'adresse. Stone, résigné, les nota au dos de son billet d'avion, puis raccrocha sans mot dire.

Il quitta l'aéroport en taxi. Sur l'autoroute, il jeta un coup d'œil en direction de ses suiveurs, à une centaine de mètres en arrière, puis se laissa glisser dans une sorte de coma mélancolique. Était-ce seulement la fatigue et la douleur, ou bien ce qu'il avait jadis appelé la peur ?

Stone n'eut pas la force de se lever avant le lendemain matin. Peut-être tout simplement n'avait-il pas envie d'en avoir la force ? Peut-être cherchait-il encore un moyen de s'en sortir ? Mais la nuit ne lui avait porté qu'un seul conseil : faire vite, car il était coincé et n'avait plus beaucoup de temps.

Il se sentait à présent dans la position du gibier et non plus dans celle du chasseur ; il descendit dans la rue, dépassa son suiveur qui contemplait discrètement la vitrine d'une pâtisserie et se dirigea vers les Invalides, rue de Constantine : il était certain que Rogent serait chez lui.

Il en repartit une demi-heure plus tard, porteur d'une lettre d'introduction destinée au général Elestre, et avec la promesse que Rogent téléphonerait à ce dernier pour annoncer son arrivée.

Quand Stone l'appela, Elestre était chez lui. Il s'apprêtait à partir pour une partie de pêche au saumon et à passer au vert une semaine paisible en compagnie de quelques amis. Pierre Dehal devait participer lui aussi à cette partie de pêche. Tous deux n'étaient pas de vieux amis, ni même de bons amis. Mais ils étaient inévitablement amenés à connaître les mêmes gens, et Dehal adorait la pêche à la mouche : c'était un sport élégant, subtil, qui ne réclamait pas de grands efforts physiques. Un sport pour âmes sensibles.

Elestre proposa à Stone de venir le voir immédiatement. Il habitait Neuilly, un immeuble cossu donnant sur le bois de Boulogne.

C'était un homme tassé mais alerte, âgé mais vif d'esprit. Il guida Stone jusqu'au salon et le fit asseoir parmi les meubles de style et d'épais tapis dix-neuvième à dominantes bleues et grenat.

— Je rentre à peine de votre ancienne zone de commandement dans l'océan Indien, commença Stone. De la Réunion, pour être plus précis.

Elestre ignora le préambule. Il contemplait le visage tuméfié qu'il avait en face de lui. Avec compassion peut-être, curiosité sans doute.

— Rogent m'a dit que vous vous intéressiez à l'armée et que je devais vous aider. Que voulez-vous savoir ?

Sa voix était celle d'un homme qui connaît les responsabilités et les frontières du commandement. Mieux encore, celle d'un homme qui savait prendre des décisions. Un peu plus tard, au cours de la conversation, il devait dire : « Nous autres gaullistes sommes des politiques et non des fonctionnaires, à cause de notre péché originel de désobéissance en 1940. »

— J'essaie de savoir qui a tué le général Marcotte.

— Je ne pense pas pouvoir vous être utile.

— Il faut que vous m'aidiez. Je n'ai pas le choix. Je ne les ai pas encore trouvés, mais eux m'ont déjà découvert. Vous voyez ma figure ? Le reste de mon corps est dans le même état. Je ne demanderais pas mieux que de tout oublier, mais ça n'est plus possible. Ils ne me laisseront pas renoncer.

Stone lui-même n'aurait su dire jusqu'à quel point son plaidoyer était sincère, quelle part de calcul y entrait.

— Vous avez été agressé, à ce que je vois ?

— Par deux fois.

Le général le considéra avec pitié. Il détestait la violence : privilège de quelqu'un qui l'avait trop bien connue.

— Rogent m'a demandé de vous aider. Mais il n'y a pas grand-chose à dire.

— Vous avez eu connaissance du rapport de la commission d'enquête ?

— Oui, mais il ne contenait pas de grandes révélations. Il y avait des sous-entendus, des phrases qui n'allaient pas au bout de ce qu'elles voulaient dire. Je pense qu'à l'intérieur même de la commission se sont fait jour des désaccords sur ce qu'il y avait lieu d'écrire. Quoi qu'il en soit, ce rapport n'était pas le seul élément d'appréciation. Il y avait ce que les gens ont raconté mais qu'ils n'ont pas laissé écrire dans la mesure où ils ne pouvaient en apporter la preuve.

— C'est-à-dire ?

— Eh bien, que l'avion avait été saboté. Ce qui est tout à fait probable. Mais c'est le genre de chose qu'il n'est pas facile de prouver. Je ne devrais pas vous dire ça, mais aujourd'hui le général de Gaulle est mort, comme tout ce pour quoi il luttait. Son univers s'est évanoui comme un mirage et, derrière lui, est réapparu le même vieux désert que nous avons toujours connu. Il m'est arrivé de penser que, plutôt que d'étouffer l'affaire, il aurait mieux fait de la rendre publique et de frapper ceux qui... Vous savez, à cette époque-là, on tolérait beaucoup trop de vermine, rien que pour avoir la paix. À présent qu'il n'est plus là, les vers sont devenus serpents.

— Et qui a saboté l'appareil ?

— Tout le problème était là. C'est la raison pour laquelle je suis rentré seul, en empruntant un vol régulier, et que j'ai remis le rapport en main propre au général de Gaulle. Tant que je l'ai eu en ma possession, je n'ai cessé d'être entouré d'insectes bourdonnants : ils voulaient savoir ce qu'il y avait dedans, ils me recommandaient d'être prudent, de penser à mon avenir, etc. Car le terrain était glissant. C'est toute l'armée qui pouvait être mise en cause. Imaginez que les choses soient allées plus loin, qu'on ait prouvé qu'une fraction notable des chefs de l'armée étaient dans le coup, imaginez les conséquences...

De Gaulle était furieux : ils avaient liquidé son chef d'état-major général comme si lui-même n'avait disposé d'aucun pouvoir. C'était pourtant bien le cas. Il n'arrivait pas à admettre que, tant d'années après la guerre d'Algérie, l'armée échappât encore à son contrôle. C'est ainsi que nous avons laissé tomber l'affaire. On a tout laissé tomber.

Il se leva et se dirigea vers une des fenêtres donnant sur le Bois. À évoquer cette histoire, il se sentait devenir claustrophobe, il avait besoin d'air et de lumière. Avec l'âge, Elestre tolérait de plus en plus mal d'être emprisonné dans cet entrelacs de manœuvres et de secrets. Il ouvrit la fenêtre et pencha la tête au-dehors. Au bout d'un instant, il se retourna et fit signe à Stone de s'approcher.

— Je suppose que ces types-là vous filent ? dit-il en montrant du doigt Peduc et son adjoint qui attendaient dans la rue, à une centaine de mètres de là.

— Oui. Vous êtes bon observateur.

— L'expérience, rien de plus. Ceux-là, par exemple, sont des vers qui ne sont pas devenus serpents. Je les sens d'ici. (Il se redressa et ferma la fenêtre. Ils allèrent se rasseoir.) Ce fut une grande victoire pour la majorité des officiers, la vieille armée de Vichy. Finalement, ce fut leur revanche.

Bien sûr, dans sa colère, de Gaulle plaça aux leviers de commande quelques gaullistes de plus. C'est un bon aviateur et bon gaulliste qui remplaça Marcotte. Mais les officiers ne l'aimaient pas davantage. Il n'était pas des leurs. Il avait désobéi en 1940 et obéi en 1961, donc fait les mauvais choix, selon eux.

Tout cela ne changea pas grand-chose. Il ne restait plus beaucoup de gaullistes. Ils sont comme moi, ils se font vieux. Et nous sommes un groupe stérile, qui n'a pas engendré de seconde génération. Il ne pouvait d'ailleurs pas y en avoir. Vous savez, nous sommes des marginaux, de ces individus qui savent dire « non » ! C'est une espèce qui ne se reproduit pas. Ces individus existent ou n'existent pas, c'est tout.

La colère de De Gaulle ne pouvait avoir que des effets à court terme. Les autres ne l'ignoraient pas. Ils savaient qu'ils avaient gagné. En fait, ils ne s'étaient jamais fait de mouron à notre sujet. Ils avaient commencé à nous éliminer un à un depuis le premier jour de la fin des hostilités, en 1945. Mais c'étaient des gens comme Marcotte qui les préoccupaient. Ceux de la nouvelle école. Ceux qui n'avaient pas désobéi comme nous en 1940, mais qui se fichaient pas mal des intérêts de caste ou des traditions rétrogrades qui soudaient le corps des officiers. Selon votre point de vue, appelez-les opportunistes, modernistes ou comme vous voudrez. Mais tout le monde était bien forcé de leur reconnaître ceci : ils étaient ambitieux et pouvaient se multiplier. Voilà pourquoi l'armée traditionaliste concentra toutes ses forces contre cette nouvelle espèce politique. La vieille clique a gagné : elle avait le nombre et la cohésion pour elle.

— Et vous, vous n'avez rien dit ?

— Le général de Gaulle voulait le silence. J'ai suivi son exemple. Je n'ai jamais aimé Marcotte, mais ce n'était pas une raison. À cette époque-là, il n'y avait pas grand-chose à gagner à un nettoyage général. Je suppose qu'il en va toujours ainsi.

— Malheureusement, il se trouve que j'en sais trop pour éviter désormais un tel nettoyage. Le leur ou le mien...

— Mais qu'est-ce qui les arrête, monsieur Stone ? Pourquoi se contentent-ils de vous casser gentiment la figure et de vous faire suivre en douceur ?

— Je possède certains documents qui seraient aussitôt publiés si je venais à disparaître. Il leur faut d'abord les trouver : ils n'en sont d'ailleurs plus très loin.

— Très astucieux, commenta Elestre du même ton tranquille. Je ne vois que deux suggestions à vous faire. Allez trouver les membres de la commission d'enquête. L'un d'eux, je ne me rappelle plus lequel, était beaucoup plus décidé que les autres à pousser les recherches. Je pense qu'il avait dû approfondir l'enquête pour son propre compte. Les autres craignaient trop pour leur avancement. (Il se leva et quitta la pièce. Il s'en revint au bout de quelques instants, une feuille de papier à la main.) Voici leurs noms : ce n'est pas un bien grand secret, ajouta-t-il avec un sourire ironique. Je crois d'ailleurs me souvenir que cette liste fut publiée à l'époque par un journal à court de copie. La plupart d'entre eux doivent aujourd'hui encore exercer la même profession : vous n'aurez guère de mal à les retrouver.

C'était une liste de huit noms. Stone plia la feuille et la glissa dans sa poche.

— Et quelle est votre seconde suggestion ?

— Ah oui. Mais là, nous entrons dans le domaine des hypothèses. Vous ignorez probablement l'existence d'un certain Philippe Courman. C'est un homme fort, prospère et charmant, avec un pied bot et une barbe. Celui-là aussi est un ver, mais un ver devenu serpent. Un type à multiples visages. D'une influence certaine dans les milieux politiques. Il peut exhiber toutes les garanties d'un glorieux passé, en fait fabriqué de toutes pièces. Je suis l'un des rares à savoir exactement qui il est. Mais vous comprendrez que je n'ai pas de raisons particulières de vouloir sa peau : il y en a tant comme lui parmi ceux qui nous gouvernent.

Il semble que la guerre ait révélé quantité d'ordures de ce genre. Peut-être en va-t-il toujours ainsi.

Quoi qu'il en soit, Courman est ce qu'on appelle en France un homme de main. Vous voyez ce que je veux dire ? Quelqu'un qui emploie la force pour mettre à exécution les volontés d'autres gens. Bien entendu, c'en est un spécimen très raffiné : il a d'autres hommes à lui pour accomplir le travail à sa place. Philippe Courman était à Saint-Denis le jour de la mort de Marcotte.

— Et alors ?

— Alors rien. Il pouvait avoir de bonnes raisons d'être là : il est l'un des piliers de ce parti qui s'est donné le nom de gaulliste. Il n'était qu'un des nombreux visiteurs de l'île, cette semaine-là. Mais je connais sa manière : il n'est pas homme à traverser la moitié de la planète pour des broutilles politiques. (Stone ouvrit la bouche pour interrompre le général, mais celui-ci l'arrêta :) Il était là, c'est tout. Et c'est un homme qui utilise la même sorte de vermine que celle qui vous attend en bas.

Stone retira sa mallette d'acier de la banque et fit aussitôt des copies de l'enregistrement du général Elestre et de ceux qui étaient arrivés de la Réunion par la poste. Il y joignit la liste des membres de la commission d'enquête et envoya le tout à la secrétaire de Sherbrooke : plus vite ce matériel serait à Londres, mieux cela vaudrait. Il était également devenu plus attentif dans le choix des bureaux de poste : il se rendit dans un important bureau des Champs-Élysées d'où devaient partir un grand nombre de plis à destination de l'étranger. Il choisit, pour jeter son enveloppe, le moment entre deux levées où elle était susceptible d'être le mieux enfouie parmi les autres, et profita de l'arrivée d'un groupe de touristes anglais, chacun brandissant une lettre à sa famille, pour mêler la sienne aux leurs.

CHAPITRE XV

Le sous-sol du bureau de poste de la rue des Saint-Pères est occupé par une vaste salle du téléphone entourée de cabines, dominée par une cage vitrée ou trône une dame impatiente qui distribue les jetons. L'atmosphère est étouffante : ni fenêtres ni ventilateurs ; l'air y stagne, lourd et vicié. Dans les cabines, une fois la porte refermée, c'est encore pire. Stone s'imposa cependant le supplice d'y rester une bonne partie de l'après-midi.

Il s'installa dans une cabine d'où il avait vue sur l'escalier, de façon à pouvoir remarquer son suiveur si celui-ci venait à s'approcher de trop près. En sus de cette précaution, il garda la porte fermée : impossible de mesurer à quel point sa voix portait à l'extérieur et pouvait être distinguée dans le murmure des autres conversations.

Sur le papier d'Elestre, il y avait donc huit noms : cinq officiers et trois civils. Ces derniers appartenaient à la compagnie aérienne SLA, celle qui assurait l'entretien régulier du DC 6.

Stone souhaitait apprendre ce qu'était devenu chacun d'eux quatre ans après l'affaire : telle réussite ou tel échec professionnels immérités — en fait, quoi que ce soit qui sortît de l'ordinaire — pouvaient en avoir un sens. Il donna d'abord une série de coups de téléphone au bureau d'information du ministère de la Défense nationale et au siège de la compagnie SLA pour retrouver leurs traces.

Dans le courant de l'après-midi, intrigué par la longue absence de Stone, son suiveur apparut soudain dans les escaliers. Peduc jeta un coup d'œil circulaire pour vérifier s'il n'existait pas d'autre issue par où son gibier aurait pu s'enfuir, puis il traversa la salle en jetant un coup d'œil à l'intérieur des cabines. Leurs regards se croisèrent. Peduc détourna brusquement les yeux, comme si l'homme qu'il avait remarqué dans cette cabine était la dernière personne qu'il s'attendait à rencontrer là. Enfermé dans son cercueil de verre aux parois embuées, Stone regarda la silhouette chétive marquer un temps d'arrêt puis se retourner avant de quitter les lieux.

Dès qu'il l'avait vu arriver, Stone avait raccroché. Il rappela, disant qu'il avait été coupé. À l'autre bout du fil, un petit employé du bureau d'information de l'armée nia tout d'abord avoir été en communication avec Stone un instant plus tôt. Les questions les plus simples étaient comme toujours celles auxquelles on avait le plus de mal à obtenir une réponse, et l'employé se réfugiait dans sa coquille comme si Stone avait voulu avoir connaissance de secrets d'État. De fait, pour cet homme-là, c'étaient des secrets d'État — du moins des secrets de son petit État personnel. D'une certaine manière, livrer au public les informations confiées à son service diminuait son importance et dévalorisait son emploi. Malgré tout, avant l'heure de la fermeture de la poste, Stone avait pu retrouver ses huit hommes et, par une consultation croisée de l'annuaire alphabétique et de l'annuaire des rues de Paris, il connaissait également leurs adresses.

Ce soir-là, étendu sur son lit, il compara longuement l'ancienne liste et la nouvelle, en quête de quelque indice. Les membres militaires de la commission avaient tous connu un avancement normal. Il en était moins sûr dans le cas des civils. Il était très difficile d'en juger, mais il y en avait un — le second par ordre d'importance en 1968 — qui paraissait avoir rétrogradé en 1972 à la troisième place. Il s'appelait Ardant.

Stone ne pouvait être assuré que ce fût l'homme qu'il cherchait : ce n'était qu'une possibilité.

Le lendemain, il sortit de chez lui de bon matin. L'air froid avivait ses meurtrissures ; elles avaient enflé et viré au violet, rendant insupportable le contact de sa peau avec ses vêtements. Il tenait à la main sa mallette métallique, celle qui contenait tous ses documents et enregistrements, et, dans sa poche-porte-feuille, une enveloppe avec la liste des noms, adresses et situations professionnelles actuelles des membres de la commission d'enquête, qu'il devait envoyer à la secrétaire de Sherbrooke. Il traversa lentement la Seine, passa les arcades du Louvre et glissa l'enveloppe dans la boîte aux lettres d'un bureau de poste proche de l'Opéra.

Il ne remarqua pas, derrière lui, une brève interruption dans la filature dont il faisait l'objet. Le temps qu'un homme descendît de la voiture suiveuse.

Peduc avait commencé la journée en assez bonne forme. Quand il s'était levé vers 6 heures du matin, sa femme était restée sagement endormie, et ses formes abondantes et voluptueuses n'avaient guère remué quand Peduc s'était vêtu puis glissé silencieusement hors de la chambre. Cette image de son épouse, un peu irréelle dans la douceur du petit jour, était faite pour lui insuffler courage au moment du départ. Mieux encore, dans le café d'en face où il était entré prendre son petit déjeuner, les gens s'étaient montrés aimables et souriants. À cette heure fragile, les journées peuvent si facilement être gâchées ; mais non, tout avait l'air d'aller bien. Au comptoir, il dégusta un grand café noir dans lequel il plongea avant d'y mordre une demi-baguette de pain beurré. Il aimait à contempler les yeux que laisse le beurre à la surface du café. Et il se plaisait alors à les compter : pour lui, plus il y en avait, meilleure serait sa chance. C'était comme un exercice quotidien de contrôle de soi : il lui était si difficile de ne pas se laisser aller à immerger la tartine plus longtemps que d'ordinaire, afin d'aider les yeux à se multiplier. Ce matin-là, il y en avait dix. Un score tout à fait raisonnable.

Ce présage favorable trouva sa confirmation quand, assis en voiture à côté de Martel, son adjoint, il consulta la liste déployée sur ses genoux et vit que le bureau de poste où Stone venait de déposer sa lettre y figurait. Le receveur avait jadis été fonctionnaire et spécialiste du marché noir et n'était plus aujourd'hui que fonctionnaire. Il avait rejoint le même camp que Courman pendant la guerre ; ou, plus exactement, il avait rejoint le camp de Courman.

Ce matin-là, sur les quelque six cents lettres déposées dans la boîte réservée au courrier à destination de l'étranger, environ deux cents étaient adressées en Angleterre. Peduc aida le receveur à les porter jusque dans son bureau où ils se mirent au travail. Il s'agissait d'ouvrir chaque enveloppe avec précaution, puis de la refermer soigneusement pour éviter les complications ultérieures. C'était une longue épreuve, mais eux seuls pouvaient s'en charger. Le receveur abattit le plus gros de la tâche, car Peduc était plutôt maladroit de ses mains.

Il y en avait pour la journée, grommela le receveur. C'était vraiment si important ?

Ce samedi matin, toute sa fatigue accumulée rattrapa Stone. La douleur des coups n'avait pas disparu, c'est en vain qu'il avait essayé de l'oublier. Il résolut de disparaître pendant le reste du week-end et de rassembler les forces dont il allait avoir grand besoin pour poursuivre.

Mais il y avait autre chose.

Stone se dit qu'il avait atteint une étape où il devenait dangereux de laisser ses suiveurs repérer qui il voyait et où il allait. Il lui fallait sortir de leur champ de vision, disparaître de leur horizon quotidien. Il lui fallait ou bien les rassurer, ou bien les embrouiller, en tout cas les semer. Parvenu derrière l'Opéra, il prit la rue Lafayette et se dirigea vers l'autoroute du Nord.

Il était relativement difficile de semer des suiveurs en plein Paris, à cause des mille acrobaties qu'il aurait fallu faire et des risques à prendre. Mais, sur l'autoroute, ce genre de problème ne se posait plus. À peine passé la porte de la Chapelle, sitôt engagé sur la rampe d'accès à l'autoroute, Stone appuya sur l'accélérateur. Dans son rétroviseur, il put voir la persévérante Peugeot perdre progressivement du terrain.

Il y avait peu de circulation. Il passa la vitesse supérieure, laissa son clignotant allumé et accéléra jusqu'à ce que le compteur indiquât une vitesse de cent quatre-vingt-dix kilomètres à l'heure. Il dépassa Saint-Denis, puis l'aéroport du Bourget, et quitta l'autoroute à Survilliers, à une demi-heure de Paris. Derrière lui, il n'y avait plus trace de la Peugeot.

À la sortie de l'autoroute, il prit une petite route sur la gauche. Celle-ci croisait peu après une route nationale par laquelle il s'en revint sur Paris. Il emprunta alors une déviation juste avant d'arriver sur le boulevard périphérique, pour le cas où ses deux amis l'auraient attendu porte de la Chapelle. Deux portes plus loin, il s'engagea sur les boulevards extérieurs, contourna Paris puis s'engagea sur l'autoroute du Sud et s'éloigna à nouveau de la capitale.

Il avait l'intention de se rendre à Saint-Benoît-sur-Loire, petit village où il connaissait un hôtel. Un peu plus qu'un hôtel, dans la mesure où la jeune femme qui le tenait avait sur certains de ses clients des effets à la fois remontants et lénitifs. Stone s'en souvenait et se disait que c'était exactement ce dont son corps avait besoin pour oublier ses blessures.

L'hôtel de la Bienfaisance n'était en aucun cas une maison de passe. La propriétaire, Odile, était une très jolie femme. Elle avait hérité trop jeune de cet hôtel et, ayant dû quitter Paris, elle s'était retrouvée seule au milieu d'une population de vieillards et de moines qui passaient leur temps à chanter en grégorien dans le monastère roman qui surplombait le village. Aussi, de temps à autre, accueillait-elle un de ses hôtes d'une façon un peu plus chaleureuse que de coutume. C'est ainsi que Stone avait fait sa connaissance au retour d'une tournée de taste-vin en Bourgogne, un an auparavant ; il s'était arrêté un soir chez elle et elle l'avait reçu à bras ouverts.

C'était un de ces hôtels provinciaux du siècle dernier, plein de recoins et de couloirs, douillet et vieillot. Odile accueillit Stone comme s'il n'était parti que de la veille et l'installa dans une grande chambre donnant sur la Loire. On n'était qu'au début de l'après-midi, mais Stone s'étendit sur le lit et n'en bougea plus, essayant de se fondre dans ce petit univers où il allait pouvoir oublier ce pour quoi il était venu et ce qui l'attendait à son retour à Paris. Il sentait sa volonté flancher, sur le point de tout abandonner, tout en sachant pertinemment qu'il ne le pouvait plus. Pourtant si, il lui restait toujours la possibilité de s'enfuir assez loin pour qu'ils lui fichent la paix...

Non, il n'en ferait rien. Il n'abandonnerait pas. Pas cette fois. Il voulait aller jusqu'au bout. Il ferma les yeux et essaya de faire le vide dans son esprit. Mais il ne pouvait empêcher son cerveau de réfléchir malgré lui, de fonctionner au ralenti, tournant et retournant tout ce qu'il avait fait jusque-là, ce qu'il lui restait à faire, et de quelle manière, et s'interrogeant sur ce qu'il avait pu oublier.

Il se leva et ouvrit toutes grandes les deux portes-fenêtres de la chambre. Loin au-dessus du fleuve, il entendait les oiseaux se regrouper en vol serré, puis il les voyait plonger et venir se poser sur les bancs de sable qui s'étendaient paresseusement au milieu du courant. Il se dépouilla de ses vêtements et s'étendit à nouveau sur le lit. Autour du haut plafond courait une guirlande de vigne en stuc dont les lourdes grappes pendaient à chaque encoignure. Il parcourut le reste de la chambre d'un regard distrait : aux murs, un papier peint vieillot, des fleurettes aux roses et verts fanés. Entre les deux fenêtres, une énorme commode.

Au milieu du mur de gauche, une porte fermée. Il se remit sur son séant et alla l'ouvrir. C'était une salle de bains à l'ancienne avec une grande baignoire de fonte émaillée. Il ouvrit à fond le robinet d'eau chaude, n'ajoutant un peu d'eau froide qu'au moment de se glisser dans le bain fumant où il resta pendant près d'une heure, jusqu'à la venue d'Odile.

En bas, le service était terminé. Elle lui monta sur un plateau une salade d'asperges, du jambon fumé et un peu de canard froid. Il y avait aussi un grand bol de fraises sauvages et une bouteille de Pouilly.

Elle entra dans la salle de bains et le regarda, un sourire aux lèvres. En découvrant le corps meurtri de Stone, les traces de coups que l'eau rendait encore plus nettes, son sourire s'éteignit. Mais il ne tarda pas à lui revenir et elle s'avança, s'agenouilla près de lui et se mit à le laver avec douceur, comme si ses doigts avaient eu le pouvoir de faire disparaître les marques violacées. Stone se souvenait de mains plus fines, mais peut-être était-ce un effet de son imagination. En tout cas, elles étaient douces et amicales.

Quand elle eut fini, elle apporta le plateau qu'elle posa sur une planchette en travers de la baignoire, puis elle s'éclipsa. Stone resta encore une heure dans son bain, savourant son repas, ajoutant de temps à autre un peu d'eau chaude comme pour s'imprégner de chaleur. Il mangea le canard avec ses doigts, suçant les os jusqu'à ce que le moindre lambeau de chair en eût disparu. Il plongea les fraises une à une dans un pot de crème puis les écrasa entre sa langue et son palais, buvant le vin blanc sec à petites gorgées, le laissant se répandre en lui, détendre ses muscles, apaiser chacun de ses nerfs épuisés.

Il commençait à se sentir beaucoup mieux. Sa tête, qui s'était peu à peu vidée par un côté, se remplissait par l'autre de la pensée d'Odile. C'était un être étrange, apparemment soumis et effacé, mais elle savait exactement ce qu'elle voulait et s'arrangeait pour l'obtenir. Elle avait cette douceur des gens qui vont imperturbablement leur chemin.

Tard dans l'après-midi, elle revint lui administrer ses soins. Il avait imaginé quelque chose de plus discret, de plus progressif, mais elle se campa devant une des fenêtres grandes ouvertes, éclairée par les reflets de l'eau du fleuve, et dans la tiède atmosphère de l'après-midi elle se mit à ôter un à un ses vêtements qu'elle jeta sur une chaise. Elle avait une peau claire, laiteuse. Elle ne l'exposait pas au soleil, à la manière de tous ces bourgeois qui lui vouaient un culte en s'y laissant griller. Ses formes généreuses resplendissaient dans l'air moite de la basse vallée de la Loire. Puis elle s'avança à contre-jour vers le lit où il était étendu. Il garda les yeux fixés sur son nombril délicatement sculpté dans la chair, comme l'œil d'un cyclone de plus en plus menaçant au fur et à mesure qu'elle s'approchait. Il tendit les bras, la fit s'allonger et reposa doucement les mains autour de ses reins où courait un fin duvet velouté. Elle s'abattit sur lui comme une tornade. Un peu décontenancé, il eut un mouvement de recul, puis il s'engagea à fond dans cette mêlée comme pour se protéger du vent.

Entre eux s'opérait une sorte de symbiose : en le soulageant de toute la tension de ces dernières semaines, elle ne lui demandait rien d'autre, pour sa part, que de communiquer un peu de cette tension au cours monotone de son existence.

Elle revint le trouver le soir même et quand il se réveilla, le dimanche matin, elle était déjà redescendue donner ses instructions à la cuisine en vue du déjeuner.

Il avait pensé faire une longue promenade sur les digues herbeuses qui longent le fleuve sur des kilomètres, protégeant la riche campagne environnante. Il s'était souvent arrêté pour s'étendre sur une de leurs pentes, quelque part entre Saint-Benoît et le château de Sully-sur-Loire, habituellement en compagnie d'une femme qui l'avait accompagné pour le week-end. Certaines avaient trouvé ça mortellement ennuyeux, mais il songea que Mélanie aurait eu plaisir à partager les heures de calme et d'oubli qu'il trouvait là.

Finalement, il n'alla pas plus loin que le restaurant. Odile lui suggéra de remonter dans sa chambre après chaque repas ; il ne pouvait guère s'y opposer. Comme cette chambre, Odile était accueillante et chaude, et il savait qu'à rester seul trop longtemps, il n'aurait su préserver l'apparence de calme intérieur qui lui était revenue. En fait, dans ce cocon, il avait l'impression de perdre un peu de son équilibre et sa maîtrise de soi.

— Comme ça, tu es venu pour que je te remette d'aplomb, répétait-elle de temps à autre. Mais qu'est-ce que tu as fabriqué pour te retrouver dans un état pareil ?

Sa main effleurait au petit bonheur une des traces de coups. On était déjà l'après-midi de dimanche.

— Qu'est-ce que ça peut bien faire ? Qu'est-ce que j'en ai à foutre de ma peau ? gronda-t-il avec brusquerie.

Il se retourna, emprisonnant la main d'Odile sous son corps.

Elle se raidit et le repoussa sans un mot.

— Qu'est-ce que ça peut bien faire ? répéta-t-il.

Il regarda la main qu'elle venait de dégager, comme s'il était tout surpris de découvrir son existence. Il se mit à taper sur une des marques violacées qui parsemaient sa poitrine, grimaça de douleur, jeta un long regard de mépris sur son corps puis, d'un geste brusque, arracha une croûte avec ses doigts.

Elle tressaillit et posa la main sur la blessure rouverte dont le sang se mit à couler, perlant entre ses doigts. Elle releva sa main, contempla les taches de sang qui la maculaient, puis la reposa doucement.

— Ne fais pas ça, lui dit-elle.

— Pourquoi penses-tu que je sois venu ? Pour sauver ma peau ou pour sauver mon âme ?

Il eut un sourire douloureux. Elle retira à nouveau sa main, se redressa et traversa la pièce.

— Pourquoi devrais-je me soucier de ce qui t'amène ici ? Tu crois peut-être qu'il y a place dans ma vie pour ce genre de raffinements sadiques ? Tu es venu ici chercher un reflet. C'est bien ça, n'est-ce pas ? Je suis un reflet reposant et rassurant. Laisse-moi au moins le même droit. Ce que je trouve en toi m'intéresse, non ce que tu peux trouver en moi.

Stone la regarda d'un air absent puis baissa de nouveau les yeux sur lui-même. Le sang se coagulait mais continuait à filtrer en un mince filet qui s'égouttait de sa hanche sur le drap.

— Je m'en doute. Pourtant la peau et l'âme ne font qu'un, il n'y a pas de mur pour les séparer. La douleur n'est rien en elle-même : elle ne sert qu'à cacher le reste. Pourquoi le reste fait-il si mal ? Voilà ce que je voudrais savoir.

— Parce que tu n'es qu'un fou qui fait le vide autour de lui.

Stone l'entendit lui répondre de très loin dans sa méditation. Il leva les yeux et l'aperçut sur une chaise près de la fenêtre, enveloppée dans un drap ou quelque chose de ressemblant.

— Tu imagines que je ne sais pas ce que ces mots veulent dire, avec la vie que je mène, quand les seuls hommes que je connaisse sont des gens dont je ne sais rien ? (Il allait l'interrompre, mais elle enchaîna :) En fait, c'est toujours la même peur. Tu ne t'en rends pas compte, mais tu dis toi-même que sauver sa peau n'a pas d'importance, que c'est le fait de vivre seul, dans le vide : c'est ça la véritable peur.

— C'est le bon sens paysan qui parle ?

Elle rit.

— Souffres-tu de ne pas me connaître ? Est-ce si mal de vivre seul quand on peut le supporter ? Peut-être vaut-il mieux ne jamais rien savoir.

Comme il finissait sa phrase, elle haussa les épaules et s'en revint vers le lit.

— Tu ferais mieux de veiller sur ta peau.

— Un emballage qui n'attend que son adresse, murmura-t-il pour clore le sujet.

Au bout d'un moment, elle lui redemanda :

— Mais qui t'a fait ça ? Pourquoi ne l'en as-tu pas empêché ?

— Il n'était pas tout seul, répondit Stone.

Il se sentait envahi par une légère ébriété, déposant des baisers sur les yeux bruns d'Odile, sur ses lèvres douces et charnues.

— S'il n'était pas seul, ça explique tout.

Odile posa une main sur sa poitrine, puis reprit :

— Mais s'il n'était pas seul, c'étaient peut-être des policiers ?

— Pas du tout.

— Voilà au moins une bonne chose. Mais pourquoi veux-tu rentrer à Paris ? Ils pourraient remettre ça.

Il l'attira vers lui et la prit presque violemment dans ses bras.

— Il m'arrive d'aimer faire le vide autour de moi. Au fond, c'est peut-être vrai, ce que tu as dit. Voilà la raison pour laquelle je rentre à Paris.

— Tu imagines qu'on puisse être parfois seul et parfois non ? Je crois qu'on l'est en permanence ou qu'on ne l'est pas. Entre les deux, il n'y a que des faux-semblants. La raison pour laquelle tu veux rentrer, c'est que tu joues la comédie.

Il se laissa convaincre de rester encore la journée du lundi, mais partit dès l'aube du lendemain. Odile ouvrit les yeux alors qu'il était déjà habillé. Il lui glissa dans la main deux billets de cinq cents francs et l'embrassa sur la joue.

Il longea le fleuve pendant les trois premiers quarts d'heure de route. Le soleil se levait lentement à travers les nuages de moucherons qui tournoyaient au-dessus de la chaussée, brouillant la visibilité et venant s'écraser par milliers sur le pare-brise. Il était 10 heures passées quand il atteignit Orly.

CHAPITRE XVI

Stone gara sa voiture sur un emplacement resté vide où était écrit : « Directeurs seulement », et coinça un mot sous l'essuie-glace pour indiquer qu'il se trouvait à la direction générale.

Les services techniques et d'entretien de la Société de liaisons aériennes « SLA » étaient situés non loin des entrepôts d'Air France. C'était un grand hangar de béton construit dans le style austère des années cinquante ; les bureaux étaient accolés à l'un des murs du hangar.

À l'intérieur, l'ambiance était plutôt morose, comme si la morosité était une vertu cardinale dans le monde des techniciens. Les bureaux donnaient sur l'intérieur de l'entrepôt, à l'exception de ceux des principaux cadres supérieurs qui, eux, donnaient sur le monde extérieur, c'est-à-dire sur d'interminables parkings.

Le bureau de M. Ardant, au quatrième étage, donnait sur le hangar, tout comme celui de la secrétaire qu'il partageait avec trois autres ingénieurs plus jeunes que lui. Ils faisaient partie de cette nouvelle génération qui le dépassait à présent. La secrétaire était vieillissante et acariâtre : le genre de femme qui finit comme secrétaire d'un homme qui n'a pas réussi.

Elle le regarda entrer d'un air ébahi, comme si elle ne s'attendait guère à voir un inconnu franchir le seuil de sa porte. Il était bien rare, en effet, que des visiteurs vinssent voir M. Ardant ou l'un de ses collègues. Le plus souvent, c'étaient eux qui se déplaçaient pour descendre jusqu'aux bureaux directoriaux du second étage ou pour se rendre à leurs rendez-vous.

— Que voulez-vous ? demanda-t-elle d'un air soupçonneux.

— C'est bien ici le bureau de Paul Ardant ?

— Oui, monsieur. Vous avez rendez-vous ?

Elle savait pertinemment qu'Ardant n'avait pas de rendez-vous ce mardi-là, ni le lendemain ni même le surlendemain. Il était occupé à vérifier les diagrammes d'une vieille Caravelle qui venait d'arriver pour révision. Occupé, c'était une façon de parler. Elle savait parfaitement que son chef n'était pas quelqu'un d'important, mais c'était à ses yeux une raison supplémentaire de le protéger.

— Est-ce qu'il est ici ?

— Il vous attend ?

— Chère madame, dit Stone avec son plus beau sourire, tout en s'appuyant de tout son poids sur le bureau, je vous ai demandé s'il était ici.

Elle eut un mouvement de recul.

— Oui, mais...

— Dans ce cas, dites-lui que je viens lui parler du général Marcotte. C'est très important.

Elle disparut prestement par une porte située derrière son bureau et reparut presque aussitôt.

— Monsieur Ardant vous attend.

Elle le fit entrer dans le bureau voisin et claqua la porte. Un homme de haute taille, à l'air nerveux, attendait Stone.

— Asseyez-vous, ordonna-t-il sèchement. Qu'est-

226

ce qui vous prend de forcer ma porte et de me mena-
cer ?

— Je ne menace personne. J'ai simplement demandé
à vous voir.

— Alors, quel besoin de crier à tue-tête le nom de
ce conard de Marcotte ? Pas plus tard que ce soir, tout
le monde va se mettre à en jaser dans ce sacré bureau.
Ce n'est pas ma secrétaire personnelle, ne l'avez-vous
donc pas remarqué ? Ma position ici est déjà suffisamment mauvaise.

Il allait et venait devant la paroi de verre qui les séparait du hangar en contrebas. Le tumulte des ouvriers tra-
vaillant à la révision des appareils leur parvenait comme
un grondement assourdi. Il parlait en détachant chaque
mot, sans dissimuler sa colère, mais en contrôlant sa
voix pour n'être pas entendu des bureaux voisins.

— Qui vous envoie ? Et que voulez-vous ? Les
vôtres n'ont pas fait assez de mal comme ça ?

— J'ai rencontré le général Elestre vendredi dernier. Il pensait que vous pourriez sans doute m'aider.

— Il pensait, il pensait ! Est-ce qu'il m'a aidé, lui, il
y a quatre ans ? Pourquoi m'a-t-il abandonné à mon
misérable sort ? C'est un peu tard, maintenant. Et comment puis-je savoir que c'est lui qui vous envoie ? Qui
êtes-vous ? Donnez-moi une preuve !

— Je ne suis l'envoyé de personne, monsieur
Ardant. Je m'appelle Charles Stone et je ne représente
que moi-même. Pour le moment, j'essaie seulement de
sauver ma peau. Et maintenant, si vous voulez bien
vous asseoir, je vais vous dire ce que je veux.

Stone se mit à parler de tout ce qu'il avait vu et
entendu, de tout ce qu'il lui était arrivé. Il en eut pour
une demi-heure. En terminant, il ajouta :

— Bien entendu, vous pouvez ne pas me croire. La seule preuve que je puisse vous exhiber, ce sont les traces des coups que j'ai reçus : vous pouvez constater qu'elles sont bien réelles. Quant à mon histoire, elle est un peu trop longue et compliquée pour avoir été inventée. D'ailleurs, pourquoi me donnerais-je tant de mal ?

Ardant se tenait très droit derrière son bureau, l'air perdu dans ses réflexions. Il considéra le visage de Stone, son œil droit encore violet et tuméfié.

— Qu'attendez-vous de moi ?

— La suite de l'histoire, car je pense que vous la connaissez.

— Pas exactement, monsieur Stone, pas exactement. J'ai su et je sais toujours où il aurait fallu chercher, mais je ne l'ai pas fait, du moins pas jusqu'au bout. J'en ai été découragé. Vous voyez ce petit bureau minable. C'est ainsi qu'on a récompensé ma curiosité. Et ce ne sont pas seulement les coupables qui m'ont relégué ici, ce sont eux tous, à commencer par de Gaulle et ses amis qui ne voulaient plus entendre parler de l'affaire. Ils ne voulaient pas connaître les réponses à leurs questions : ils les imaginaient trop bien, ils en avaient trop peur.

Ardant avait les pommettes saillantes, la mâchoire carrée. La peau collait aux os de son visage dont un tic tordait de temps à autre la partie gauche, depuis la commissure des lèvres jusqu'à la tempe. Chaque fois qu'il s'arrêtait de parler, sa bouche paraissait vouloir tirer la peau en sens contraire comme pour empêcher le tic de se manifester. Cet effort ne parvenait qu'à produire une crispation supplémentaire de tout le bas du visage.

— J'ai été un imbécile. Il était trop tard quand j'ai compris que personne ne voulait savoir la vérité. Moi, je continuais à avancer alors que la retraite avait déjà sonné. J'étais un peu trop naïf, un peu trop jeune. Dans ce pays, un honnête homme ne saurait attendre de la justice qu'elle le protège. Sa seule chance est le silence, le mutisme. Nous ne sommes pas dans un État policier, non. Mais c'est pire. Nous sommes dans une démocratie contrôlée par des gens qui pensent qu'il s'agit d'un État policier.

Il faut donc apprendre à se taire, à rester dans l'ombre, à faire son travail sans prendre de responsabilités, à se fondre dans la masse. Comprenez-vous ? Le voilà, le fin mot de l'histoire.

— Non, non. J'exige que vous m'en disiez davantage.

Stone se leva de sa chaise plantée au milieu de la pièce et agrippa le bras d'Ardant posé sur le bureau métallique, comme s'il avait voulu le réveiller.

— De moi ? Mais qu'êtes-vous en droit d'exiger ?

Il essaya de dégager son bras.

— C'est moi qui ai endossé votre costume de justicier. Je l'ai peut-être fait pour de mauvaises raisons, ou, comme vous, par naïveté. Mais, à ce point, je ne peux plus revenir en arrière. L'histoire s'est refermée sur moi, elle m'emprisonne et je dois à présent en finir. Vous avez sacrifié votre carrière, monsieur Ardant. Moi, c'est ma vie que je joue. (Il relâcha le bras d'Ardant, se rassit et ajouta :) Vous ne pensez pas qu'un jour, ils reviendront vous voir ? C'est le genre de chose qui ne s'éteint jamais définitivement, jamais. Un jour ou l'autre, tout recommence. Je peux être éliminé d'une manière ou d'une autre et vous resterez, vous, leur seul point de mire.

— Taisez-vous ! s'exclama-t-il d'une voix étouffée. Taisez-vous !

Il se leva et se dirigea vers un petit coffre encastré dans le mur qui faisait face à la paroi vitrée. Il y prit un dossier, revint à son bureau, se rassit et l'ouvrit.

— Je vais vous donner quelques faits, commença-t-il d'une voix neutre. L'avion était un DC 6 B, version perfectionnée du DC 6. L'explication officieuse qui fut donnée de l'accident est la suivante : l'appareil était surchargé, donc difficilement manœuvrable par mauvais temps. (Quittant des yeux ses notes, il remarqua :) Le temps s'était gâté, mais n'était pas franchement mauvais. (Puis, reprenant sa lecture :) Pour ce qui concerne la surcharge : le DC 6 B était conçu pour un poids total au décollage de quarante-huit tonnes. En conditions normales, ce poids se décompose comme suit :

Poids de l'avion à vide	24 tonnes
20 000 litres de carburant	15 tonnes
Charge utile du fret, ou bien 64 passagers représentant 112,5 kilos chacun, y compris les bagages et les provisions de bord	7,20 tonnes
Un équipage de quatre personnes	0,45 tonne
	46,65 tonnes

Il poussa le décompte en direction de Stone.

— Reste donc une marge de sécurité de 1,35 tonne. Pour l'appareil qui nous intéresse, les chiffres étaient les suivants :

Poids de l'appareil	24 tonnes
18 000 litres de carburant	13,50 tonnes
20 passagers et hommes d'équipage	2,25 tonnes
	39,75 tonnes

Comme vous pouvez le constater, dit-il en lui tendant le deuxième décompte, l'appareil était bien au-dessous de sa charge normale, si toutefois mes calculs sont exacts.

Autre explication officieuse : l'équipage était ivre. Mais vous avez pu remarquer qu'ils étaient douze, ce qui est plus que suffisant pour se relayer. Comment croire que douze hommes expérimentés, formés par une section spéciale chargée du transport des hautes personnalités, s'enivrent le soir-même où ils doivent piloter l'avion du chef d'état-major général ?

Bien sûr, il y a cette sombre histoire que vous m'avez rapportée, comme quoi ils pouvaient penser que l'avion ne partirait pas. Mais de là à en déduire qu'aucun des douze n'était plus en état de piloter ! Au demeurant, même dans ce cas, jusqu'à quel point en étaient-ils incapables ?

Ils avaient bien été jugés assez lucides pour reprendre l'air et décoller. Et voici qu'on les dit assez ivres pour prendre la mauvaise direction et aller se suicider ! Vous avez vu l'aéroport. Il faut qu'un pilote soit complètement fou ou ivre mort pour commettre une semblable erreur. Or ces hommes n'étaient ni l'un ni l'autre.

Alors, que s'est-il passé ? C'est la question que nous nous sommes tous posée : une défaillance technique ? Impossible. Ce type d'appareil est d'une simplicité enfantine. C'était d'ailleurs, à l'époque, la caractéristique principale de tous les Douglas. Rien qui fût susceptible de se casser ou de mal fonctioner au point d'embringuer l'appareil dans une mauvaise direction.

Il ne reste donc qu'une possibilité : quelqu'un avait saboté l'appareil. Dans notre rapport, nous avons tout cela noir sur blanc. Mais le rapport s'arrête là. Ou, plus exactement, c'est là que s'arrêtèrent les autres membres de la commission d'enquête. Personnellement, je suis allé un peu plus loin. Nous avions fait ramasser tous les débris de l'avion pour être en mesure de le reconstituer et de l'examiner dans l'un des hangars de l'aéroport. En fait, une seule pièce m'intéressait : le palonnier. Les ailerons sont des volets mobiles situés sur chaque aile de l'avion et qui lui permettent de s'incliner et de virer. Quand celui d'une des ailes se relève, celui de l'autre se rabaisse. Ils sont actionnés par des câbles reliés au manche à balai par un palonnier, petit dispositif mécanique situé à égale distance des ailes sous la cabine. Quand le palonnier tourne, il actionne d'autres câbles qui font se mouvoir les ailerons. C'est cette pièce-là qui était tout indiquée pour un sabotage.

Je me suis rendu en personne dans les plantations de canne à sucre, le premier jour de notre arrivée. La troupe locale avait presque fini l'inventaire des débris, mais il y avait encore des pièces et des morceaux, parfois même des morceaux de passagers qu'ils n'avaient probablement pas jugé utile de ramasser. J'ai trouvé ce que je cherchais, à moitié enfoui dans le sol, et je l'ai ramené à l'aéroport. Je n'en avais trouvé en fait qu'une moitié, totalement bousillée. La pièce s'était complètement tordue au moment du choc. Mais, d'après moi, elle s'était tordue dans le mauvais sens.

J'avais l'intention de montrer cette pièce aux autres membres de la commission dès le lendemain. Malheureusement, elle disparut dans la nuit. Les autres refusèrent de dire un mot de tout cela dans leur rapport. Ils prétendaient que ça n'était qu'un on-dit. Mais j'en ai tout de même parlé à Elestre et je pense qu'il l'a répété à de Gaulle.

Ardant se tut et referma son dossier. Stone attendit, puis, n'y tenant plus :

— C'est tout ?

Sa voix résonna dans le bureau minable, répercutée par les surfaces métalliques des classeurs, par le plafond en fibro-ciment, par la plaque de tôle qui tenait lieu de mur de séparation.

— Pas tout à fait. Saboter un appareil n'est pas un acte criminel ordinaire. Il faut savoir s'y prendre. Presque par curiosité, je me suis mis à chercher qui, dans cette île, en aurait été capable. Ils n'étaient pas nombreux. J'en ai dressé la liste.

Il choisit un feuillet parmi les derniers qui composaient son dossier et le tendit à Stone. Sa joue était traversée par des tics violents mais il put esquisser une sorte de rictus :

— Personne d'autre n'a jamais vu cette liste, personne ne sait même qu'elle existe. Quoi qu'il en soit, c'est à partir du moment où je me suis mis à fureter un peu partout, pour savoir quels techniciens se trouvaient sur l'île au moment de la catastrophe, que les ennuis ont débuté pour moi.

Tout à coup, les gens ont commencé à me remarquer et à s'intéresser à moi. Quelques membres de la commission me mirent amicalement en garde — oh, très amicalement : entre confrères, entre professionnels, entre initiés, entre fonctionnaires un peu soucieux du lendemain. Et puis je reçus des avertissements de quelques hauts fonctionnaires du cru. Discrètement, bien sûr. À la fin, on m'adressa deux lettres de menaces. Voulez-vous en voir une ?

Il sortit un morceau de papier griffonné à l'encre noire. Le message était simple et direct : il y avait un petit dessin, celui d'un homme à la tête tranchée. Au-dessous, un nom : PAUL ARDANT, écrit en lettres majuscules. Stone lui rendit le papier.

— Soyez précis : qui vous donnait ce genre de conseils ?

— C'est sans importance : ils ne faisaient tous que transmettre un message. Ils me disaient de ne pas jouer au détective, ils n'entendaient pas voir troubler ce semblant d'ordre et de paix. C'était l'affaire de la police, pas la mienne. Quand nous sommes rentrés à Paris, j'ai tout de suite vu que la police ne s'occupait de rien, et je me suis mis à poser des questions. C'est alors qu'on m'a affecté à cette gentille petite place et qu'on obtint ainsi l'effet désiré : j'avais fini par comprendre.

— Qui vous a rétrogradé ?

Stone se pencha à nouveau vers lui puis se leva et alla s'adosser à la paroi vitrée qui le retenait de tomber, quatre étages plus bas, sur les ailes de la Caravelle garée en dessous. Il se mit à tambouriner sur la vitre qui vibra légèrement à chaque petit impact. Ardant était ailleurs : toujours assis à son bureau, il contemplait au-delà de Stone les poutrelles nues du hangar.

— Oh, mes supérieurs, mes amis, personne en particulier. Nul besoin de dramatiser à ce sujet. Ils étaient poussés soit par la peur, soit par quelque menace précise du gouvernement ou de l'armée, ou de Dieu sait qui encore... Mystère. Mais j'ai compris et je me suis tu. Je n'ai d'ailleurs pas été le seul dans ce cas-là : un des amis intimes de Marcotte était officier supérieur de la Sécurité militaire, à Paris. Il aurait nécessairement appris ce qui avait été étouffé. Il fut muté une semaine après l'accident et envoyé en Normandie diriger un dépôt militaire. Le pauvre vieux. J'imagine que je dois m'estimer satisfait.

— Pourquoi n'avez-vous pas changé de compagnie d'aviation ?

— J'ai bien essayé, répondit Ardant en riant faiblement. L'année dernière, et l'année d'avant aussi. Mais ma réputation m'avait déjà précédé. Je n'étais pas un cadeau désirable. Je suis donc resté dans ce bureau minable, sous la protection de l'aimable dragon que vous avez vu en entrant, et je me suis fait oublier. J'ai toujours espéré qu'ils m'oublieraient une bonne fois et que je m'en sortirais, mais vous avez raison. Même enterré ici, je reste comme une poussière dans l'œil de quelqu'un.

Il s'était rasséréné. Voilà comment il passait son temps : la résignation devait être devenue chez lui une habitude.

— Que signifie cette liste ?

Penché sur le bureau, Stone montra du doigt les quinze noms.

— Chacun de ceux-là était en mesure de savoir comment inverser les câbles du palonnier. Je pense que celui que vous cherchez est parmi eux.

— Lequel ?

— Je ne sais pas. Personnellement, j'exclurais les quatre premiers. Ils faisaient partie du personnel de l'aéroport. Ce sont de braves gars, probablement ceux que vous avez rencontrés. Je ne pense pas que ce soit l'un d'eux, ni même quelqu'un du coin. Pas non plus ces officiers-là, dit-il en indiquant deux noms. Ils étaient trop haut placés et trop âgés. C'est le travail d'un homme jeune, capable de se faufiler rapidement dans un compartiment étroit, de faire montre d'autant de force et de souplesse que de dextérité.

— Auquel pensez-vous ?

Ardant se tut puis se pencha sur la liste comme s'il se fût agi d'un jeu. À petits coups de crayon, il cocha trois noms.

— Pourquoi ceux-là ? demanda Stone.

Il désigna le premier.

— Celui-ci est arrivé le matin même avec Marcotte, Elestre et tous les autres. Il avait débarqué de Paris à la base de Madagascar quelques jours auparavant. Il n'y avait guère de raison de l'expédier aussitôt à la Réunion. Et il savait incontestablement comment s'y prendre pour effectuer ce genre de sabotage.

Son doigt glissa jusqu'au second nom :

— Celui-là était arrivé dans l'île quelques jours plus tôt. Lui aussi venait de la base de Madagascar. J'ai découvert qu'il avait passé deux jours à Paris la semaine précédente. Il était venu de Madagascar pour inspecter les installations de l'aéroport.

— C'est-à-dire ?

— Il avait été envoyé pour vérifier la capacité militaire de l'aéroport. Il s'agit d'une opération de routine. Mais, normalement, elle a lieu en juin, non en mars.

— Comment avez-vous su qu'il était allé à Paris ?

— Il me l'a dit lui-même. Je l'ai rencontré avant qu'il reparte pour Madagascar. On aurait dit qu'il était désireux de me rencontrer et de savoir où nous en étions de notre enquête. Un intérêt tout professionnel. Je lui ai parlé du palonnier tordu. C'est un des rares à qui j'en aie parlé. Il semblait savoir de quoi il retournait. Un jeune type très sympathique, vraiment.

— À quoi ressemblait-il ?

— Belle allure, mince, assez grand, je crois.

— C'est lui, j'en suis certain. Ça recoupe exactement tout ce qu'on m'a raconté sur place.

— Alors, vous y êtes. Malheureusement, il n'y a guère de chance pour qu'il avoue. Ni même, et c'est encore plus important, pour qu'il vous dise sur ordre de qui il a agi.

Stone restait silencieux. Ardant fit effort pour se ressaisir et se leva :

— Très bien. Je vois que le troisième ne vous intéresse pas ; vous avez donc maintenant tout ce qu'il vous faut. Laissez-moi seul, à présent ; partez.

— Je puis encore avoir besoin de vous...

— Vous avez forcé ma porte. Je vous ai donné tout ce que vous vouliez avoir. Maintenant, laissez-moi. Si vous restez plus longtemps, c'est au chômage que je risque de me retrouver.

Stone ne rentra pas chez lui ce soir-là. Il retint une chambre dans un grand hôtel voisin de l'aéroport. Gîte parfaitement anonyme par le modernisme de son architecture. Il n'en demandait pas plus. Puis il se mit sur la piste de l'homme de la liste.

CHAPITRE XVII

La journée de samedi n'avait pas été bonne pour Courman. Une journée semée d'ennuis. Ce genre d'ennuis lui étaient devenus moins supportables qu'à la plupart des gens. C'était une sensation qu'il avait bannie de son univers depuis bien des années, ou, plus exactement, qu'il s'était convaincu d'avoir bannie. Le problème qui le tracassait ce matin-là était de savoir comment remettre la main sur cet individu. Le champ du microscope était vide : ils avaient beau chercher partout, faire varier la mise au point et glisser la lamelle sous l'objectif, le microbe ne se montrait plus.

L'adjoint de Peduc avait raconté dans son rapport comment il avait perdu de vue l'Alpine bleue après la porte de la Chapelle. Depuis, plus rien.

Peu après, il avait eu un coup de fil réjouissant de Peduc l'informant qu'il avait intercepté une lettre. En fait, il leur restait encore à la retrouver dans un sac qui en contenait plusieurs centaines.

Malheureusement, ça leur avait pris huit bonnes heures, exactement comme le craignait le receveur du bureau de poste : ce fut l'une des dernières qu'ils ouvrirent. Elle ne contenait qu'une feuille de papier sur laquelle figurait une liste de huit noms, suivis des adresses et professions correspondantes. Elle était intitulée : « Situation des membres de la commission d'enquête en 1972. » Il n'y avait aucune signature, aucun commentaire. Peduc bondit dans un taxi et l'apporta à Courman.

Courman n'eut aucun mal à supposer que Stone avait tenté de rencontrer l'un d'eux. Mais il décida d'attendre avant de chercher à savoir lequel. Il ne tenait pas à les approcher directement pendant le week-end. Si quelqu'un avait cherché à aider Stone, il ne l'eût pas admis volontiers. Le lundi, il serait plus facile d'apprendre à leur insu, parmi leur entourage, s'ils avaient été contactés.

Il en profita pour concentrer son attention sur l'autre pôle de l'opération en cours, à Londres. La lettre interceptée était adressée à Miss Margaret Cotter, dans le nord de la capitale britannique. Il était peu probable que ce fût la véritable destinataire : il en déduisit qu'il s'agissait d'une adresse de couverture. Quelques heures lui suffirent pour placer la jeune femme sous surveillance et il reçut livraison de sa biographie détaillée tard dans la soirée du dimanche.

Mais, durant tout ce temps, il continuait d'être sourdement obsédé par la disparition de Stone. Dès le lundi matin démarrèrent les recherches autour des membres de la commission d'enquête. Ses hommes commencèrent à opérer à l'aréoport du Bourget, puisque c'était dans le nord de Paris que Stone s'était éclipsé

En fin de journée, comme ils n'avaient rien trouvé, Courman les rabattit sur les autres membres de la commission. Dès le samedi, il avait bien songé à Ardant, mais guère plus qu'à chacun des sept autres. D'une manière ou d'une autre, ils avaient tous été des empêcheurs de tourner en rond, et Ardant, qui avait déjà été mis au pas, était plutôt moins suspect qu'un autre : que tel ou tel qui s'en était tiré sans dommage à l'époque et pouvait à présent s'offrir le luxe de remords tardifs.

La chance ne se montra que dans le courant de l'après-midi du mardi. Un des amis de Courman travaillait pour la SLA à Orly. Il avait posé des questions, prêté l'oreille à ce qui se disait autour de lui, et n'avait pas tardé à remonter jusqu'à une secrétaire bavarde qui lui avait fièrement confirmé qu'elle avait vu un M. Stone. Mieux encore, que celui-ci avait rencontré M. Ardant.

Le mercredi matin de bonne heure, Courman se rendit en personne chez Ardant. C'était la première fois qu'ils se rencontraient. Il lui expliqua que Stone était un agitateur et que les autorités devaient être informées de ce qu'ils s'étaient dit. Il insista de cette façon vaguement sinistre dont il avait le secret.

Ardant ne mentit pas : il savait que la moindre incohérence les rendrait encore plus soupçonneux. Il raconta que Stone était venu le trouver à propos de l'accident de Marcotte, mais qu'il n'avait pas été en mesure de l'aider : le dossier de l'enquête avait été classé confidentiel et devait le rester.

Quand Courman le quitta, insistant fermement sur le fait que l'affaire était définitivement close et que ceux qui cherchaient à la remettre au jour n'étaient que des agitateurs, Ardant s'empressa d'approuver. Il attendit quelques instants, puis chercha le numéro d'Elestre dans son répertoire et l'appela. Mais il n'obtint pas de réponse.

Il ne connaissait pas d'autre moyen de contacter Stone. Il essaya encore une heure plus tard, puis à intervalles réguliers pendant le reste de la journée.

Malheureusement, Elestre était parti pour toute la semaine à la campagne.

Pierre Dehal aurait bien aimé faire de même, mais il n'était pas encore à la retraite et avait déjà prolongé son week-end davantage que prévu. Il s'en revint à Paris le mercredi matin, reposé et de bonne humeur, fort satisfait de son sort. Dès son arrivée, il appela Courman pour savoir s'il y avait du nouveau.

Stone passa toute la matinée à l'hôtel de l'aéroport à essayer de retrouver la piste de Roland Bertiaud. S'il avait jeté un regard à sa fenêtre sur le coup de 8 heures 30, il aurait pu voir la Citroën noire de Courman quitter silencieusement Orly, et Courman, à l'arrière, méditer sur une feuille qu'il tenait entre les mains.

S'il ne le fit pas, c'est qu'il n'avait pas de temps à perdre. Il ne trouva pas de R. Bertiaud dans l'annuaire des téléphones. Il fit donc une série d'appels au service des renseignements en demandant le numéro de M. Roland Bertiaud à Montrouge, à Vanves, à Malakoff, et ainsi de suite à travers toute la banlieue de Paris.

Rien ne garantissait qu'il habitât la région parisienne, et le fait qu'il ne figurait pas dans l'annuaire ne signifiait rien : à Paris, bon nombre des numéros sont enregistrés sous des noms inexacts.

Il essaya le bureau d'information des armées. Il obtint un sergent qui détenait les listes des officiers hors cadre. Celui-ci confirma qu'il y avait bien eu un Roland Bertiaud dans l'aviation, jusqu'en 1970. Il avait démissionné dans le courant de cette année-là et n'avait même pas été maintenu dans la réserve. Il avait coupé tout lien avec l'armée et n'avait pas laissé d'adresse.

À la fin de la matinée, Stone était à bout de ressources. Il quitta l'hôtel après avoir obtenu de la réception d'y laisser garée sa propre voiture, prétextant quelque ennui mécanique et qu'il n'avait pas le temps de la conduire jusqu'à un garage spécialisé cette semaine-là. Les gens de la réception compatirent à son histoire et lui louèrent une Renault 16. Il entendait rester anonyme.

Dans l'après-midi, il essaya d'autres pistes, pour la plupart des associations d'officiers en retraite. Il demanda également à François de Maupans d'éplucher les listes de dirigeants d'entreprise qu'il avait en sa possession. De son côté, il essaya de sonder différentes caisses de cadres. Aucune raison précise ne permettait de le penser, mais il se pouvait que Bertiaud fût devenu homme d'affaires.

Peu avant 16 heures 30, il appela une organisation intitulée « Association des officiers pour la réinsertion dans la vie civile ». C'était un petit groupe privé qui accueillait les officiers mis à la retraite et les aidait à trouver un emploi dans le civil. En échange, les nouveaux membres tirés d'affaire aidaient les suivants à trouver du travail. En fait, ce n'était rien d'autre qu'un groupe d'officiers qui se tapaient sur l'épaule chaque fois qu'ils pouvaient se rendre un service.

De nombreux membres de cette association avaient eu des rapports avec l'OAS et avaient été mis à la retraite anticipée par Marcotte lui-même. Il y régnait une ambiance nettement hostile au gouvernement, Stone ne l'ignorait pas. Mais ils ne faisaient pas ouvertement de politique. Trop de circonstances pénibles leur avaient appris la discrétion. La discrétion et le silence.

Stone connaissait un des cinq cents membres de cette association. En se servant de ce nom, il parvint à s'introduire au siège situé dans un immeuble 1900 d'une petite rue du XVIe arrondissement.

L'immeuble voulait ressembler en miniature à un château allemand de la vallée du Rhin. C'est un fabricant de biscuits qui l'avait fait construire en guise d'expiation personnelle pour la défaite qui avait livré la France aux Prussiens en 1870 : il avait bâti toute sa fortune en vendant ses « biscuits fins » à l'armée d'occupation. L'homme qui accueillit Stone à l'entrée ne pouvait être qu'un sergent en retraite. Par un escalier aux peintures défraîchies, celui-ci l'accompagna jusqu'au premier étage et le fit pénétrer dans un vaste bureau. Aucune décoration. Le plancher et les murs étaient nus. Quelques vieux bureaux et des chaises repoussés dans les coins comme pour libérer le passage. Stone eut quelque peine à croire que ces officiers en retraite exerçaient une influence aussi forte que celle qu'on leur attribuait.

Devant lui se tenaient deux hommes d'âge mûr aux cheveux coupés court ; tous deux avaient une allure empruntée de vieux sportifs sur le retour. Leur costume tombait mal, déformé par des muscles trop saillants. Ils étaient en train de parler d'un des membres de l'association qui occupait un poste important au Crédit Lyonnais et qui avait quelque peine à caser un jeune commandant récemment mis à la retraite, que lui avait envoyé l'association. Dès qu'ils aperçurent Stone, ils s'interrompirent.

Il leur expliqua qu'il était à la recherche d'un vieil ami, un officier qu'il avait connu outre-mer. Il avait perdu tout contact avec lui, mais il avait entendu dire qu'il était membre de leur association.

Ni l'un ni l'autre ne connaissaient ce nom. Ils cherchèrent dans leur annuaire : non, il n'adhérait pas à leur association. Il n'y avait dans les dossiers aucune demande d'inscription à ce nom-là. Sur ces listes, les gens de l'aviation étaient peu nombreux. En tant que techniciens, ils n'avaient guère de mal à retrouver du travail dans la vie civile sans recourir à quelque entraide fraternelle.

— Un des membres de notre direction est un ancien pilote. Il pourrait peut-être vous aider. Dans l'aviation, il connaît tout le monde. C'est un club fermé de petits morveux. Si Georges nous a rejoints, c'est à cause de ses idées politiques, parce qu'il ne voulait pas se laisser acheter. Attendez ici un instant, je vais le chercher.

L'homme qui venait de parler s'éloigna à grandes enjambées énergiques et réapparut au bout d'une minute accompagné d'un autre homme. Celui-ci était plus jeune, quarante ans à peine, il portait un complet sombre et élimé qui le faisait ressembler à un homme d'affaires malchanceux.

Le nouvel arrivant toisa Stone avec curiosité.

— Vous auriez aimé voir Bertiaud ? demanda-t-il d'un ton ampoulé. (Il marqua un silence avant de poursuivre :) Je le connais bien. Nous avons été ensemble dans l'aviation. Il était assez différent des autres. Un des rares officiers de l'aviation à être partisan de l'Algérie française.

— À part toi, remarqua l'un des deux autres.

— La plupart des pilotes étaient partisans de De Gaulle et de Fourquet, mais Bertiaud se moquait comme de l'an quarante de l'opinion de la majorité. Il a même fait partie des activistes, je veux dire de l'OAS. Ce sont d'ailleurs les seuls à ne pas s'être laissé abuser par de Gaulle et ses politiciens. L'Armée secrète... Ils ont bien essayé d'assassiner ce vieux salaud ; malheureusement, ils n'ont pas réussi.

Stone lui fit comprendre qu'il était parfaitement au courant de ce qu'avait été l'OAS.

— C'est d'ailleurs assez drôle. Bertiaud était plus jeune que la plupart d'entre nous. Quand il est arrivé en Algérie, il venait juste d'être nommé officier. Attendez que je me souvienne, ce devait être fin 1960. C'était curieux de le voir s'engager aussi passionnément. La grande majorité des officiers étaient contre de Gaulle parce qu'il voulait détruire tout ce qu'ils avaient édifié en Algérie. Mais Bertiaud n'avait rien construit, lui, il n'y avait même jamais mis les pieds avant que l'aviation ne l'y envoie cette année-là. Mais c'est assez caractéristique. Vous connaissez le dicton ! Il n'y a que les vierges pour bien comprendre l'amour, il n'y a que les civils pour vraiment vouloir la guerre, et il n'y a que les intellectuels pour être capables d'une haine véritable. Il avait quelque chose d'un intellectuel : il parlait beaucoup des droits des gens et expliquait de long en large pourquoi de Gaulle était un traître. Une sorte d'idéaliste, j'imagine. Il parlait beaucoup trop.

Par la suite, je l'ai un peu perdu de vue. Nos chemins se sont séparés. Je sais seulement qu'il ne fut jamais pincé mais que sa carrière tourna court. Je pense qu'il avait suffisamment tenu de discours pour que Marcotte et ses gars l'aient eu à l'œil, même s'ils ne s'en sont pas débarrassés. En même temps, il semblait bénéficier d'influentes relations. Je l'ai revu quelquefois, jusqu'à ce qu'il quitte l'armée en 1970. Ensuite, j'ai perdu sa trace. (Stone prit un air déçu.) Mais pas tout à fait. Je l'ai rencontré par hasard, il y a six mois, à Paris. Je ne l'aurais pas reconnu s'il ne m'avait lui-même abordé. Il était complètement transformé. Le petit intellectuel avait l'air d'un homme qui a réussi. Ça se sentait tout de suite. L'odeur de l'argent, je veux dire. J'ai essayé de lui parler de notre association, car un type comme lui pouvait nous être d'un précieux secours. Mais ça ne l'intéressait pas. Il ne m'a même pas dit ce qu'il faisait. Il voulait seulement parler du bon vieux temps.

— Vous ne savez pas où je pourrais le retrouver ?

— Il m'avait écrit son adresse sur un morceau de papier en disant qu'il aimerait que nous nous revoyions. C'était bien entendu une façon de parler, comme d'habitude. Attendez un peu. (Il se mit à fouiller dans son portefeuille, gonflé d'une liasse de vieilles cartes de visite, de lambeaux de papier.) Tenez, la voici. Non, non, vous pouvez la garder. Je n'en ai nul besoin, ça ne nous servirait à rien.

Stone prit congé le plus rapidement qu'il put.

La place des Victoires est un des plus beaux endroits de Paris. À deux pas du Louvre, du Palais-Royal et de la Banque de France, c'est un remarquable exemple de l'architecture du dix-huitième à son zénith. Plein d'élégance et d'harmonie, le grand cercle de pierre des façades cerne une statue de Louis XIV sur un cheval cabré.

C'est vers les 6 heures que Stone avait appris que Bertiaud habitait un appartement du second étage, au numéro 13. C'est ce que lui avait dit la concierge et Stone avait également pu déduire qu'il vivait seul. Manifestement, elle n'aimait pas Bertiaud : c'était un homme exigeant et — plus grave à ses yeux — peu causant. À tel point qu'elle se demandait s'il n'avait pas vraiment quelque chose à cacher. Était-il chez lui ? La concierge reluqua vers la place. Oui, sa voiture était là. Elle la lui désigna : une Mercedes sport gris métallisé.

Stone s'installa dans un café voisin et attendit. Le temps pressait, mais trop de hâte pouvait tout gâcher au dernier moment. Le ciel était couvert, il put voir que les fenêtres étaient éclairées au second étage.

Une heure plus tard, les lumières s'éteignirent. Peu après, il vit un homme sortir dans la rue. Stone pensa d'abord que ce n'était pas Bertiaud. Il s'attendait à voir quelqu'un de svelte ; or la silhouette qui se découpait dans l'entrée était plutôt pesante et forte. L'homme se dirigea jusqu'à la Mercedes où il déposa un paquet, puis remonta sur le trottoir et pénétra dans le café où Stone avait pris place.

Non, il n'était pas vraiment gros : mais ses formes s'étaient relâchées, il avait l'embonpoint d'un noceur sur l'ossature d'un homme mince. Son teint était maladif, crayeux, mais il répondit par un sourire aux salutations du patron. Sans attendre sa commande, celui-ci lui servit un double armagnac et ils se mirent à rire et à plaisanter. Bertiaud avait à l'évidence une réputation de bon vivant.

Stone put le détailler à loisir dans les glaces qui couvraient les murs. Les traits du visage s'accordaient avec le sourire : tristes et grotesques. Une tête de clown.

Il portait un costume bleu en laine peignée, chemise de soie, sombre manteau de cachemire long et croisé. Rien d'un officier en retraite. Comme son ex-ami l'avait dit, il avait l'air d'avoir réussi. L'allure d'un quinquagénaire, alors qu'il avait à peine trente-cinq ans.

Il sortit du café, prit sa voiture et s'arrêta chez un fleuriste de la rue Saint-Honoré où il acheta une rose dont il orna sa boutonnière. Puis il se rendit à l'hôtel Crillon. Il se dirigea vers le bar, y commanda un autre armagnac et se mit à deviser avec quelques journalistes qui passaient là le plus clair de leur temps. Stone le suivait le plus discrètement possible. Bertiaud avait glissé un billet de cent francs au portier de l'hôtel pour pouvoir laisser sa voiture sur le trottoir, et son suiveur avait dû faire de même.

Assis dans un coin du bar, Stone eut tôt fait de deviner que les journalistes auxquels parlait Bertiaud étaient de simples relations, non de véritables amis : la moitié de Paris les connaissait comme de vieux et élégants piliers de ce bar, passant leur temps à parler chevaux : cette conversation paraissait éveiller de petites lueurs dans le regard de Bertiaud. Au bout d'une heure, celui-ci prit congé de ses indéracinables compagnons et tourna le coin de la rue. Il entra dans un restaurant où il dîna. Puis il se dirigea en voiture vers un night-club de Montparnasse. Il y fut reçu avec beaucoup d'égards et s'installa à l'une des meilleures places, au milieu de la salle. Il y resta assis comme un mannequin de cire, dévisageant tout le monde, y compris Stone qui dut soutenir son regard. Les jeunes femmes que Stone supposait être les entraîneuses du club connaissaient apparemment Bertiaud. Elles accoururent à lui avec enthousiasme, s'assirent un instant à sa table pour bavarder un peu ; mais, voyant qu'il ne leur offrait rien à boire, elles finirent par le laisser tomber pour aller s'asseoir auprès d'autres clients.

Stone jetait autour de lui de discrets regards. Il avait pris place dans un angle de la salle. Les murs étaient couverts d'une laque d'un rouge soutenu ; accrochés çà et là, des lampadaires de verre en forme de femmes nues diffusaient une lumière couleur chair. La plupart des tables étaient occupées. Des gens vêtus de manière un peu trop voyante, aux poses affectées.

Au bout d'une demi-heure commença un numéro de cabaret sur une petite estrade surélevée de quelque cinquante centimètres. Ce club était assez connu pour être un lieu de rencontre de lesbiennes et chaque sketch mettait en scène une femme dans le rôle d'un homme. Rien de très passionnant, les numéros étaient vieillots et plutôt vulgaires. Le clou était la scène de la mort de Desdémone avec un Othello interprété par une rouquine aux formes plantureuses. D'après ce que Stone put entrevoir, le jaloux étouffait Desdémone entre ses seins.

Après quoi un trio se mit à jouer : l'estrade vide se transforma en piste de danse. Bertiaud alla par deux fois en faire le tour avec une fille différente. Pendues à son cou, elles frottèrent consciencieusement leur abdomen contre ses formes relâchées avant d'être congédiées l'une après l'autre. Il se fraya un chemin jusqu'à sa place ; l'expression d'ennui de son visage était restée inchangée. Une des deux filles s'approcha et vint prendre place à côté de Stone. Celui-ci pensa d'abord que c'était Bertiaud qui la lui avait envoyée, mais non : elle voulait seulement boire un verre, que Stone lui offrit pour passer le temps. Elle venait de Lyon et se mit à lui raconter sa vie : un père dans la police, un oncle proxénète. Elle avait une bonne situation, mais faisait un peu de claustrophobie. Voilà quel était tout son univers. Elle venait de lire un article sur la « psychologie des filles publiques », lui dit-elle mot pour mot.

Bertiaud n'avait pas l'air de s'amuser, pourtant il ne rentra pas chez lui avant 2 heures du matin. Stone le fila jusqu'à la place des Victoires, puis il prit une chambre à l'hôtel Meurice, ancien quartier général de l'armée allemande pendant la dernière guerre mondiale, dans Paris occupé. Il était trop tard pour se mettre à chercher un petit hôtel et il n'avait aucune envie de rentrer chez lui.

Certain que Bertiaud n'avait rien d'un lève-tôt, Stone put dormir profondément, d'un sommeil tranquille, comme transporté dans un autre univers. La réception, obéissant à ses instructions de la veille, le réveilla à 8 heures. Il prit le temps de savourer un copieux petit déjeuner dans son lit entouré de fausses boiseries avant d'aller se remettre en faction sous les fenêtres de Bertiaud vers les 9 heures.

On était le jeudi 29 juin. Le temps était couvert. La Mercedes était toujours garée devant le numéro 13. De l'autre côté de la place, Stone faisait le guet à bord de sa voiture. Il allait essayer de suivre Bertiaud avec plus de discrétion que les deux hommes qui l'avaient lui-même filé. Une ombre attachée au moindre de ses pas.

Philippe Courman s'était levé bien plus tôt qu'eux. Il devait participer ce matin-là à toute une série de

conférences. Son gibier avait disparu depuis le vendredi et ça commençait à faire beaucoup. La visite de
Stone à Orly était la seule chose qu'ils avaient pu
découvrir dans l'intervalle.

À Londres, ses agents étaient en train de s'employer
à récupérer les doubles. Tout allait bien de ce côté-là,
mais où donc était passé Stone ?

Soucieux, Courman avait appelé Dehal et l'avait
prié de venir le voir. Dehal était particulièrement agité.
Il allait et venait dans la pièce encombrée de dossiers
et lorsqu'il passait derrière Courman — lequel avait
bien du mal à tourner chaque fois la tête — il répétait
nerveusement :

— Mais retrouvez-le donc, bon sang !

Courman trouvait cela bien fatigant et pas très efficace. Ses autres rencontres étaient des réunions avec
les responsables des différentes branches de son organisation. Il les mit tous en chasse. Un député succéda
au propriétaire d'un night-club, un proxénète au maire
d'un arrondissement de Paris, etc. C'était comme une
sorte d'échantillonnage officieux de la population qui
défilait dans son appartement. Il remit à chacun une
description et des photographies de Stone et de son
Alpine bleue.

À eux tous, ils ne formaient pas exactement une
police parallèle, bien que des membres de la police et
d'autres services de sécurité en fissent partie. On était
à la fois dans la légalité et hors la loi. Mais s'ils
n'avaient rien trouvé avant la matinée du lendemain,
Courman était résolu à faire appel à la DST et à mettre
en branle la préfecture de police. Dehal l'y aiderait.

CHAPITRE XVIII

À 11 heures précises, Bertiaud sortit de chez lui et monta dans sa voiture. Il était vêtu de gris, avec la même recherche que la veille. Il quitta la place des Victoires et fonça dans Paris en direction du bois de Boulogne. Stone, qui s'était ennuyé ferme à l'attendre, sortit soudain de sa demi-torpeur et le suivit.

Il y avait des courses ce jour-là à Saint-Cloud, et c'est là qu'allait Bertiaud. Il déjeuna seul à l'hippodrome, puis se rendit au paddock où il semblait connaître la plupart des gens. Il parla avec eux des chevaux qui couraient dans la deuxième course, celle qui allait avoir lieu, puis se rendit au guichet des paris et revint assister à la course. En chemin, il rencontra d'autres amis. Ou plutôt des connaissances, comme celles qu'il avait rencontrées au bar du Crillon. Des habitués des courses, trop désœuvrés pour rien faire d'autre. La première personne qu'il croisa était une vieille dame à chapeau à fleurs qu'il appela duchesse : elle s'obstinait à butiner comme un papillon décati qui se serait refusé à redevenir chenille. Le second devait être un propriétaire ; il mesurait chichement ses mots, comme s'il avait craint de gaspiller son souffle avec un simple parieur. Bertiaud lui emboîta le pas jusqu'à la tribune des propriétaires où il resta jusqu'à la dernière

253

course, vers 5 heures, n'en sortant de temps à autre que pour parier à nouveau. Il jouait gros et paraissait gagner modérément.

En quittant Saint-Cloud, il traversa à nouveau la Seine en direction du bois de Boulogne. Au milieu du Bois, il prit une petite route sur la droite et, quelques centaines de mètres plus loin, arrêta sa voiture devant une modeste construction de briques rouges. Un panneau extérieur annonçait qu'il s'agissait d'un café restaurant. Il y en avait plusieurs de ce style dans le Bois, dissimulés par les futaies. Ils ressemblaient à de petites auberges de campagne, sauf qu'ils se trouvaient aux portes de Paris. Stone gara sa voiture à quelque distance, hors de vue sous les arbres.

Les clients n'étaient pas des inconnus de passage. On y venait intentionnellement : il n'y avait aucune autre raison de passer de ce côté-ci du Bois. Il s'agissait de clients réguliers qui retrouvaient là un petit univers bien à eux.

Cet établissement d'un type un peu particulier était l'un des restaurants préférés des prostituées qui travaillaient au Bois. C'est là qu'elles y rencontraient leurs clients, qu'elles venaient se réchauffer par un après-midi glacial, ou bien qu'elles fêtaient le terme d'une bonne journée. Leurs protecteurs les déposaient devant la porte en fin de matinée, afin qu'elles fussent à pied d'œuvre à l'heure du déjeuner, puis revenaient les prendre dans la soirée, s'arrêtant parfois pour boire un cognac.

Elles constituaient une sous-espèce féminine plutôt étrange, ensemble de silhouettes qu'on aurait dit sorties d'un conte fantastique et qui déambulaient dans ce décor champêtre avec leurs bottes de cuir lacées haut, leurs imperméables en matière plastique, leurs faux cils.

Peut-être était-ce le goût du contraste qui attirait Bertiaud. Il aurait sans doute trouvé mieux à s'offrir, mais il préférait manifestement ce genre de femmes au caractère dur et bien trempé à leurs homologues blafardes du night-club de la veille. Elles travaillaient surtout en plein air, souvent debout : les clients qui payaient une chambre étaient plutôt rares.

Mme Montjoie, la propriétaire du café, avait réservé une chambre du premier étage pour cette éventualité. C'étaient les souteneurs qui la lui réglaient en fin de journée sur la base de cinquante pour cent. Pour ce qui la concernait, ces services n'étaient qu'un à-côté, un petit extra qu'elle se permettait pour faire plaisir à sa clientèle. Son métier à elle, c'était la restauration.

Du jardin, Stone put examiner l'intérieur du café. Derrière le comptoir, une femme était juchée sur un haut tabouret : Mme Montjoie. Elle portait une robe corail, assortie au carrelage et au revêtement des murs, couleur corail eux aussi. Ainsi assise, elle paraissait plus grande et passait à cette place le plus clair de ses journées, dominant sa clientèle comme devait le faire à ses yeux une hôtesse digne de ce nom. À côté d'elle, également derrière le comptoir, se tenait sa fille, petite femme boulotte aux jambes courtes et aux mollets musclés. Elle semblait née pour les affaires, du moins pour cette sorte d'affaires : tenir un bar, comme sa mère.

Mme Montjoie était elle aussi courte sur pattes, comme le suggérait son haut tabouret. Mais ses mollets avaient eu le temps de se défatiguer au fil des ans. Elle affichait en permanence un air innocent — d'une

255

innocence toute professionnelle qui dissimulait un intérêt soutenu pour tout ce qui se disait autour d'elle. C'était le meilleur de sa profession : écouter gratis les bribes de confidences de ses clients payants.

Une douzaine de personnes étaient disséminées dans la salle. Stone était en mesure d'entendre la conversation de quatre femmes assises près de la fenêtre. L'une d'elles disait à voix haute :

— Je me suis fait tatouer les fesses.

Il y eut un léger brouhaha parmi ses compagnes.

— Et savez-vous ce que je me suis fait mettre : MORDS-MOI !

Ce fut un éclat de rire général. Une des femmes demanda :

— De quel côté, Pauline ?

— Sur les deux fesses, et ça m'a chatouillé drôlement quand on m'a fait ça. Mais depuis le temps que j'en avais envie.

Les rires redoublèrent. Au bar, Bertiaud finissait son verre. À ses côtés, une brune décolorée lui caressait le bras. Ils restèrent encore un peu, puis disparurent par la porte conduisant aux étages.

Comme Stone s'éloignait de la fenêtre pour faire le guet à distance plus raisonnable, une des filles sortit du Bois. Elle aperçut Stone et son visage lui dit quelque chose. Elle l'avait vu le matin même sur une photographie que tenait son protecteur au retour d'une visite à son chef. Mais non, ça ne pouvait être lui : il aurait dû avoir une Alpine bleue dont elle avait également vu la photographie, et celui-là se dirigeait vers une Renault grise, on ne peut plus ordinaire. Elle n'y pensa donc plus. Il était plus important de trouver un nouveau client.

Il faisait doux en cette fin de journée et Stone passa l'heure suivante à se promener entre les pins environnants. Il commençait à mieux comprendre Bertiaud. C'était un homme qui avait été svelte, opiniâtre et résistant. Il était devenu corpulent, s'ennuyait ferme et n'avait certainement connu aucune épreuve tant soit peu difficile au cours des deux années écoulées. Telle chose dont il avait pu s'acquitter dans le passé n'avait servi qu'à lui valoir une confortable retraite, mais le confort émousse l'esprit, endort les réflexes.

Stone se dit que pour obtenir ce qu'il voulait, il devrait casser le bonhomme, et que la seule méthode consistait à agir très rapidement, avec brutalité. S'il lui laissait le temps de réfléchir, l'autre résisterait. Cette leçon-là, Stone l'avait apprise sur le terrain en Malaisie et dans le cours d'autres guerres coloniales. Le même individu pouvait céder en cinq minutes ou au bout de cinq jours, mais il n'y avait guère de moyen terme.

Il fallait donc agir par surprise. De toute manière, Stone n'avait guère le choix : dans sa situation, c'étaient les cinq minutes qui s'imposaient.

Il remâchait tout cela en respirant l'air du soir et en foulant l'herbe rabougrie. La lumière du jour commençait à décliner quand Bertiaud réapparut.

Il ouvrit la porte d'une ardente poussée et sortit en marchant à grandes enjambées, comme s'il venait de se délester d'un grand poids. Stone attendait à bonne distance. Bertiaud descendit les quelques marches, puis parut hésiter un moment. Au lieu de se diriger vers sa voiture, il quitta le bar vers la gauche, traversa le jardinet propret qui l'entourait et marcha vers les bois.

Ce n'était qu'une supposition, mais Stone se dit que ce devait être là une des habitudes de Bertiaud. Elle complétait assez bien sa personnalité contradictoire. En quittant les lourdes étreintes d'une des filles du bar les plus vulgaires, les plus faciles, les plus représentatives de la vie urbaine, il devait éprouver une soudaine envie de se perdre dans la nature environnante pour y aspirer un grand bol d'air frais.

Il emprunta un petit sentier, effleurant au passage les feuillages tendus vers lui, puis les écartant d'un geste brusque comme s'il envoyait promener l'univers entier. Stone le suivait avec précaution. Sous les arbres, la pénombre devenait plus épaisse et l'homme devant lui marchait en se balançant comme un pachyderme sombre et repu.

Au bout d'un moment, il s'arrêta. Il allait tendre une de ses grosses mains vers une feuille quand il la ramena prestement vers son visage et se mit à la humer. Le silence était tel que Stone put l'entendre renifler longuement ses doigts, y cherchant l'odeur de la femme et s'en délectant. Il murmura quelque chose pour lui-même en émettant un petit rire. Puis il reprit son chemin, humant ses doigts, les agitant, reniflant à nouveau.

Il arriva devant un petit ruisseau. Il s'arrêta, leva sa main droite et, de la gauche, cueillit la rose au revers de sa veste. Il sentit la fleur, d'une longue et puissante inhalation, comme s'il avait voulu l'inspirer tout entière, puis il éloigna la rose de son nez, rapprocha l'autre main et la huma à nouveau. Il recommença, une main après l'autre, comparant les odeurs en marmonnant, et finit par jeter la fleur au ruisseau.

À longues foulées silencieuses, Stone se rapprocha et se planta derrière lui dans la pénombre :

— Bertiaud !

Sans bouger le reste de son corps, l'homme tourna la tête. Stone frappa deux fois, de toute la force dont il était capable. La silhouette blafarde s'affaissa sans se faire prier, comme un ballon informe qui se dégonfle. La main remplie d'odeurs retomba dans le ruisseau où elle sombra dans l'eau trouble. Stone redressa cette masse étendue dans la poussière, la chargea sur ses épaules et, à travers bois, s'en revint vers sa voiture.

CHAPITRE XIX

Bertiaud rouvrit les yeux dans l'obscurité.

Il était assis, les mains liées derrière le dos. Sa mâchoire lui faisait mal. Il essaya de remuer. Une lumière vive l'éblouit aussitôt : aveugle, il dut fermer les yeux. Il comprit qu'il y avait quelqu'un à côté de lui, puis se rendit compte qu'il se trouvait à l'intérieur d'une voiture.

— Bertiaud, murmura l'ombre à côté de lui.

— Par pitié... parvint-il à articuler.

— C'est au sujet de Marcotte.

— Par pitié... répéta-t-il d'une voix tremblante.

Comme il essayait de rouvrir les yeux, la lumière se rapprocha de son visage.

— Qui êtes-vous ?

— C'est Courman qui m'envoie.

— Courman ? Il est cinglé ! (Il y avait comme du soulagement dans sa voix.) J'ai toujours la lettre, et je le tiens, bon Dieu ! Il le sait bien.

Stone essaya de pénétrer rapidement le sens de sa phrase. S'il perdait l'initiative, l'autre se rendrait compte qu'il bluffait. Il joua le tout pour le tout.

— Nous avons eu aussi Courman. (Son prisonnier tressaillit.) Pourquoi penses-tu que je sois ici ? Nous le tenons, mais il a sauvé sa peau.

— Quoi ? C'est lui qui m'a donné ? Il ne s'en tirera pas comme ça.

Stone approcha sa torche à quelques centimètres des yeux de Bertiaud et le frappa durement en plein visage. À l'avant de la Renault, il y avait juste assez d'espace pour décocher un bref coup de poing et le nez du prisonnier se mit à saigner.

— Non, il ne s'en tirera pas. Rien ne peut le sauver. Mais toi non plus, tu ne t'en tireras pas comme ça, murmura Stone d'une voix glaciale.

— Attendez...

Stone cogna un peu plus fort.

— Que voulez-vous de moi ? Laissez-moi m'en sortir. Vous n'avez qu'à me dire ce que vous voulez.

— Commence par les détails.

— Lesquels ?

— Tout !

— Mais puisque vous...

Stone frappa une troisième fois, encore plus fort. Le sang jaillit des narines et se mit à couler de chaque côté de la bouche, le long du menton, dans le cou.

— Je vous en prie... J'accepte.

Stone sortit un mouchoir de la poche de l'homme et lui essuya le visage.

— Commence par Courman.

— Oui. D'accord, je... J'ai débarqué en Algérie en 1960. J'étais contre le gouvernement, parce que je croyais qu'il fallait garder l'Algérie. En 1961, je... Je suis entré dans l'OAS. C'était pas difficile. Tout le monde pouvait en faire autant.

— Après ? Dépêche-toi. Si tu crois que je vais attendre chaque fois que tu cales...

— D'accord. Ne me tapez plus.

La lourde silhouette tenta de s'écarter tout en se tournant vers la voix menaçante de son questionneur invisible. Il sentait une odeur d'eau de Cologne douceâtre, mêlée à l'odeur aigre de sa transpiration et à son haleine chargée de tout le whisky qu'il avait dû ingurgiter cet après-midi-là.

— J'ai rencontré un type dans l'OAS, un autre officier. Je n'en savais rien à cette époque-là, mais son vrai chef était Courman. Nous avons monté un coup à quatre, nous avons descendu le général Castal et deux autres salauds qui s'étaient vendus comme lui à de Gaulle. C'étaient des gagne-petit de la politique.

Stone posa son magnétophone sur le tableau de bord et le mit en marche. Il avait garé la Renault parmi les arbres dans un recoin désert du Bois, près de Neuilly.

— Trois mois après, Courman a changé de camp. Il s'est arrangé pour que mon copain soit descendu. Le pauvre gars avait trempé dans trop d'affaires. Mais Courman avait conservé ses papiers. Il y en avait assez pour m'envoyer trois fois à la guillotine, vous voyez ce que je veux dire ? C'est après que j'ai su tout ça. Durant toute cette période, je ne savais même pas que Courman existait.

Et puis, un jour, je me suis fait ramasser par une patrouille de la police militaire. Tôt ou tard, ils finissaient par nous prendre tous. Ils m'ont gardé en taule à Avignon pendant une semaine, presque tout le temps dans le noir ; on me jetait par le guichet juste de quoi ne pas crever de faim, je n'avais droit à aucune visite. C'est alors que Courman a débarqué. Il m'a montré les papiers qu'il avait ramassés chez le copain qu'il avait fait descendre. C'était comme mon arrêt de mort. Il me proposa un marché : si j'acceptais de travailler pour lui, je serais aussitôt libéré et toutes traces de mon arrestation seraient détruites.

Qu'est-ce que je pouvais faire ? Bon sang, j'étais même plutôt content qu'il me paye bien par-dessus le marché. Pendant les trois années suivantes, il m'a chargé de quelques sales boulots, si bien qu'au moment ou l'amnistie est venue effacer tous les faits liés à la guerre d'Algérie, je suis resté en son pouvoir. C'était sa méthode..., commenta-t-il en toussant. Nom de Dieu, j'ai du sang dans la bouche.

Stone lui ploya la tête entre les genoux, attendit qu'il eût craché et le laissa un moment dans cette posture avant de le redresser d'une brusque secousse. Il empoigna la lampe posée près de lui et la rapprocha du visage de Bertiaud pour recommencer à le faire parler.

— C'était sa méthode. Personne ne travaille pour Courman par idéal ou pour le fric. Il se débrouille toujours pour avoir quelque chose qui lui serve de garantie ; s'il en éprouve le besoin, c'est parce que c'est un type qui ne croit à rien. Il change de camp aussi souvent qu'il va pisser.

À ce moment-là, il m'a laissé un peu tranquille, à vivre ma vie. Mais je savais qu'il était toujours là. Lui et ses amis m'avaient fait rester dans l'aviation. Ma carrière était foutue, mais c'était là que je leur étais le plus utile.

En 1967, j'ai été envoyé dans l'océan Indien, à la base française de Madagascar. C'était une sacrée planque. J'étais loin de Courman, et il y avait des tas d'appareils sur lesquels je pouvais voler chaque fois que j'en avais envie. L'année suivante, au mois de février, j'ai été rappelé en France pour quelques jours. À Paris, j'ai rencontré un général de la direction du personnel : j'allais être promu et il m'a demandé où je voulais être affecté. C'était assez bizarre. J'ai cru que c'était pour ça qu'ils m'avaient fait venir, mais j'ai compris dès le lendemain, quand j'ai reçu la visite de Courman. Il me dit qu'*ils* étaient en train de concocter un plan pour faire son affaire à Marcotte. Je lui ai demandé qui *ils* étaient, mais il n'a pas voulu m'en dire plus. Il fallait que je l'aide. Marcotte devait se rendre à Madagascar, peut-être même à la Réunion. Ils voulaient que j'arrange un accident. Un accident, vous voyez ce que je veux dire. Et ils voulaient que ça se produise là-bas, où l'on n'a pas l'habitude de regarder les choses de trop près.

C'était à moi de choisir l'heure et les moyens. Je n'étais pas très chaud. Alors, j'ai dit : « Et si l'occasion ne se présente pas ? » Il m'a répondu qu'il fallait la créer. Je n'arrivais pas bien à piger où était son intérêt dans tout ça, mais j'ai compris après coup. Il y avait un général qui le tenait. Drôle, non ? Le maître chanteur qu'on fait chanter. Il avait obligé Courman à l'aider, ses amis et lui étant astreints à une certaine réserve. Et ils n'avaient pas son habileté en matière de crime. Courman était d'accord, mais à une condition, c'est que tout le monde se retrouve à égalité : il exigea une lettre du général précisant les clauses de leur marché. Une sorte d'ordre écrit d'assassiner Marcotte. Courman ne voulant pas en démordre, le général dut finalement accepter. De toute manière, ce papier ne pourrait jamais être utilisé. Y figuraient son nom et celui de Courman : ç'aurait fait un double certificat de décès.

— Qui était ce général ?

Un sourire moqueur anima ses joues terreuses, fendillant les croûtes de sang séché qui les recouvraient.

De profil, Stone put voir une sorte de fente s'ouvrir au bas de la tête en ombre chinoise. Dans la luminosité diffuse, on aurait dit la tête de quelque bête préhistorique.

— C'est ça que vous voulez ?

— C'est ça, Bertiaud.

Stone le frappa à toute volée et ajouta :

— Si tu es assez malin, tu parviendras peut-être à sauver ta peau. Ne crois pas que ce soit le menu fretin dans ton genre qui nous intéresse.

— Arrêtez, arrêtez... Pierre Dehal. Dehal...

Il avait pris un ton geignard, mais un nouveau rictus fendit le bas de son visage :

— Il va devenir chef d'état-major de l'Armée de terre. Hé ! La récompense des justes. Mais votre homme, ça n'est pas lui. Lui n'est encore qu'un rouage de la machine, le porte-parole des autres. Mettez-vous bien ça dans la tête. Vous ne pouvez quand même pas arrêter toute une armée, ni même la moitié de tous les officiers supérieurs. Ne croyez pas qu'il ait concocté ça tout seul.

— Laisse-nous nous arranger avec Dehal. Les autres aussi, on s'en occupera...

— Je voudrais bien assister à ça... Je me suis rendu à la Réunion avec quelques jours d'avance. Un colonel qui travaillait pour le compte de Dehal est arrivé de Madagascar à bord du même avion que Marcotte. Je lui ai raconté mon plan, et il m'a montré la lettre, juste pour me prouver qu'elle existait. Le marché était le suivant : il me la remettrait après la mort de Marcotte ; s'il ne le faisait pas, je le descendais. C'était un peu un marché de dupes, mais c'était ce qu'on avait trouvé de mieux de part et d'autre. Courman est arrivé une demi-heure plus tard dans l'avion des hautes personnalités politiques. Il était préférable qu'on ne me voie pas avec lui : c'est un de ses nervis locaux, un dénommé Tocqueville, qui est allé le prévenir que tout était au point.

Le colonel s'est arrangé pour qu'il n'y ait pas de surveillance particulière autour de l'avion. En France, c'est automatique, mais là-bas, ces choses sont tellement rares qu'il faut donner un ordre spécial : il n'eut donc qu'à s'assurer que l'ordre ne serait pas donné. Dès qu'il a fait nuit, je me suis rendu à l'aéroport. Il faisait gros temps : la pluie tombait, on n'y voyait rien. Je suis monté à bord de l'appareil et il ne m'a pas fallu longtemps pour soulever le revêtement de la cabine et me glisser dans le compartiment situé à mi-distance des deux ailes. Ça aussi, vous voulez que je vous le raconte ?

— Je veux tout savoir.

— C'est le seul bon moment de l'histoire. Dans ce compartiment, il y a ce qu'on appelle un palonnier. Cette pièce permet d'actionner les ailerons à partir du poste de pilotage. Deux câbles la relient à la cabine, c'est ce qu'on appelle la commande. Ils ne sont pas plus gros que le petit doigt et supportent une tension de quarante kilos. Il y a des écrous qu'il suffit de dévisser pour relâcher la tension : une clé à mollette fait l'affaire. Alors j'ai détendu les deux câbles, je les ai décrochés et je les ai inversés. Ils sont juste assez longs pour que ce soit possible en forçant un peu : il y faut du muscle ! Puis j'ai resserré les écrous jusqu'à rétablir la tension normale. Ça m'a pris en tout vingt minutes. Ensuite, je suis allé à la fête donnée en l'honneur de l'équipage. Le colonel s'était arrangé pour leur laisser croire que Marcotte avait retardé son départ. Tout ce qu'il voulait, c'était les faire boire un peu, de quoi émousser leurs réflexes.

— Son nom ?

— Oh, ça ne sert plus à rien, maintenant : Dalbot. Il est mort. Il a été tué dans un accident de chasse il y a deux ans. Ça aussi, un peu drôle, non ? La fête, c'était une idée à lui, parce qu'il n'avait pas confiance dans mon plan. Il pensait que le pilote parviendrait à redresser l'appareil. C'était une belle crapule, mais il n'avait rien d'un pilote. Je suis allé rejoindre les membres de l'équipage et je les ai invités à boire quelques verres. Comme ils pensaient ne pas devoir repartir, ils ont un peu forcé la dose et tous étaient assez éméchés. Tous sauf un, qui s'en tenait au jus de fruit. C'est alors qu'ils ont reçu le message disant que Marcotte voulait partir. Ç'a été la panique, ils lui ont aussitôt fait dire que le temps était trop mauvais.

Apparemment, Marcotte avait presque renoncé, bien qu'il fût pressé de rentrer à Paris pour s'assurer que ses nouveaux pouvoirs étaient compris dans sa « prolongation »...

Bertiaud sentit l'homme à ses côtés tressaillir légèrement.

— Oui, je suis également au courant. Je suis peut-être du menu fretin, mais je connais ce qu'il y a derrière tout cela. Le colonel est alors allé le trouver et lui a dit que les chefs d'état-major des trois armes et d'autres généraux faisaient encore pression sur de Gaulle pour qu'il ne lui accorde pas ces nouveaux pouvoirs.

Il lui fallait donc rentrer en quatrième vitesse. L'ennui, c'est que l'équipage refusait de partir. Le plus acharné était le type qui n'avait pas bu. À la fin, j'ai été obligé de verser dans son verre de quoi le neutraliser. Vous voyez ça d'ici : comme dans un mauvais feuilleton policier.

Mais, même comme ça, ils ont encore fait attendre le général une demi-heure seul dans l'avion. Puis ils ont essayé de le convaincre une dernière fois. Mais il s'est mis à appeler la tour de contrôle. Le colonel s'y trouvait, avec d'autres pontes. Il avait l'impression que quelque chose allait clocher au tout dernier moment. Il dit au personnel de service à la tour que le retour de Marcotte en métropole était une affaire de sécurité nationale.

Il va sans dire qu'il ne restait pas le temps de vérifier l'appareil. Au demeurant, si on l'avait fait, on ne se serait aperçu de rien. Les ailerons fonctionnaient normalement, mais en sens inverse. De la cabine, le pilote ne peut pas les voir. Et les communications entre le pilote et le personnel au sol, surtout de nuit, ne sont jamais très précises. Alors ils ont décollé : boum !

— Mais le pilote aurait pu réagir ?

Stone s'était presque départi de son ton menaçant. L'autre eut un brusque mouvement de recul et se pencha vers l'ombre à ses côtés, le sang frais luisant sur ses joues grasses dans le morne éclairage de la nuit.

— Vous m'avez demandé de vous raconter l'histoire. Je vous ai tout dit. Si vous ne me croyez pas, c'est votre affaire. Ça se voit que vous n'êtes pas pilote. Écoutez : l'avion est resté quatre-vingts secondes en l'air. Le pilote a probablement amorcé son virage trente secondes après le décollage. Il lui en reste donc cinquante. Il s'éloigne de la ville au-dessus des champs, il n'a donc plus aucun repère naturel, pas de lumières en bas, rien que l'obscurité, comme dans cette bagnole. Regardez-moi : je ne sais même plus où je suis. Ajoutez à cela que l'avion grimpe rapidement, donc qu'il est déjà très incliné. Le pilote vire à gauche. Le mécanisme fonctionne normalement, les voyants lumineux aussi. Il s'est écoulé vingt secondes de plus. Quelque part dans sa tête, quelque chose lui dit qu'il est en train de virer à droite et non pas à gauche. Il entend la tour de contrôle lui dire qu'il prend la mauvaise direction. Il n'y comprend rien, mais son réflexe normal, n'importe quel pilote vous le dirait, est d'appuyer encore un peu plus à gauche. Il regarde le tableau de bord. Tout est correct. Il a donc pris la bonne direction. Dehors, pas de lumières. Admettons qu'il ait des réflexes rapides. Il lui reste dix secondes. Mais il ne sait encore rien, il ne peut rien voir. Qu'est-ce qu'il fait ? Il s'affole ? Il se tourne vers son copilote ? Il essaie de braquer l'appareil ? N'oubliez pas qu'il est engagé en plein dans une manœuvre délicate : grimper et virer en même temps à faible vitesse. Il n'a qu'une peur, c'est de perdre encore de la vitesse. Boum ! Le temps est écoulé. Je dirais qu'il n'avait qu'une chance sur dix mille de s'en tirer s'il avait compris qu'il devait pousser son manche à balai vers la droite pour virer à gauche. Même alors, il aurait été trop tard.

— Qu'est-ce qui s'est passé ensuite ?

— Le colonel Dalbot m'a remis la lettre en sortant de la tour de contrôle, et je me suis rué vers les collines avec une équipe du personnel au sol. C'est en vain que j'ai cherché autour de l'épave les restes du palonnier, juste pour vérifier qu'il était bien détruit. Ils en ont trouvé un morceau le lendemain, quand ils ont ramassé les débris.

— Celui que tu as dérobé ?

— Oui. Quand je me suis retrouvé devant l'épave en flammes, ça m'a fait un drôle d'effet. De voir tous ces morceaux de corps un peu partout, vous voyez. Des mains, des jambes, des têtes. Ça n'était pas la première fois que je voyais des choses comme ça, mais c'était la première fois que j'avais assassiné dix-huit innocents. Je ne compte pas Marcotte : lui, il fallait l'abattre. Alors, ça m'a tourné la tête, et j'ai décidé de garder la lettre de Dehal. J'y avais déjà pensé auparavant, mais c'est à ce moment-là que j'ai pris ma décision. Après ce coup-là, j'étais bon pour l'enfer, alors j'avais assez payé pour ma liberté. C'est ce que j'ai dit à Courman quand il est venu chercher la lettre, le lendemain après-midi. Il m'aurait bien flingué, mais je lui ai dit que j'avais envoyé la lettre le matin même à un notaire en France, avec mission de la décacheter si je venais jamais à mourir ou à disparaître subitement.

— C'était vrai ?

— Bien sûr. Je ne suis pas dingue. Alors, après ça, Courman m'a fichu la paix. Mais je me suis mis à réfléchir. J'y ai repensé pendant six mois et, finalement, je suis allé le trouver pour le faire chanter. Ce que je voulais, c'était des rentrées régulières et pouvoir prendre ma retraite. Il s'est rendu compte que ça m'était monté à la tête et que j'étais parfaitement capable de mettre mes menaces à exécution. Tout ce que je souhaitais, c'était un revenu indépendant, une bonne petite somme à investir, et me tirer des pattes de ce salaud.

Le gros homme se tut brusquement, comme s'il avait perdu connaissance. Stone attendit un moment pour vérifier qu'il en avait bien terminé, puis il se pencha et se mit à lui parler tout contre son visage :

— Maintenant, tu vas m'écouter attentivement, Bertiaud. Je vais te laisser filer. Demain matin, tu iras trouver ton notaire, récupérer la lettre. On passera la prendre à 10 heures précises. Si tu n'es pas chez toi, tu peux te considérer comme un homme mort ; dans ce cas, n'importe comment, nous aurons obtenu ce que nous voulons, puisque ton notaire la rendra publique. Mais si tu es bien sage, nous te laisserons tranquille.

— Les autres ne me laisseront pas tranquille, eux.

— Je t'ai dit que nous tenions Courman. Quant à Dehal, il n'a jamais su que tu avais gardé la lettre, n'est-ce pas ?

Stone inventait, mais il commençait à bien saisir la mentalité de ses adversaires.

— Courman ne pouvait rien lui dire, puisque cette lettre était son arme contre Dehal. Donc Dehal pensera que nous l'avons trouvée dans les papiers de Courman, de la même façon que nous avons trouvé chez lui tous les papiers te concernant.

Bertiaud frissonna.

— Et maintenant, tu commences à comprendre pourquoi tu as bien fait de parler ?

Stone mit le moteur en marche. Il se contenta d'allumer les veilleuses et laissa le tableau de bord dans l'obscurité. Ils roulèrent en silence jusqu'au restaurant. Il y avait moins d'animation à présent, la voiture de Bertiaud était l'une des dernières. Stone s'arrêta à côté d'elle et laissa tourner son moteur. Il poussa le gros homme en avant pour atteindre ses poignets, sectionna ses liens avec un couteau de poche, ouvrit la portière et le propulsa au-dehors. Bertiaud trébucha, essaya de se remettre sur ses pieds et finit par s'étaler de tout son long dans l'herbe humide.

Il se redressa lentement en frictionnant ses poignets. Il examina la voiture mais ne put discerner qu'une vague silhouette installée au volant. Celle-ci s'adressa encore à lui du même ton glacial et mesuré :

— 10 heures précises, Bertiaud. Et n'essaie pas de te défiler. Tu es surveillé en permanence. Si tu cherches à nous tromper, tu es un homme mort avant demain 11 heures.

La Renault s'éloigna dans la nuit.

Une heure plus tard, la fille qui avait remarqué Stone en début de soirée fut rejointe par son souteneur. Elle était une des dernières à partir. Par acquit de conscience, elle demanda néanmoins à revoir la photographie et reconnut immédiatement l'homme qu'elle avait aperçu. Malheureusement, elle n'avait pas songé à relever le numéro de la Renault.

Le proxénète appela aussitôt Courman. Celui-ci lui ordonna de se renseigner sur ce qu'avait bien pu fabriquer Stone aux abords du café. Il fallait donc retrouver toutes les filles qui avaient passé là la soirée et les interroger. Or la plupart étaient déjà rentrées chez elles ou parties avec des clients.

Courman lui dit de rester sur place jusqu'à ce qu'il eût découvert quelque chose, et de l'appeler aussitôt. Il donna lui-même une série de coups de téléphone à quelques-uns de ses « relais » pour répandre le bruit que Stone roulait désormais à bord d'une Renault 16 grise, puis, s'accordant le privilège des chefs de guerre, il s'en fut au lit.

Stone sortit du bois de Boulogne et s'arrêta quelques instants dans la contre-allée de l'avenue Foch pour

s'assurer qu'il n'était pas suivi. Tout avait bien marché. L'homme était mort de peur, il ferait ce qu'on lui
avait dit de faire.

Stone avait envie de rire, de crier n'importe quoi.
Mais ça ne sortait pas. Il avait un sale goût dans la
bouche. Il avait beau avaler sa salive, ça ne voulait pas
partir.

CHAPITRE XX

Il ne rentra pas chez lui cette nuit-là. Il était 11 heures, ce n'était pas trop tard pour obtenir une chambre dans un petit hôtel. Il en trouva un rue Pergolèse, effacé, discret et confortable, prodigue en dévouement familial et en petits avantages enviables du style de vie bourgeois. Il se trouvait un peu à l'écart de l'avenue de la Grande-Armée, non loin de l'Étoile. Stone était presque assuré de n'y rencontrer personne de connaissance.

Le lendemain matin, il gara sa voiture de location dans la rue de la Banque, à proximité de la place des Victoires, et déposa sa mallette à l'arrière après en avoir extrait deux bandes magnétiques. Puis il prit un taxi et se fit conduire chez lui.

Il y avait pensé toute la nuit. À première vue, l'idée pouvait paraître trop risquée. Mais plus il y songeait, plus cette décision lui semblait raisonnable. Apparemment, Courman ne savait rien de ce qu'il avait découvert jusqu'ici. En un sens, le fait de rentrer chez lui dissiperait leurs doutes et leurs craintes. S'il avait découvert quelque chose, il se fût gardé d'y remettre les pieds. Par ailleurs, il ne voulait pas débarquer devant Bertiaud sans lui en imposer. Comme il ne s'était pas changé depuis le samedi précédent, il était rien moins qu'imposant.

De toute manière, il aurait largement le temps de semer ses poursuivants avant 10 heures du matin, et de faire un double des enregistrements d'Ardant et de Bertiaud. Avant toute autre chose, il voulait les savoir en route vers leur destinataire.

Il était 7 h 30 quand il arriva chez lui. À peu près à la même heure, une fausse blonde entre deux âges rentrait chez elle après avoir passé la nuit avec un homme qui avait loué pour leurs ébats une petite chambre d'hôtel. Devant sa porte l'attendait un jeune homme qu'elle savait être le protecteur d'une des autres filles avec lesquelles elle travaillait. Il avait quelques questions à lui poser.

Stone ne prit guère la peine d'examiner la rue. Il savait que quelqu'un l'y attendait. La porte d'entrée de l'immeuble était fermée. C'était inhabituel. Il sonna. Avec une célérité surprenante, la concierge vint lui ouvrir et lui fit nerveusement signe d'entrer.

— Pourquoi la porte est-elle fermée ? demanda-t-il en s'excusant.

— C'est elle qui m'a demandé de le faire, dit la vieille dame en désignant la porte de sa loge. Je l'ai laissée dormir dans l'entrée.

Mélanie Vincens apparut dans l'encadrement de la porte. Elle avait les yeux rougis. Il était manifeste qu'elle avait pleuré.

Stone était surpris et agacé à la fois.

— Que fais-tu ici ?

Sans attendre sa réponse, il lui prit le bras et l'entraîna dans les escaliers.

— Que fais-tu ici ?

Elle leva les yeux sur lui avec un air de reproche. Ils s'étaient assis dans la salle à manger. Il avait faim, il lui avait mis une pomme dans la main et en avait également pris une.

— Je t'avais demandé de me laisser seule, commença-t-elle en donnant un coup de dents dans la pomme.

— C'est ce que j'ai fait. Aussi seule que ton sacré caractère le voulait.

— C'est faux, dit-elle en élevant la voix. Je t'avais dit de ne pas te mêler de mes affaires, et tu n'as fait que les remuer un peu plus. Je sais que tu es allé par deux fois voir mon père. François de Maupans m'a confirmé que tu n'avais pas abandonné tes recherches. Je sais tout ça.

— Tu n'as rien compris, Mélanie. Il y avait un seuil en deçà duquel j'avais la possibilité de laisser tomber l'affaire, mais au-delà, j'en savais trop. Ils ne pouvaient même plus me permettre d'abandonner. (Il ne lui mentait guère, déplaçant seulement quelque peu ce moment crucial :) Le dernier soir où je t'ai vue, il était déjà trop tard. Sais-tu qu'un homme m'attendait au bas de chez toi ? Depuis ce moment-là, ils n'ont fait qu'attendre la meilleure occasion de m'avoir. Concède-moi le droit de sauver ma peau, même si ça dissipe un peu le brouillard dans lequel tu te complais.

— C'est pour cela que tu as disparu...

Stone la regarda d'un air étonné.

— Oui, j'ai disparu. Ça devenait trop dangereux de les laisser me suivre partout. Je ne souhaitais pas mêler trop de gens à cette affaire.

— Mais peu t'importait de m'y mêler, moi.

— J'ignorais alors que j'étais suivi, et je ne réalisais pas à quel point la situation était devenue dangereuse.

Une femme sur les bras, c'était bien la dernière chose dont il avait besoin avec la matinée qui l'attendait ! Il reprit :

— Ainsi, tu es venue me trouver ?

— Non, répliqua-t-elle de but en blanc. Ce sont eux qui sont venus.

— Qui ça ?

— Eux ! Comment pourrais-je savoir qui c'était ? Quelques hommes. Ils se sont introduits chez moi cette nuit : ils pensaient que je savais où tu étais. Ils m'ont insultée. Dit que j'étais ta poule. Je leur ai affirmé que je ne t'avais pas revu depuis cette fameuse nuit ; mais ils ne m'ont pas crue. Ils ont dit que j'allais avoir des tas d'ennuis pour t'avoir aidé à remuer toute cette boue, et que j'en aurais encore plus si je ne les aidais pas. Ils ont dit que je devrais les avertir dès que je te reverrais, et ils m'ont laissé un numéro de téléphone où laisser un message en pareil cas. Ils m'ont également avertie que c'était le numéro d'un commissariat.

— Donc, tu es venue directement ici pour leur apporter ton aide le plus vite que tu pouvais ? fit-il d'un ton sarcastique.

Furieuse, elle se pencha au-dessus de la table pour tenter de le frapper. Il lui saisit prestement le bras et la contraignit à se rasseoir. Elle baissa la tête. Sur son cou, Stone remarqua la trace récente d'un coup.

— Qu'est-ce que c'est que ça ?

Elle leva la tête et répondit d'une voix dédaigneuse :

— Rien qu'un geste de persuasion de leur part, de ces gestes qui laissent des marques.

Comme il la regardait horrifié, elle fondit en larmes.

— Ils t'ont frappée !

À son tour, il se pencha au-dessus de la table et la secoua pour qu'elle cesse de pleurer. Elle essaya de se calmer et répondit :

— Rien de très étonnant. Ce n'est rien, pour eux, de frapper une femme : ils ont bien été capables de tuer mon mari. (Il contourna la table et voulut la consoler, mais elle le repoussa.) Non, non, c'est toi qui as raison. Il faut être aussi dur que toi. C'est la seule façon de survivre.

Elle se reprit à sangloter. Il la laissa, prit ses bandes magnétiques pour faire une copie de la conversation d'Ardant et passa dans la cuisine.

À Londres, Martin Sherbrooke fut réveillé par des coups de sonnette répétés à la porte d'entrée. Il se leva pour aller ouvrir, pensant que sa femme encore endormie avait prié quelqu'un de passer effectuer quelques travaux de réparation. C'est lui-même qui lui avait demandé de s'en occuper. Mais les deux hommes qui l'attendaient de l'autre côté de la porte n'étaient pas en bleus de travail. Le seul uniforme qu'ils portaient était une sorte de cagoule percée de trous pour le nez, les yeux et la bouche. Leur seul outil était un pistolet que chacun d'eux braquait sur lui.

Dix minutes plus tard, Stone revint avec du café et des toasts. Mélanie avait recouvré son calme et était assise en silence à la même place, le dos légèrement voûté, décollé du dossier de la chaise, son visage détendu et radouci après les larmes. Elle regardait devant elle sans rien fixer en particulier. Elle prit une tasse et se mit à boire à petites gorgées ; il lui parla alors avec lenteur, à voix basse :

— Je suis désolé, Mélanie. Pas seulement pour toi. Pour moi aussi et pour toutes les personnes que j'ai pu compromettre. Mais les excuses ne pourront plus rien changer maintenant. Il vaut donc mieux que tu te persuades qu'il devait en aller ainsi et que la meilleure chose à faire est de découvrir ces criminels et de les dénoncer. Ce matin à 10 heures, je dois récupérer un dernier document capital, et ce sera terminé. Je prends l'avion pour Londres cet après-midi et dès demain, tout sera publié dans la presse.

Il se mit à lui raconter ce qu'il avait découvert, à lui parler des gens qu'il avait rencontrés, de ce qu'ils lui avaient dit. Il valait mieux qu'elle comprît ce qui était en jeu. Il lui expliqua comment son propre mari avait essayé de retenir l'équipage et avait finalement été drogué. Il lui décrivit Bertiaud et lui fit part de leur conversation dans l'obscurité du bois de Boulogne.

Quand il eut terminé, il était 9 heures passées et il n'avait pas encore eu le temps de faire la copie de l'enregistrement de Bertiaud. Il lui dit qu'il devait partir. Elle répondit qu'elle voulait l'accompagner. Il accepta après une brève hésitation, redoutant de la laisser seule. Il pensait l'emmener avec lui à Londres une fois l'opération terminée. Il se rasa, se changea rapidement, glissa les deux bandes originales dans une de ses poches et dans une autre l'unique copie qu'il avait pu faire, sous enveloppe adressée à Sherbrooke.

Ils descendirent. Il repéra ses suiveurs à l'affût non loin de là. Ils étaient en train de parler à un troisième homme, sans doute celui qui avait filé Mélanie jusqu'à chez lui la veille au soir. Ils s'engagèrent rapidement dans les rues encombrées, discrètement suivis par la Peugeot. Il commençait à faire chaud. Ce vendredi avait ramené le soleil.

Devant le drugstore du boulevard Saint-Germain, ils grimpèrent dans un taxi. Stone demanda au chauffeur de les conduire au Ritz, devant l'entrée de la rue Cambon. C'était la bonne direction, à un quart d'heure de là sur la rive droite. À mi-course, Stone se pencha en avant et tendit un billet de cinquante francs au chauffeur :

— J'aimerais vous demander une faveur. Quand vous nous aurez laissés à l'entrée, continuez lentement jusqu'à la place Vendôme et attendez-nous devant l'autre entrée de l'hôtel, voulez-vous ?

Le chauffeur prit le billet et lança un regard espiègle par-dessus son épaule.

— C'est un vieux truc. Ce n'est pas la première fois que je le vois faire.

Stone se mit à rire.

— Bien sûr, c'est un vieux truc, mais il marche encore. Regardez bien la Peugeot qui nous suit : c'est elle que je voudrais semer.

Le chauffeur devait penser à quelque mari jaloux qui les suivait. Il n'avait pas remarqué qu'ils étaient deux. Deux hommes armés.

— Laissez-nous exactement six minutes pour traverser, pas une de plus, pas une de moins. Si vous arrivez à temps, vous recevrez un autre billet de cinquante francs.

Le chauffeur éclata de rire.

Ils descendirent sans hâte la rue Cambon et pénétrèrent dans l'hôtel comme en se promenant. La Peugeot surgit au moment où ils disparaissaient dans l'entrée : l'un des deux hommes en bondit tandis que l'autre restait à l'intérieur. Stone et Mélanie avaient déjà traversé le bar et la réception. Stone plaisantait à voix haute, la faisait rire. Ils s'arrêtèrent un moment à l'orée du long couloir tapissé qui sépare cette partie de l'hôtel de l'autre où se trouve le restaurant donnant sur la place Vendôme. Sur la gauche, il y avait un élégant kiosque à journaux où ils consultèrent quelques titres avant de poursuivre, reluquant au passage toutes les vitrines où étaient exposés bijoux, porcelaines, articles de haute couture.

Peduc les filait. Il connaissait la plupart des échappatoires possibles dans Paris mais il n'était qu'à mi-parcours quand celle-ci lui revint en mémoire. Il ne savait que faire. Peut-être allaient-ils prendre le petit déjeuner au restaurant ? Si ce n'était pas le cas, il lui faudrait retourner en courant jusqu'à la voiture et contourner l'hôtel aussi vite que possible. Indécis, il poursuivit sa route à travers les salons en chicane qui prolongeaient le couloir, et c'est alors qu'il les aperçut à proximité de la sortie. Il n'y avait qu'une chose à faire. Il fit demi-tour et prit ses jambes à son cou. Ce n'était pas la peine de sortir après eux, il n'y avait jamais aucun taxi devant cette entrée-là de l'hôtel. Toute l'astuce était là.

Stone pria le chauffeur de les conduire vers l'Opéra, où il posta la copie de l'enregistrement d'Ardant, puis, par la rue du Quatre-Septembre, vers la rue de la Banque. Ils descendirent et récupérèrent la Renault louée.

Il était presque 10 heures quand ils arrivèrent devant l'immeuble où habitait Bertiaud. Mélanie attendit dans la voiture tandis que Stone grimpait jusqu'au second étage. Les marches étaient recouvertes d'un épais tapis vert qui absorbait les moindres bruits.

Il n'y avait qu'une porte à chaque palier. Une double porte peinte en vert sombre, de la même couleur que le tapis. Il s'arrêta au second étage et s'apprêtait à sonner quand il remarqua que la porte était légèrement entrebâillée. Il la poussa. De l'autre côté, une moquette encore plus épaisse. Une imposante collection de meubles de style jalonnaient le vestibule, baignés par le soleil qui entrait à flots depuis la cour intérieure. Tout était, comme au night-club, un tantinet vulgaire. Il y en avait trop. Bertiaud était un homme seul qui n'avait rien d'autre à faire que dépenser son argent.

Stone poussa successivement deux portes et déboucha dans une antichambre carrée, tapissée de miroirs ; dans chaque mur se découpait une porte. L'une d'elles était ouverte. Elle donnait sur un salon dont les grands rideaux blancs protégeaient les meubles du jour trop éclatant. La lumière tamisée, presque laiteuse, conférait à l'ensemble un air de langueur et de luxe. Bertiaud était assis au milieu de la pièce, dans un fauteuil Louis XV. Il souriait et sa main ouverte posée sur le bras du fauteuil esquissait un geste de bienvenue.

Il était vêtu d'un costume gris anthracite et portait une rose fraîche à son revers. Une « Automne d'Alexandrie ».

Stone s'approcha et s'apprêtait à ouvrir la bouche quand il réalisa que l'homme n'avait pas fait le moindre mouvement. Il s'immobilisa. Les joues de Bertiaud étaient blafardes, beaucoup plus pâles qu'il

283

n'en avait gardé souvenir. Il s'approcha à pas plus lents. Le sourire n'était rien d'autre qu'une grimace de suffocation. Il contourna le fauteuil : autour du cou du gros homme, un fin lacet disparaissait presque entre deux bourrelets de chair. De l'arrière, Stone le remarqua plus nettement. C'était un fil d'acier très fin, si fort serré qu'il avait cisaillé la peau.

Stone acheva d'en faire le tour et revint devant lui, examinant le corps. La lettre ? Il glissa la main entre la chemise et la veste de Bertiaud. Il sentit la chair molle s'enfoncer légèrement sous ses doigts. Le corps était encore chaud. Il venait juste d'être étranglé. Stone sonda la poche intérieure gauche et la vida de son contenu. Il y avait un portefeuille de lézard fin et une enveloppe. Il essuya le portefeuille avec son mouchoir, le remit en place, ouvrit l'enveloppe, en sortit une feuille de papier qu'il déplia, au bas de laquelle figurait la signature de Pierre Dehal. La main crispée sur sa trouvaille, il quitta la pièce à reculons, jetant seulement un coup d'œil en arrière au moment de passer la porte. Bertiaud était toujours en équilibre sur son fauteuil capitonné de soie, souriant aimablement.

Il laissa la porte entrouverte comme il l'avait trouvée en arrivant, ne s'arrêtant que pour essuyer chaque poignée de porte où il aurait pu laisser des empreintes. Sur le palier, il s'arrêta, attentif au moindre bruit. Il n'y avait personne dans les escaliers. Il les descendit quatre à quatre, jetant un coup d'œil sur sa gauche en passant devant la loge. Apparemment, elle était vide.

Mélanie attendait toujours dans la voiture. Il y monta, déplia la lettre et la lui tendit. C'était une courte missive écrite à la main. Elle commençait par « Mon cher Courman » et se poursuivait par des formules telles que « dans l'intérêt de la sécurité du pays » et, plus loin : « ... comme essentielle l'élimination du général Marcotte, à laquelle vous vous êtes engagé à coopérer... ». Il la replia et la glissa dans sa poche intérieure.

— Bertiaud est mort.

— Quoi !

— Il a été étranglé. Va tout de suite jusqu'à ce café et appelle la police. Dis simplement qu'il y a un homme étranglé au second étage du 13, place des Victoires, et raccroche. Puis commande un café et attends qu'ils arrivent. Je veux être certain qu'ils le découvrent très vite. Ça donnera à Courman de quoi s'occuper et détournera peut-être son attention. Je t'attends au coin de la place de la Bourse et de la rue Notre-Dame-des-Victoires. Ce n'est qu'à cinq minutes à pied.

L'intérieur de la chambre forte de Harrod's est décoré de fresques égyptiennes 1900. Ce décor animé, aux dominantes jaunes, forme un contraste pour le moins étrange avec les énormes coffres regroupés en son centre comme un navire à l'intérieur d'une bouteille.

L'accompagnateur de Sherbrooke y entrait pour la première fois de sa vie et ses yeux ne cessaient de rouler en toutes directions pour surveiller les alentours. Sherbrooke pensait en tirer parti pour l'attaquer, mais il apercevait la bosse formée par le pistolet dans la poche de l'individu ; quand bien même celui-ci l'eût manqué, il imaginait l'effet des ricochets d'une balle dans cet espace clos de métal blindé. Ils n'étaient pas les seuls clients. Il y en avait trois autres dans les cabines boisées proches de la leur.

Pour ne pas céder, encore aurait-il fallu trouver une autre solution. Au début, il avait nié en bloc, mais ils avaient intercepté une correspondance adressée à sa secrétaire, étaient remontés jusqu'à lui, l'avaient filé pendant deux jours : ils l'avaient vu descendre dans la salle des coffres et avaient deviné pourquoi.

Ses deux ravisseurs étaient français. Celui qui l'accompagnait parlait un mauvais anglais. C'était un ancien légionnaire qu'on avait envoyé là au début de la semaine pour diriger toute l'opération. L'autre était un attaché commercial de l'ambassade de France.

C'étaient des gens impatients. Quand ils avaient vu que Sherbrooke faisait des difficultés, ils l'avaient contraint à téléphoner à son bureau pour dire qu'il n'y viendrait pas, puis ils avaient arraché les fils.

Ils avaient ordre de trouver les documents, de les brûler, d'en informer Paris et de garder leurs prisonniers pendant encore vingt-quatre heures. Un troisième homme séquestrait la secrétaire de Sherbrooke, l'innocente « boîte aux lettres » de Stone. Il fallait qu'ils les neutralisent assez longtemps pour permettre à Courman d'en finir une bonne fois avec Stone.

Ce ne sont pas les coups qui avaient fait céder Sherbrooke. Il se moquait de la douleur : cette victoire sur lui-même, il l'avait définitivement remportée dans la jungle, autrefois, quand il avait été grièvement blessé et abandonné à son sort pendant dix jours. Les deux hommes qui le frappaient parurent avoir identifié cette forme d'indifférence : le responsable de l'opération l'avait déjà rencontrée à l'époque où il avait torturé des rebelles en Algérie. Il savait qu'il n'avait pas assez de temps devant lui pour faire craquer cet homme-là. Il s'était rabattu sur une autre solution : la femme de Sherbrooke. En un rien de temps, le mari céda.

L'attaché commercial se devait de demeurer anonyme, il était donc resté dans l'appartement, masqué, pour garder la femme de Sherbrooke, tandis que celui-ci et son accompagnateur partaient chercher la serviette. Ce n'était pas loin. Vingt minutes plus tard, ils étaient de retour.

Ils en eurent encore pour une demi-heure avant d'avoir tout brûlé. Ce n'était pas commode de brûler des papiers en plein centre de Londres. La cheminée était murée et l'aérateur de la cuisine devait être utilisé à petite vitesse pour ne pas attirer l'attention. L'odeur des bandes brûlées soulevait le cœur et ils durent s'y prendre à plusieurs reprises, en se relayant. L'un d'eux œuvrait à la cuisine pendant que l'autre tenait les prisonniers en respect avec son arme dans la pièce voisine. Ils étaient bien trop pressés pour avoir songé à les ligoter.

Tout était déjà presque détruit quand Sherbrooke put tenter sa chance. L'attaché commercial était dans la cuisine, achevant de brûler la dernière bande. L'autre tourna la tête un instant, distrait par quelque bruit dans l'escalier. Une fraction de seconde plus tard, l'ex-para-chutiste s'était abattu sur lui de tout son poids, le propulsant littéralement à travers toute la pièce jusque dans la cuisine, assommant l'autre, déséquilibré par son acolyte, au moment où il sortait voir ce qui se passait. Sherbrooke claqua la porte et tourna la clé dans la serrure. C'était un des faibles avantages de la prolifération des cambriolages à Londres : même les cuisines fermaient à clé.

287

Il recula, contempla un instant la porte qui le séparait à présent des deux hommes, saisit sa femme par le bras et l'entraîna hors de l'appartement, jusque dans la rue. Il l'obligea à courir avec lui vers le commissariat de Lucan Place, derrière Sloane Avenue, en priant le ciel de rencontrer en chemin une patrouille de police.

Il n'en rencontra pas : le temps d'arriver et de tout expliquer au sergent, un quart d'heure s'était écoulé. Il fallut cinq autres minutes à un policier pour se rendre à l'appartement. Sherbrooke était certain que les bandits auraient eu le temps de s'enfuir. Il pouvait néanmoins donner le signalement de l'un d'eux, celui qui avait dû ôter sa cagoule pour l'accompagner à la salle des coffres de Harrod's.

Deux choses se bousculèrent soudain dans sa tête : sa secrétaire — ils lui avaient dit qu'ils la séquestraient pour garder le contrôle de la situation : il donna aussitôt son adresse au sergent ; quant à Stone, il n'avait plus de doubles de ses documents, il était désormais sans protection : il fallait absolument le joindre avant que les Français n'aient eu le temps d'avertir leur chef.

Réfléchissant à la situation, Sherbrooke trépignait sur sa chaise à l'intérieur du poste de police, tandis qu'un jeune homme en uniforme essayait d'appeler Paris. C'était le pire moment de la journée pour téléphoner.

Stone attendait depuis une demi-heure quand il la vit arriver, se dirigeant à pas rapides vers la voiture. Aussi loin qu'il pouvait voir, personne ne la filait. Elle prit place à côté de lui et il démarra.

— Il n'y avait rien.

— Que veux-tu dire ?

— Rien. Je les ai attendus, comme tu m'avais dit. Ils sont arrivés cinq minutes après mon coup de téléphone. Il y avait deux cars de police. Tous les clients du café et les gens sur la place se sont précipités pour voir ce qui se passait. Je me suis alors approchée moi aussi, ç'aurait été bizarre de faire autrement. Les policiers sont restés près d'un quart d'heure à l'étage. Quand ils sont redescendus, j'ai entendu un inspecteur demander à l'un de ses hommes d'appeler le central pour dire que c'était une fausse alerte. Un canular de plus. Il n'y avait personne là-haut.

— Mais je l'ai tout de même vu !

— C'est ce que tu m'as dit. Écoute : oublie ce que tu as vu. Tu as la lettre, alors partons.

Stone se rangea à son avis. Il avait ce qu'il voulait. Le reste n'était que littérature. Il lui fallait encore rentrer chez lui pour faire une copie de l'enregistrement de Bertiaud, puis photocopier la lettre quelque part et expédier le tout avant de s'envoler pour Londres. Tant qu'il ne détenait que l'original, il était en danger. Ce n'était pas le moment de commettre des erreurs.

CHAPITRE XXI

Petit-Colbert était pressé. Sans trop savoir pourquoi, il avait l'impression que quelque chose n'avait pas tourné rond. Il tenait à savoir quoi.

L'établissement de Bains-Sauna ouvrait à 11 h 30. Il y arriva quelques instants après. Il avait déjà téléphoné à Courman pour lui dire de venir l'y rejoindre, sans autre explication.

Quand l'appel lui parvint, Courman n'était pas seul. Il avait gardé auprès de lui le proxénète du bois de Boulogne pour le cas où il aurait eu besoin de renfort. Il le laissa à son appartement pour prendre les messages qui pouvaient arriver.

Colbert se déshabilla comme à l'accoutumée et s'enveloppa la taille dans une grande serviette. Tout changement dans ses habitudes n'aurait pas manqué d'attirer l'attention. Il prit place sur un des sofas de caoutchouc mousse et attendit l'arrivée de Courman.

Dix minutes plus tard, le gérant s'approcha et lui dit à l'oreille qu'il était attendu au bureau. C'était Courman. Il était ennuyé et ne cherchait guère à le dissimuler. Ça n'était pas dans ses habitudes.

— Où est-il ? demanda-t-il sans autre préambule.

— Je vais vous le dire. Asseyez-vous.

L'ordre de Colbert était plutôt une invitation. Si Courman obéit, c'est que sa jambe lui faisait mal.

— J'ai fait comme vous m'aviez dit. Je suis allé chez Bertiaud ce matin de bonne heure. Il m'a accueilli comme un vieil ami et m'a conduit au salon. J'ai dit que je venais de la part de M. Courman ; il s'est remis à sourire et m'a demandé si je voulais du café. C'est drôle, on aurait dit qu'il attendait ma visite. J'ai répondu que non et j'ai ajouté que je voulais qu'il vienne avec moi voir M. Courman. Il a eu l'air surpris. « Pourquoi ? a-t-il dit. Je croyais que c'était d'accord : je vous ai donné tout ce que vous vouliez et je ne veux plus être embêté. Tenez, je suis allé chercher la lettre. » Il a continué comme ça pendant un bon moment jusqu'à ce que je me rende compte qu'il me prenait pour un autre et qu'il n'avait pas du tout l'intention de venir. Je me suis rapidement convaincu qu'il avait déjà raconté tout ce que vous m'aviez demandé de l'empêcher de raconter, et qu'il ne lui restait plus qu'à remettre ce papier. Aussi l'ai-je tué.

— Pourquoi ? demanda Courman d'une voix calme.

— Ça me paraissait la seule chose à faire. J'avais mis trop de temps à deviner qu'il attendait quelqu'un, il était devenu méfiant et, brusquement, il a eu l'air terrifié. Il ne voulait pas bouger de chez lui. J'ai essayé de lui faire peur, mais il ne décollait pas de son siège. Il n'y avait pas moyen de le faire sortir vivant de l'immeuble sans être remarqué. De toute façon, il avait déjà parlé. Alors, je l'ai tué et je suis sorti de la pièce pour repérer une porte de service par où j'aurais pu descendre le corps.

Courman le coupa :

— Donnez-moi cette lettre.

— Attendez : quand je suis remonté de l'entrée de service, que j'avais mis un bout de temps à ouvrir parce qu'elle était verrouillée de l'intérieur et qu'il avait fallu trouver la clé, voilà que j'entends du bruit. Je me suis approché avec précaution. Mais quand je suis arrivé au salon, il n'y avait personne. Tout était comme je l'avais laissé. Bertiaud n'avait pas bougé. J'ai cherché le papier dont il m'avait parlé mais je n'ai rien trouvé d'intéressant. J'ai alors fouillé l'appartement, sans plus de succès. Je vous ai apporté tout ce qui me semblait valoir la peine, le courrier d'affaires en particulier.

Il sortit de son peignoir une grande enveloppe marron.

Courman l'ouvrit, en inventoria rapidement le contenu, comme s'il savait déjà qu'il n'y trouverait rien, releva les yeux sans laisser paraître la moindre trace de dépit et demanda d'une voix calme :

— Il n'y avait personne ?

— Personne. La seule chose bizarre que j'aie remarquée, c'est que la porte d'entrée était entrebâillée.

— Quoi ?

— Ça ne veut peut-être rien dire. Cet imbécile était tellement nerveux quand il m'a fait entrer qu'il a pu oublier de la refermer comme il faut. J'ai essayé moi-même de la fermer, juste pour vérifier : de fait, il fallait donner une bonne poussée. Alors j'ai descendu le corps jusqu'au sous-sol. Je n'ai eu que le temps, la police est arrivée dix minutes plus tard.

— La police ? (Courman s'était raidi et s'était mis à tambouriner d'un seul doigt sur le genou de sa jambe malade.) Colbert, pourquoi la police est-elle venue mettre son nez là-dedans ?

— C'est ce que je n'arrive pas à comprendre. De toute façon, ils sont repartis quand ils ont vu qu'il n'y avait rien à voir.

— C'est tout ?

— Parce que ça ne vous suffit pas ? Maintenant, tout ce qu'il me reste à faire, c'est d'aller sortir le corps de la cave.

Courman s'était péniblement redressé. Il avait perdu tout son calme :

— Colbert, vous êtes un imbécile.

Sidéré, Colbert bondit et laissa éclater toute sa rancœur.

— Elle est bien bonne, celle-là ! Bon Dieu ! Elle est vraiment bien bonne ! Vous m'envoyez chercher un type... Vous ne me dites rien de lui... Vous ne me dites pas ce qui peut arriver... Vous ne me parlez pas de documents à chercher... Dieu sait ce que vous voulez ! J'ai improvisé en faisant de mon mieux. Et la meilleure chose à faire, la première chose à faire, vraiment, quand on a un cadavre sur les bras, c'est de chercher à s'en débarrasser. Si je m'étais mis à chercher votre bout de papier, la police m'aurait attrapé. C'est ce que vous vouliez ?

— D'accord, vous avez fait de votre mieux. (Courman se retourna et, d'une voix calme et mesurée, il ajouta, plus pour lui-même qu'à l'intention de tout autre :) Je ne peux attendre plus longtemps. (Puis, à Colbert :) Rhabillez-vous. J'ai besoin de vous.

Stone était en train de mettre son magnétophone en marche quand le téléphone sonna. Il hésita avant de répondre. Il n'avait pas le temps, n'avait plus rien à dire à personne. Mélanie était restée au salon. Il la trouva debout près du téléphone, écoutant la sonnerie. Il se dirigea vers elle et décrocha. Il écouta, sans prononcer un seul mot. Une voix tendue appelait à l'autre bout du fil :

— Allô, monsieur Colin, s'il vous plaît.

Tout d'abord, Stone ne comprit pas. Il avait oublié leur code. La voix reprit :

— Monsieur Colin. C'est très urgent.

Brusquement, Stone se souvint et répondit :

— Vous vous trompez de numéro.

Il allait raccrocher quand la voix reprit à nouveau :

— Vous êtes sûr ? C'est très urgent. Ce n'est pas le 584.23.16 ?

Stone eut encore besoin de quelques secondes pour comprendre et réagir.

— Quel numéro ? demanda-t-il.

La voix répéta le numéro. Stone le nota, répondit : « Non » puis raccrocha.

Sans une parole, il sortit en courant de l'appartement et descendit les escaliers quatre à quatre. Il ne connaissait pas les gens du premier, un jeune couple qu'il croisait de temps à autre. Il appuya longuement sur le bouton de sonnette.

On vint lui ouvrir. C'était la jeune femme. Stone entra en s'excusant.

— Je suis désolé. C'est très urgent. Il faut absolument que je téléphone. Où est votre appareil ?

La jeune femme, éberluée, répondit d'une voix éteinte :

— Mais vous n'avez pas le téléphone ?

— Ma ligne est écoutée, répondit Stone. C'est une question de vie ou de mort.

Il aperçut l'appareil au fond de l'entrée et se précipita dessus. Il commença par composer le numéro trop vite. Il jura entre ses dents : ça ne marchait jamais quand on allait trop vite. Il recommença posément : 19 - 44 - 1 - 584 - 23 - 16. Il y eut deux sonneries, puis on décrocha.

— La Norwich Union ?

— Charles, Dieu soit loué ! Je t'appelle d'un poste de police. Pas le temps de s'étendre. Ils ont les doubles. Tout est détruit. À Paris, ils le savent déjà, ou ils le sauront dans les prochaines minutes. Va-t'en vite.

Il y eut un silence.

— Martin, tu vas bien ?

Sherbrooke regarda le visage tuméfié de sa femme.

— Ça va, vieux, ça va. C'est une bande de salauds.

— J'y suis arrivé, Martin. J'ai tout ce qu'il faut. File chez Williams. Dis-lui que je débarque cet après-midi et qu'il s'apprête à commencer la publication dès demain. Ils ont eu la peau de mon contact, ce matin, il y a d'autres personnes en danger.

— Ne transporte rien sur toi, fit la voix soudain plus faible et nerveuse. Envoie-le par la poste.

— Je ne m'y fie pas.

— La police. Donne-le à la police.

— Tu n'as pas compris à qui j'avais affaire. Comment savoir de quel côté est la police ?

— Planque-le quelque part.

— Je ne sais même pas à quel point ils en sont de leurs recherches. Je dois l'apporter avec moi : ils tueront toute personne qui l'aura en sa possession, tu comprends ?

Il y eut un silence, puis la voix de Sherbrooke reprit :

— À toi de jouer, Charles. Fais vite. Je t'attends à l'aéroport.

Stone entendit son ami raccrocher. Il se retourna. À côté de lui se tenait la jeune femme, pétrifiée. Et, derrière elle, Mélanie.

Deux minutes plus tard, ils filaient à bord de la Renault par les petites rues du VIᵉ arrondissement, aussi vite que possible mais sans prendre de risques inconsidérés. Il avait été stupide de laisser la Renault garée devant chez lui, mais il avait cru la partie terminée et qu'il l'avait gagnée.

Il était certain de pouvoir semer ses poursuivants. Tout ce qu'il demandait, c'était de les perdre assez longtemps pour déposer Mélanie en lieu sûr. Il avait changé d'idée : c'était trop dangereux de l'emmener avec lui. Elle avait dit que son père avait une maison en Normandie. C'est là-bas qu'elle devait aller.

Stone lui expliqua qu'elle devait prendre un taxi jusqu'à l'hôtel d'Orly où il avait laissé sa propre voiture, elle n'avait qu'à payer le garage et la reprendre pour partir à la campagne. De l'hôtel, elle devrait appeler François de Maupans et insister pour qu'il vienne la rejoindre avec sa femme pour le week-end. Maupans en savait assez : quelques mots d'explication suffiraient à le convaincre.

Dès que tout serait publié dans la presse, elle pourrait refaire surface. C'était l'affaire de quarante-huit heures.

Aux abords du Luxembourg, profitant du réseau complexe de rues à sens unique, il parvint à semer provisoirement ses poursuivants. Il fonça vers la place

Denfert-Rochereau et s'arrêta devant la station de métro, le temps de laisser Mélanie descendre. Elle devrait retourner dans le centre en métro, puis prendre un taxi pour se rendre à l'hôtel d'Orly.

Quelques minutes plus tard, la Peugeot était à nouveau à ses trousses. Impossible de conduire vite. Les embouteillages du vendredi avaient déjà commencé. Il tourna vers l'ouest en direction du XVe arrondissement. Il y avait davantage de possibilités de manœuvres et moins d'encombrements. Après dix minutes de tours et de détours, il pensa les avoir à nouveau semés. Il s'engouffra dans une entrée de garage ouverte et attendit. Rien. Il avait la paix.

Il reprit la route d'Orly. Il était une heure de l'après-midi. Il y avait un vol pour Londres dans une demi-heure. Il ne demandait qu'une chose : l'attraper.

Tout en conduisant, il sentit une étrange sensation l'envahir, qu'il eut d'abord du mal à identifier. D'où pouvait-elle venir ? Il comprit enfin que c'était la satisfaction, une profonde satisfaction. Il avait gagné. Maintenant, la partie était vraiment terminée. Il pouvait sortir de cette semi-clandestinité et s'arrêter pour regarder derrière lui. Il les avait eus. Pas tous, il ne l'ignorait pas. Courman et Dehal n'étaient que les symptômes visibles d'un mal bien plus profond. Mais il ne voulait pas aller plus loin, ça n'aurait servi à rien. Il avait mis le doigt sur ces deux-là. Quant aux autres... il se doutait bien qu'il ne pourrait faire mieux que de Gaulle qui les avait pourchassés et combattus depuis 1940 et n'était parvenu qu'à renforcer et refouler leur haine et leur pouvoir dans un monde parallèle.

Non. Il éprouvait vraiment de la satisfaction. Il repensa aux conversations de Noirmoutier. La satisfaction est un sentiment bourgeois, lénifiant, mais ça n'avait rien de banal : la banalité ne permet pas de sécréter ni de concevoir un sentiment si généreusement nourri de soi-même.

Il arriva à Orly quinze minutes avant l'heure du vol, abandonna sa voiture devant Orly-Sud, les clés sur le tableau de bord, et se rua en direction du comptoir à billets. Il bouscula quelques personnes et annonça sa destination. Une jeune femme tapa sur son clavier. La réponse apparut aussitôt sur les voyants lumineux. Le vol était absolument complet.

— Nous sommes vendredi, dit-elle avec un sourire.

Il y avait un autre vol une demi-heure plus tard. Stone était bien forcé d'attendre.

Comme il ne voulait pas attendre au vu de tous, au risque de se faire repérer, il chercha des yeux les toilettes et s'y rendit. Il y avait là une rangée de vingt cabines rigoureusement identiques. Il pénétra dans une de celles du milieu, referma la porte et s'assit. C'était le seul endroit où il était certain de ne rencontrer personne, ni ami ni ennemi. Durant la demi-heure qu'il resta cloîtré là en silence, il ne fut dérangé qu'une seule fois : un Algérien qui s'occupait du nettoyage s'en vint frapper à sa porte en demandant si tout allait bien. Stone, la mallette d'acier sur ses genoux, assis dans une position rien moins que confortable, répondit que oui d'une voix forte.

Il attendit le tout dernier moment pour quitter les toilettes, donna un franc au gardien et se dirigea rapidement vers le contrôle des passeports, puis vers la salle des départs. Il ne s'y trouvait pas depuis cinq minutes quand un fonctionnaire des douanes s'approcha de lui et lui dit :

— Je suis désolé de vous déranger, monsieur, mais il y a un petit problème avec vos papiers.

— Que voulez-vous dire ?

— Ce n'est rien, monsieur. Une simple formalité. Veuillez me suivre, je vous prie.

Stone le suivit jusqu'au service des douanes où il fut introduit dans un bureau. En franchissant le seuil, il avait le regard baissé. Ses yeux tombèrent sur deux pieds dont l'un portait une chaussure orthopédique. Il leva les yeux. L'homme était vêtu d'un costume marron et portait une barbe.

— Monsieur Stone, nous avons eu bien du mal à vous trouver, dit-il avec un large sourire.

Stone jeta un rapide coup d'œil derrière lui. La sortie était bloquée par le douanier. Soudain, de toutes ses forces, il lui lança la mallette dans l'estomac. L'homme eut un hoquet. Stone le bouscula. La voie était libre. Il se mit à courir. Il entendit crier les policiers du contrôle des passeports. Ils étaient encore trop surpris pour le suivre, mais l'effet de surprise n'allait pas durer. Il pria seulement le ciel que sa Renault fût restée garée là où il l'avait abandonnée, devant le bâtiment. Il entendait déjà courir derrière lui.

Il n'avait pas le temps de se retourner. Il trébucha dans les escaliers, mais réussit à se rattraper en s'agrippant à un homme qui montait. Leurs yeux se croisèrent. Stone sauta les dernières marches. À travers les vitres du hall d'entrée, il aperçut sa voiture. Un policier rôdait autour, sans doute dans l'idée de la faire conduire en fourrière. Stone ne prit pas le temps de s'arrêter pour lui fournir des explications. Il ne regarda pas non plus derrière lui en démarrant. S'il l'avait fait, peut-être aurait-il pu reconnaître la robuste silhouette carrée qui s'agitait au milieu des policiers, les lançant à ses trousses sans qu'ils comprissent pourquoi.

CHAPITRE XXII

Une surprise désagréable. C'est ce que pensa Pierre Dehal quand la carte de Courman fut déposée sur son bureau. Une surprise extrêmement désagréable. La vie était déjà assez difficile sans que les gens se mêlent de ne pas respecter les règles. Une de ces règles était qu'en aucun cas Courman ne devait venir à son bureau. Jamais.

Le général craignait pour sa propre réputation. Ce n'était pas tant le passé de Courman qui le rendait nerveux, non : personne d'autre que lui n'était au courant. C'était son activité présente : Courman était officiellement un homme de l'appareil gaulliste, donc un politicien. Deux tares rédhibitoires aux yeux des gens du quartier général de l'Armée de terre, rue Saint-Dominique.

Plus vite il le recevrait, moins il y aurait de gens pour le remarquer.

La vaste pièce où travaillait Dehal respirait une somptueuse froideur. Courman empoigna le siège le plus inconfortable, s'approcha en claudiquant du bureau du général et s'assit. Il était silencieux, comme toujours, et parfaitement calme.

— Pourquoi êtes-vous venu ici ? Ne pouviez-vous pas téléphoner ?

Courman courba légèrement la tête et raconta tout ce qui s'était passé depuis leur dernière conversation. Dehal gardait un air indifférent. Il prit un ton sarcastique pour conclure :

— Vous voulez dire que vous l'avez retrouvé et perdu par deux fois dans la journée d'aujourd'hui ?

— C'est exact, répondit froidement Courman. En partie à cause d'erreurs, en partie à cause d'un manque de coopération. Tant que je ne disposerai que de moyens limités pour attraper cet homme, il nous échappera. Maintenant, nous avons dépassé ce stade : les petits moyens ne peuvent plus suffire. Si je veux être certain de le retrouver, il me faut le grand jeu.

— C'est-à-dire ?

— Le grand jeu, Dehal. Toute la force publique. Vos amis et les miens ne suffisent plus.

— Les autres ne marcheront jamais. Chaque fois que nous mettons la police dans le coup, il nous faut ensuite en payer le prix. C'est comme une dette qu'il nous faudra leur rembourser. Et c'est également une marque de faiblesse de notre part. Est-ce bien nécessaire ? D'après ce que vous m'avez dit, il n'a que des preuves verbales. Ça peut être étouffé et ne jamais voir le jour en France.

— Non, Dehal. C'est bien pire. Vous souvenez-vous de la lettre que vous m'aviez écrite au sujet de l'affaire Marcotte ?

— Bien entendu.

— Je ne l'ai jamais reçue.

— Vous...

— Vous vous rappelez qu'elle devait m'être transmise par Bertiaud. Il l'a gardée. Il l'a toujours gardée.

— Vous ne m'en aviez jamais parlé.

Courman faillit perdre patience et se pencha en avant sur le bureau :

— Évidemment, idiot. Pour quelle raison aurais-je dû vous le dire ? Vous deviez être le dernier à le savoir.

Dehal se rassit et attendit la suite. Une petite femme de jade traversa son esprit en dansant.

— Bertiaud est mort. C'est Stone qui a la lettre.

Aucune réaction. Ce fut le tour de Courman d'attendre la suite. La réponse de Dehal arriva plus vite qu'il ne l'escomptait.

— De quoi avez-vous besoin ?

— De tout. Je veux que la police et les services des frontières soient placés en état d'alerte. S'ils mettent la main dessus, qu'ils se bornent à le garder en lieu sûr. Pas d'interrogatoire, pas de procès-verbal, rien. Simplement le garder. Ce point est essentiel. C'est de la gendarmerie que nous avons le plus besoin. Si nous pouvons l'intercepter avant qu'il n'atteigne une frontière ou un port, c'est encore mieux. Ce qu'il me faut, c'est un quadrillage complet. Il suffit qu'ils repèrent où il se trouve, mes hommes feront leur travail sans aucune intervention officielle. Je vous suggère de dire que c'est une sorte d'espion. Ça expliquera qu'ils n'aient pas à l'interroger.

— Une fois la gendarmerie dans le coup, vous verrez qu'en un rien de temps l'Intérieur va envoyer la DST s'en mêler. Ceux-là seront plus difficiles à convaincre de se contenter de le garder.

— Si nous ne nous dépêchons pas, il faudra de toute manière faire appel à la DST. En agissant comme j'ai dit, ils ne sauront rien avant que tout soit effectivement terminé.

Une dernière chose. J'ai besoin des plus grandes facilités de mouvement. Mes hommes sont déjà en place. En principe, il y en a un ou il va y en avoir un à chaque point de sortie du territoire. Mais je veux être moi-même à pied d'œuvre pour m'assurer qu'il n'y aura pas de coup fourré. Vous allez mettre un hélicoptère à ma disposition jusqu'à ce que nous en ayons fini.

— Si vous le ratez, Courman...

— Nous sommes l'un et l'autre fichus. Aucun doute là-dessus.

Stone arriva à Boulogne-sur-Mer vers 16 heures. Il avait décidé d'éviter toutes les frontières, les aéroports et même les ferry-boats. L'embarcadère du hovercraft était isolé de la ville et les formalités y étaient réduites. Il arriverait en Angleterre plus vite que par tous autres moyens. Il laissa sa voiture au bord de la route nationale et se dirigea vers le hangar. C'était le dernier jour de juin ; à l'extérieur, d'importants groupes de touristes tournaient en rond au soleil.

Stone se faufila prestement parmi eux, regardant autour de lui avec précaution : il ne vit rien d'inquiétant. Rien. Il se dirigea vers le guichet qui se trouvait à l'intérieur et prit la file d'attente. Soudain, sur le côté, il remarqua deux hommes qui attendaient un peu à l'écart du contrôle des passeports. Ils ne faisaient qu'attendre et regarder. Stone quitta la queue et fit un crochet pour éviter leur regard. Il reconnut leur style. Ceux-là n'allaient nulle part et n'étaient pas des employés. La veste de celui de droite était légèrement renflée à mi-hauteur.

Stone repéra les toilettes derrière lui. Il se glissa à l'intérieur. L'endroit était particulièrement sale et malodorant. Il repensa à la scène de l'aéroport. C'était décidément la journée. En haut du mur, il aperçut une lucarne juste assez large pour le laisser passer, sauf qu'en pivotant sur les charnières de son bord inférieur, elle ne s'ouvrait qu'à demi.

Il sortit un canif de sa poche et dévissa les dispositifs de blocage jusqu'à ce que la fenêtre pût s'abaisser complètement. Il parvint alors à passer au-dehors et rejoignit sa voiture en décrivant un large détour.

Il s'éloigna de Boulogne. Au bout d'une vingtaine de kilomètres, il s'engagea dans un chemin de terre donnant sur la mer et stoppa le moteur. Il y resta un bon moment à réfléchir.

Il avait besoin de temps, mais le temps ne travaillait pas pour lui. Chaque heure qui passait resserrait le piège autour de lui. Il songea à se terrer quelque part, peut-être dans la maison de Maupans à Noirmoutier — une bonne dizaine d'heures de route — voire même à Saint-Benoît. Mais il était maintenant convaincu d'une chose : où qu'il se cachât, ils finiraient tôt ou tard par le découvrir. Il fallait trouver une solution, quelque chose à quoi personne ne s'attendait. Ça, et le temps de prévenir Londres. Quelque chose d'inattendu...

Il tira de sa poche l'adresse que Mélanie lui avait donnée sur un morceau de papier. La maison se trouvait dans le département de la Manche — le bout du monde pour un Français. Jamais ils ne s'attendraient à le voir essayer dans cette direction. Il savait qu'il existait un service de ferry-boat entre Cherbourg et Southampton, et Mélanie ne se trouvait pas très loin de Cherbourg. Il déplia une carte routière. Il en avait pour

307

trois heures de route. Jamais ils ne penseraient à ça : pourquoi aurait-il fait un si long détour ? Pour le seul plaisir d'une longue traversée en bateau ?

Il était 6 heures quand Stone remit le contact et sortit du chemin de terre. Il emprunta les petites routes sillonnant le nord de la Normandie. Il devait rouler à faible allure et s'arrêter toutes les demi-heures pour vérifier qu'il était plus ou moins dans la bonne direction. Sur ces routes, il ne rencontra personne hormis quelques vieilles guimbardes du cru. Il n'aperçut qu'une patrouille de la gendarmerie. L'itinéraire de Stone l'avait obligé à traverser une nationale ; au carrefour, un gendarme surveillait la circulation du vendredi en provenance de Paris.

Il dévisagea Stone au moment où la Renault passait devant lui et lui fit signe de s'arrêter. Stone écrasa l'accélérateur et disparut sur la petite route départementale de l'autre côté du carrefour. Il eut pourtant le temps de voir le gendarme sauter dans sa voiture et se lancer à sa poursuite. Il poussa la Renault au maximum, jusqu'à ce qu'il n'y eût plus trace de phares derrière lui. Puis il s'engouffra dans un sentier de forêt et attendit.

Il y resta environ une heure. Ou bien le gendarme avait renoncé, ou bien il avait pris une mauvaise direction.

Après cette alerte, il fit plus attention. Il devenait évident qu'il n'était plus seulement recherché par une petite organisation, mais par l'ensemble des forces de police. Dans ce cas, plus il circulerait tard dans la nuit, plus il avait de chances d'être tranquille. Il connaissait les forces de l'ordre. La plupart de leurs hommes aiment à se coucher tôt et, même aux époques les plus dramatiques, préfèrent s'agglutiner autour des axes principaux.

Il changea de cap, plongea vers le sud, puis vira à nouveau vers l'ouest. Ce détour lui permit d'éviter de nombreuses agglomérations, surtout dans l'ultime section du trajet à travers la Suisse normande, vallonnée et déserte. Il ne reprit la direction du nord qu'en fin de parcours, gagnant le centre du département de la Manche par de petites routes tortueuses bordées de haies ; il aurait pu se croire dans le sud-ouest de l'Angleterre.

Peu avant 11 heures, il arriva devant le portail d'une sombre demeure. Saint-Lô n'était qu'à quelques kilomètres par la petite route suivant la vallée. Derrière les grilles, il put entrevoir une grande bâtisse en pierre de taille recouverte de vigne vierge.

Il sonna et attendit. Nul ne se montra. Il sonna à nouveau. Le ciel était couvert, il faisait nuit noire. Il parvint néanmoins à trouver un endroit où le mur de clôture était moins haut, et le franchit. De l'autre côté s'étendait une cour dallée qu'il traversa. Il frappa aux volets clos du rez-de-chaussée, puis appela en élevant la voix :

— Mélanie ! C'est moi, Charles Stone.

Il renouvela son appel. Une lumière apparut à une fenêtre des étages, suivie d'une tête qui se retira promptement. Au bout de quelques instants, il entendit une clé ferrailler dans la serrure. Une mince silhouette apparut sur le seuil et vint se jeter dans ses bras.

— Je croyais que c'était eux, dit-elle en se serrant contre lui.

— Où est Maupans ? demanda Stone.

— Il n'a pas pu venir ce soir : il sera là demain matin. (Elle recula et l'examina dans la pénombre :) Que fais-tu ici ?

— J'étais coincé. Ils ont bloqué les postes-fron-
tières.

Sans répondre, elle alla ouvrir le portail, puis la
porte d'un garage. Il y rangea sa voiture et la suivit à
l'intérieur.

Elle alluma la grande pièce du bas qui servait à la
fois de salon et de salle à manger. Elle lui expliqua
qu'ils venaient peu en Normandie. Ça ne valait pas la
peine d'ouvrir toute la maison.

Dans une grande cheminée Louis XIII achevait de
se consumer un feu de bois. Stone y rajouta quelques
bûches et demanda si elle avait quelque chose à manger : il n'avait rien avalé depuis le petit déjeuner.

Elle s'était remise de sa frayeur et, tout à coup, avait
l'air presque joyeuse. Il lui raconta ce qui s'était passé
à Orly, puis à Boulogne, puis sa longue traversée du
Nord de la France.

Quand il lui décrivit son attente d'une demi-heure
dans les toilettes d'Orly et ses contorsions pour franchir la lucarne des lavabos de Boulogne, elle ne put
s'empêcher d'éclater de rire. Son rire fit du bien à
Stone. Il lui demanda de venir s'asseoir près de lui.
Elle apporta une bouteille toute poussiéreuse et deux
petits verres.

Stone considéra la bouteille avec méfiance.

— Un Calvados qu'a fabriqué ici même mon
grand-père. C'est l'âge qui fait cette poussière. Goûte.

L'alcool répandit en lui une douce chaleur qui irra-
dia bientôt tout son corps. Ils en burent chacun trois
verres, assis près du feu, puis montèrent au premier par
un escalier à vis décoré de motifs de stuc.

La chambre où ils dormirent était celle de sa grand-
mère, raconta Mélanie. La pièce était restée telle

qu'elle avait toujours été — le lit encastré dans une alcôve aux lambris magnifiquement ouvragés, surmonté d'un grand crucifix, les draps brodés main de guirlandes de feuilles et de fleurs. La literie était un peu humide, mais ce n'était pas un grand problème : ils ne s'en serrèrent que plus étroitement l'un contre l'autre. Sur la pièce veillaient des statues de saints dressées entre des rangées de livres ; des housses recouvraient tous les meubles.

Malgré l'obscurité, Stone put reconnaître une statue de bois peint de la Vierge. Un faible rayon de lune éclairait ses bras étendus, son sourire de paix et de résignation infinies, à moins que ce ne fût de surprise et d'espérance déçue.

Ils étaient seuls, absolument seuls, ce soir-là plus que jamais peut-être. Blottis l'un contre l'autre entre ces draps de toile de fil, dans cet univers d'antan, ils avaient l'illusion d'être ensemble. C'étaient leurs corps qui sécrétaient cette illusion — ardents et avides comme si la spontanéité de leur élan était capable de briser les barrières de la solitude et de créer une véritable union.

Stone tira les draps au-dessus de leurs têtes, bannissant le monde extérieur et les saints qui les contemplaient du haut de leurs perchoirs. Comme des enfants se débattent contre des fantômes dans une caverne imaginaire, ils se débattaient eux aussi contre leur angoisse, leurs appréhensions, leur fébrilité. Il sentit sous les draps les doux parfums du corps de Mélanie qui se tendait vers lui, prêt à l'accueillir. Son ventre se durcit, presque tremblant contre elle. Il promena longuement ses lèvres autour de ses yeux, de son nez, puis l'embrassa. Leur bouche avait gardé l'arôme sec de l'alcool.

Il se dégagea doucement, se pencha pour déposer un baiser sur chacun de ses seins, promena sa langue sur la délicate déclivité de son torse, sur la plaine de son ventre, puis vers la chaude blessure ouverte. Elle frissonna, l'attira sur elle, l'emprisonna entre ses cuisses. Il la pénétra et se sentit de retour chez lui. C'était une de ces nuits à rentrer chez soi, à rester chez soi.

Elle s'assoupit dans les bras de Stone. Plus avant dans la nuit, elle s'éveilla à nouveau sous ses caresses. Chacun oublia du mieux qu'il put sa propre solitude.

Le lendemain matin, Stone pria Mélanie de téléphoner à Cherbourg. Il y avait un ferry-boat qui partait à 13 heures, un bateau anglais. C'est tout ce qu'il voulait savoir.

Il composa le numéro de Williams à Londres. On était samedi, mais il était certain de le trouver à son journal. Le rédacteur en chef prit aussitôt la communication et, sans attendre les explications de Stone :

— Où es-tu ?

— Je n'ai pas pu quitter la France. Leurs barbouzes étaient partout, à l'aéroport et même à Boulogne. Je suppose qu'ils m'attendent à toutes les sorties. La police est aussi dans le coup.

— La police ?

— Tout ce foutu pays est sur les dents.

— Sherbrooke est à côté de moi. Nous pensions qu'ils avaient réussi à t'avoir. Nous étions sur le point de publier un article pour réclamer une enquête.

— Non, pas maintenant, pas encore. Je suis tout près de Cherbourg. Je vais essayer de prendre le ferry-boat de 13 heures. C'est un bâtiment anglais et je voudrais que tu prépares tout de ton côté. Je ne peux pas prendre le risque de passer par les bureaux français. Que le commandant sache que je vais embarquer à son bord. Il se peut que je doive le faire sans demander la permission.

— Que veux-tu dire ?

— Je n'en sais rien encore. Il faudra que je voie sur place.

Il raccrocha et se tourna vers Mélanie :

— Je dois partir d'ici à 11 heures 30. Il ne sera pas question de flâner en route. Le meilleur moment pour arriver et embarquer sera le tout dernier moment. Est-ce qu'il y a des armes ici ?

Elle le conduisit dans une pièce où se trouvait une collection de fusils de chasse et de carabines rangés sur des râteliers. Il ouvrit un tiroir dans lequel il découvrit un pistolet noir, la crosse incrustée d'une plaquette de bois sur chaque face. Il le soupesa :

— Qu'est-ce que c'est ?

— Il était à mon père dans la Résistance. Je pense qu'il avait dû le prendre à un Allemand.

C'était une arme de fabrication espagnole, un Star. La crosse contenait un chargeur de huit balles ; il se réarmait par simple recul de la glissière. Stone trouva également une boîte de cartouches. Elles semblaient en parfait état.

Il referma la porte, s'attabla près du feu et s'appliqua à démonter l'arme et à la nettoyer. Mélanie lui raconta que son père l'utilisait encore de temps à autre.

L'arme nettoyée et remontée, Stone demanda :

— Où est-ce que je pourrais l'essayer ?

Elle le conduisit vers un grand jardin à l'abandon et d'un vert dense comme toute la campagne alentour. Le jardin donnait sur un verger de pommiers qui dominait la vallée. Il ramassa huit cailloux qu'il déposa sur une murette. Il se plaça à dix pas et se mit à tirer. Il manqua les trois premiers et elle se mit à rire dans son dos. Il se retourna et éclata de rire à son tour. Cet exercice de tir avait quelque chose de ridicule au beau milieu de cette campagne paisible de Normandie, au cœur d'une nature on ne peut moins agressive. Il alla l'embrasser puis retourna à ses cibles. Deux des trois derniers tirs firent mouche.

— Où sont rangés les outils dans cette maison ?

Elle le conduisit vers un appentis, y ouvrit une sorte de bahut. Il fouilla à l'intérieur, trouva une lime mais la reposa ; il chercha encore et finit par en trouver une autre, beaucoup plus petite.

Ils retournèrent devant la cheminée. Il disposa huit balles sur la table et se mit avec sa lime à tracer une sorte de X sur leur ogive.

Elle le regarda d'un air interrogateur.

— C'est comme le coup du Ritz, un très vieux truc, illégal depuis la guerre des Boers. Ce sont les Anglais qui l'ont inventé aux Indes, dans un endroit appelé Dum-Dum. Le X produit un curieux effet dès que la balle frappe quelque chose. Au lieu de continuer à perforer la cible, le projectile explose en mille morceaux. Le résultat est horrible ou très efficace, tout dépend du point de vue. Pour ce qui me concerne, ça servira à compenser mon manque d'entraînement et mon éventuelle infériorité numérique.

CHAPITRE XXIII

Au moment où Stone introduisait le chargeur dans la crosse, le téléphone se mit à sonner.

— François est le seul à savoir que tu es ici, n'est-ce pas ?

Mélanie acquiesça.

— Réponds. Tu peux toujours prétendre que tu es la femme de ménage.

Ils montèrent jusqu'au palier du premier étage où se trouvait le téléphone, dans un léger renfoncement. Stone décrocha, tendit l'appareil à Mélanie et prit l'écouteur.

— Allô, allô...

Ils retinrent leur souffle.

— Allô, est-ce que madame Vincens est là ?

C'était la voix de Maupans.

— François, qu'y a-t-il ?

— Dieu merci, vous êtes là. Écoutez, il est arrivé quelque chose. Êtes-vous seule ?

— Comment ?

— Est-ce que Charles est avec vous ?

Stone s'empara du combiné et répondit brièvement :

— Que se passe-t-il ?

— Je ne sais pas. Au moment où nous nous apprêtions à partir pour rejoindre Mélanie, j'ai reçu un coup de téléphone. C'était son père. Il voulait savoir si elle se trouvait en Normandie. Après coup, j'ai trouvé ça plutôt bizarre. Je veux dire que cette voix ne me semblait pas être la sienne, pas celle d'un homme malade. Je l'ai donc rappelé et il ne savait pas de quoi je voulais parler.

— Tu as dit qu'elle était ici ?

— Je pensais que Mélanie lui avait parlé de ce week-end. Oui, j'ai confirmé, mais celui qui m'a appelé semblait parfaitement au courant. Je n'arrive pas à comprendre.

— Il y a combien de temps ?

— À peine un quart d'heure. Il leur faudra du temps pour arriver. Qu'est-ce qui ne va pas, Charles ?

— Tout dépend de l'endroit d'où ils partiront.

Stone raccrocha sur ces mots.

— Allons-nous-en d'ici. Te voici forcée de venir avec moi : ils arrivent.

Ce que Maupans n'arrivait pas à comprendre était pourtant simple.

Grâce au numéro de la Renault, la police avait retrouvé l'origine de la voiture, louée à l'hôtel d'Orly. Un inspecteur avait aussitôt rendu visite au gérant, lequel lui avait confirmé que son client était bien Stone. Il ajouta qu'il avait laissé sa propre voiture au garage.

Elle y était encore ?

Non. Une femme était venue payer la note et était repartie avec la voiture dans l'après-midi.

Son nom ?

On l'ignorait : elle avait payé en espèces.

L'inspecteur, instruit par l'expérience, avait continué à harceler son témoin. Très souvent, les innocents eux-mêmes oublient des détails. Le gérant commençait à se faire du mauvais sang et convoqua divers membres du personnel : c'était un jeune homme ambitieux, il ne désirait pas s'attirer d'ennuis.

Un employé de la réception se souvenait que la femme avait donné un coup de téléphone.

Est-ce qu'ils avaient noté le numéro ?

Naturellement. Tous les numéros étaient enregistrés. Ça faisait partie de la bonne tenue des livres.

Ils montrèrent le registre à l'inspecteur qui nota le numéro. Il se révéla correspondre à celui d'une petite société. La police transmit aussitôt l'information au général Dehal sous pli cacheté que celui-ci fit transmettre à Courman sans même l'ouvrir : il n'avait pas l'intention d'entrer dans des détails aussi désagréables.

Cela se passait en début de soirée.

Courman rechercha le sigle de l'entreprise dans un annuaire spécialisé et identifia son propriétaire, un certain François de Maupans. Sur la liste des gens que Stone avait rencontrés depuis qu'il était filé, le nom de Maupans figurait à deux reprises.

Courman se doutait bien que la femme d'Orly était Mélanie Vincens. Simple déduction : Stone avait quitté son appartement en sa compagnie et était arrivé seul à l'aéroport.

Enfin, plus tard dans la soirée, Courman reçut un rapport de la gendarmerie. Au vu de ce rapport, il décida aussitôt de transférer son quartier général au cœur de la Normandie : sur un terrain militaire proche de Caen.

À bord de l'hélicoptère, Colbert à ses côtés, les traits indiscernables dans les ténèbres, Courman se mit à examiner la situation sous tous les angles.

Stone, apparemment, s'éloignait de Boulogne en direction du sud-ouest. Avait-il été effrayé ? Où allait-il ? Courman pensa soudain à une chose : où allait Mélanie Vincens avec la voiture de Stone ? Il se pencha et demanda au pilote de lui allumer le plafonnier. Il sortit d'un dossier un rapport de Peduc consacré à Mélanie. Ses yeux s'arrêtèrent sur la dixième ligne. Une maison en Normandie.

D'après les estimations de Stone, Cherbourg était à une heure et quart de route. C'est ce qui l'avait incité à ne vouloir partir qu'à 11 h 30, pour embarquer au tout dernier moment.

Ils durent quitter la maison vers 11 heures. Il valait mieux partir et rouler à petite vitesse plutôt que de risquer d'être faits comme des rats en restant sur place. En étudiant une carte détaillée trouvée dans la maison, il choisit d'emprunter une petite route qui serpentait vers le nord et évitait les agglomérations.

Avant de franchir le portail, il avait armé le pistolet, montré à Mélanie comment ôter le cran de sûreté, au cas où il aurait besoin d'en faire usage rapidement, et il déposa l'arme sur ses genoux. Le contact de cet objet de métal noir la rendit nerveuse. Stone lui donna un baiser et lui recommanda de ne pas lâcher l'arme, de façon à éviter qu'un choc ne libère le cran de sûreté.

Le ciel s'était couvert et le crachin normand s'était mis à tomber alors qu'ils refermaient la maison et le portail ; ils s'engagèrent sur le chemin vicinal.

Cinq minutes plus tard, une voiture déboucha de la direction opposée et stoppa devant l'entrée. Les hommes qui se trouvaient à l'intérieur venaient de Saint-Lô. L'un d'eux était un ancien milicien ; l'autre, un des derniers contrebandiers de la région. Ils franchirent le mur de clôture et forcèrent la porte de la maison. Ils procédèrent à une fouille rapide dont ils transmirent aussitôt les résultats à Courman — déjà à Caen — en lui téléphonant sur le palier du premier étage. Ils n'avaient pas grand-chose à dire : la maison était vide. L'Alpine était partie, la Renault était encore là. Le feu achevait de se consumer dans la cheminée. Si Stone avait séjourné ici, il venait à peine d'en partir. Sans doute à bord de sa propre voiture.

Courman leur dit de rouler aussi vite que possible vers le nord, jusqu'à Carentan, et de l'appeler dès leur arrivée. Tout en alertant la police, il gardait les yeux fixés sur la carte du Cotentin, sur Cherbourg en particulier. Puis il se dirigea vers l'hélicoptère, Colbert toujours à ses côtés.

Stone ne disait mot. Il conduisait avec prudence, à faible allure, attentif au moindre signe de danger. De temps à autre, il se tournait vers Mélanie qui avait recouvré son sang-froid et souriait. Elle était vêtue d'un chandail et d'un blue-jean, sa tenue de week-end, et ses cheveux étaient simplement tirés en arrière. À sa manière résignée, elle paraissait presque heureuse, presque autant que Stone lui-même. Celui-ci sentait encore en lui un fond de satisfaction. Mélanie tenait fermement le pistolet dans sa main droite posée sur ses genoux. Elle avait mis sa main gauche sur la cuisse de Stone.

À proximité du village de Saint-Jaurès, Stone aperçut un gendarme. Il venait de sortir du café du village. C'était un coup de malchance : il ne l'avait vu qu'au tout dernier moment et ne pouvait plus changer de direction. Il ne leur restait plus qu'à continuer comme si de rien n'était.

Il n'était pas certain que le gendarme les eût remarqués. Peut-être celui-ci ne faisait-il pas partie des patrouilles lancées à leur poursuite par Courman. De toute façon, ils étaient passés ; un tournant de la route les empêcha de voir si l'homme avait réagi.

Mais Stone ne voulait pas courir de risques inutiles. Il changea une nouvelle fois d'itinéraire, obliqua vers l'est sur une quinzaine de kilomètres, augmentant légèrement la vitesse pour ne pas trop perdre de temps. Puis il reprit la direction du nord vers Cherbourg et se mit à ralentir.

Il était 11 h 30. Ils avaient couvert le tiers du trajet.

Le gendarme les avait remarqués. Il alla jusqu'à sa voiture et, par radio, informa qu'il avait vu une Alpine bleue traverser le village et se diriger vers le nord-est. À l'intérieur, il avait aperçu deux passagers, un homme et une femme : probablement les suspects. Dix minutes plus tard, le message était retransmis aux deux hommes qui avaient appelé Courman de Carentan où ils attendaient ses instructions.

Ils décidèrent de se diriger vers le nord-ouest pour intercepter Stone. De fait, ils ne tardèrent pas à rouler sur la même route, mais dans la direction opposée.

Stone ne fut pas surpris de voir une voiture les croiser, freiner brutalement, puis faire demi-tour derrière eux. Il ne s'attendait pas qu'ils l'aient oublié. C'était même un de ses motifs de satisfaction d'avoir retrouvé sa propre voiture.

Mais, sur ces petites routes, l'avantage de la vitesse était insuffisant pour semer leurs suiveurs. Étroites et sinueuses, elles masquaient davantage qu'elles ne laissaient voir. Au cours des sept minutes qui suivirent, Stone ne put apercevoir que furtivement le véhicule de leurs poursuivants, soit derrière eux dans les rares tronçons en ligne droite, soit au-dessous d'eux quand ils gravissaient une côte. À chaque fois, pourtant, l'écart augmentait et ils ne tardèrent pas à les perdre de vue.

Roulant à même vitesse, il changea à nouveau de direction. Ils n'étaient plus qu'à une cinquantaine de kilomètres de Cherbourg et les choix devenaient limités.

Un désir effréné d'accélérer et d'arriver au bateau grandissait en lui, mais il s'efforça de le contenir. Il savait que le tout dernier moment était encore le meilleur moment pour arriver. Pourtant, à présent que les axes routiers grouillaient des hommes de Courman, il devenait dangereux de rouler trop lentement. Il décida de s'engouffrer un moment dans un bois près de Briquebec, puis de repartir d'une seule traite pendant les toutes dernières minutes. Pendant cet arrêt, il prit le pistolet des mains de Mélanie, ôta le cran de sûreté, vérifia que l'arme était bien chargée, puis remit la sécurité. Il recommença la même opération à plusieurs reprises, jusqu'à ce que Mélanie l'arrête, lui confisque le pistolet et mette sa main dans la sienne. Il lui sourit, baissa la tête et reprit son attente. Ils étaient dans un bois de pins. Il abaissa la vitre de son côté et regarda la pluie fine tomber avec lenteur sur le sol recouvert d'aiguilles.

Petit-Colbert avait pris un risque calculé. Ce qu'il avait l'habitude d'appeler un choix raisonné. Dès son arrivée à Cherbourg en compagnie de Courman, il avait reçu le rapport du gendarme de Saint-Jaurès. Il avait étudié la carte du Cotentin et soupiré en regardant le dédale de routes secondaires qui séparait ce village de Cherbourg.

Mais il avait reçu peu après le dernier rapport des deux hommes de Saint-Lô indiquant l'endroit où ils avaient perdu la trace de Stone. Ils s'étaient mis aussitôt en quête d'un téléphone.

Il consulta à nouveau la carte. Il y avait encore un choix étendu d'itinéraires. Il regarda plus attentivement, essayant de s'y retrouver dans le réseau de lignes blanches et jaunes. Il était certain que Stone éviterait les axes principaux. De toute manière, ils étaient déjà barrés par la police.

Ses doigts continuaient de parcourir la carte. Soudain, ils s'arrêtèrent machinalement. C'était là. À vingt-cinq kilomètres de la ville. Il y avait là une courte section où il ne restait de choix qu'entre deux routes secondaires. Il examina leur disposition et jeta son dévolu sur celle qu'il aurait prise s'il avait été à la place de Stone. Puis, comme en hommage à l'intelligence supérieure de Stone ou à son esprit retors, il opta pour l'autre.

C'était un tronçon de route sans aucun croisement sur plus de six kilomètres. Colbert s'y rendit en voiture, le parcourut lentement et finit par trouver une ligne droite suffisamment longue. Il gara sa voiture dans un chemin de terre et se mit en quête d'un bon poste d'observation parmi les arbres. Sa main droite tenait un fusil.

Ce n'était pas une arme dernier modèle, rien de très perfectionné. Ça n'était qu'un 303 dont il se servait depuis des années. Un véritable ami : il connaissait toutes ses faiblesses et tous ses défauts. Colbert y avait adapté une lunette de haute précision. Dans l'intérêt de la science.

Il choisit un emplacement qui lui permettait de voir une bonne portion de la route. S'il s'y prenait assez rapidement, il aurait le temps de faire feu à trois reprises. Colbert assura ses pieds dans la terre détrempée, pour être certain de ne pas glisser, puis il ne bougea plus. Il abaissa les bras et attendit, nerfs et muscles relâchés, ombre impassible perdue dans la bruine.

Dix minutes plus tard, un faible bruit de moteur se fit entendre. Il leva son fusil, visa la partie la plus éloignée de la route et ôta le cran de sûreté.

L'Alpine surgit à l'horizon. Elle roulait à toute allure, cent quarante à l'heure peut-être. À l'intérieur, deux silhouettes. Colbert prit le conducteur dans la ligne de mire, puis la tête du conducteur. Il appuya sur la détente.

Une brève explosion lui fit tourner la tête à gauche. Mélanie vit Stone se cambrer puis s'effondrer sur le volant. Son pied avait quitté l'accélérateur et dérapa vers le frein. Mélanie fut projetée contre le pare-brise fendillé et la voiture se mit à tanguer. Elle zigzaguait sur la route, mais le poids de Stone sur le volant la maintenait dans la bonne direction.

La voiture s'arrêta de biais sur la bordure de gravillons. Mélanie se rejeta en arrière sur son siège. Stone demeurait immobile, penché en avant. Elle regarda autour d'elle. Une silhouette avait émergé de la lisière des bois, à une centaine de mètres de là. Elle abaissa de nouveau les yeux sur Stone, tendit vers lui sa main gauche et le secoua légèrement. Il ne bougeait toujours pas.

Elle sentit un hurlement irrépressible lui monter à la gorge. Elle s'acharna à le contenir et releva la tête. La silhouette était à une cinquantaine de mètres, sombre et luisante sous la pluie. Elle scruta les mains de la silhouette placidement tendues en avant et y reconnut un fusil.

Ses doigts se mirent à se crisper. Elle appela Stone par son nom, s'arrêta, voulut ouvrir la portière pour s'enfuir en courant, s'aperçut qu'elle tenait quelque chose à la main. Surprise, elle abaissa les yeux : les doigts de sa main droite étreignaient toujours le pistolet. Elle le contempla fixement, essaya de se rappeler, d'en retrouver trace dans son souvenir. Elle se retourna puis regarda de nouveau au-dehors. Elle pouvait discerner les yeux de l'homme braqués dans sa direction : ils exprimaient une certaine curiosité.

Elle baissa les yeux, posa un doigt sur le cran de sûreté. Poussa. Poussa plus fort. Le cran céda. Elle leva le pistolet en direction de la masse sombre à vingt mètres de là et tira.

Elle vit l'homme s'arrêter, surpris, baisser la tête. Sur son ventre, il y avait un grand trou rouge, rond, de plusieurs centimètres de diamètre. Elle tira de nouveau. La gorge de l'homme s'ouvrit sous ses yeux comme une grenade trop mûre. Elle tira une troisième fois, inutilement : le corps était déjà hors de la ligne de mire, effondré dans l'herbe.

Elle arma le pistolet une quatrième fois, remit la sécurité, puis le reposa soigneusement sur le tableau de bord. Elle secoua Stone : il ne fit pas un mouvement.

Elle descendit de voiture et tenta de le déplacer de son siège. Il était lourd, sans réaction. Elle le souleva du volant, prit ses jambes l'une après l'autre et les poussa vers le siège du passager. Elle le fit alors bouger avec plus de facilité et parvint à l'installer à la place qu'elle occupait précédemment. Elle se mit au volant.

Elle ne garda aucun souvenir des derniers vingt-cinq kilomètres qui la séparaient de Cherbourg. Elle roula à toute allure. Elle eut la vague impression d'entrevoir une voiture de police à un moment donné, mais elle l'oublia presque aussitôt.

Elle traversa la ville sans difficulté et ne s'arrêta qu'une fois arrivée à l'entrée de la zone d'embarquement réservée aux ferry-boats. Entre le bateau et la voiture s'étendait une grande aire cimentée à peu près déserte. Cette fois, elle distingua nettement trois hommes qui s'approchaient, et un autre homme en uniforme qui regardait dans sa direction et ouvrait la bouche pour lui crier de s'arrêter. Elle ne remarqua pas, sur le côté, un homme barbu en complet marron qui attendait placidement la suite des événements.

Une voiture venait de disparaître en haut de la rampe conduisant au bateau. À quelques mètres derrière elle, un autre véhicule s'apprêtait à s'y engager.

Mélanie écrasa en même temps l'accélérateur et le klaxon. Deux des hommes qui s'approchaient bondirent de côté tandis qu'elle faisait une embardée sur le ciment humide. Elle passa au ras de l'autre véhicule, contraint de freiner brusquement, enfila la rampe à soixante-dix à l'heure, les roues touchant à peine la surface métallique, et s'en vint fracasser une barrière au beau milieu de la cale.

Elle sauta hors de la voiture, étreignant la poignée de la mallette d'acier, et claqua la portière derrière elle. Puis elle eut l'air de chercher quelque chose alentour.

Elle vit le policier courir à travers l'aire d'embarquement, en direction du bateau. L'un des trois hommes avait déjà atteint la rampe, bousculant un officier de bord. Elle tourna la tête. Sur le sol, elle aperçut de grandes flèches peintes en jaune.

Elle essaya de voir quelles directions elles indiquaient. Son regard tomba enfin sur une flèche accompagnée de la mention « PONT ».

Un marin s'approchait d'elle. Elle le bouscula et se précipita vers l'écoutille.

De l'autre côté, elle trouva un escalier qu'elle gravit quatre à quatre. Tout en haut, une autre porte qu'elle poussa d'un coup d'épaule. C'était celle donnant sur le pont supérieur. Elle entendit des pas résonner sur les marches de métal au-dessous d'elle. Elle se précipita sur le pont en direction de la proue.

Tout à l'avant, elle buta contre une barrière : derrière elle, une porte était ouverte. Elle parvint à se glisser sous la barrière et s'introduisit dans le poste de pilotage. Devant elle se tenait un homme en uniforme. C'était un homme mûr, solidement charpenté.

Elle hoqueta :

— Vous êtes le capitaine ? (Il la regarda, surpris, et fit oui de la tête.) Je viens de la part de Charles Stone.

— Stone, je suis au courant. Où est-il ?

— En bas, dans la voiture, mort. Voici tous ses papiers.

Elle lui tendit la mallette.

Il n'était pas encore remis de sa surprise. Il regarda Mélanie, puis commença à reprendre ses esprits et boucla les portes de part et d'autre du poste de pilotage. Il posa la mallette à terre et décrocha le téléphone de bord.

En un rien de temps, il fit barrer la rampe d'accès et ordonna à tous les fonctionnaires français de descendre à terre. Le second vint signaler que trois voitures n'avaient pas encore eu le temps d'embarquer.

— Tant pis, coupa le capitaine.

Quand il s'en retourna auprès de la jeune femme, il la trouva assise sur le plancher, le visage enfoui dans ses mains. Il pensa tout d'abord qu'elle pleurait. Mais non : elle leva les yeux sur lui et lui rendit son regard. Des yeux qui ne posaient aucune question. Qui ne proposaient aucune réponse.

ÉPILOGUE

Williams et Sherbrooke attendaient l'arrivée du bateau à Southampton, accompagnés d'un groupe de policiers qui montèrent à bord et retinrent deux passagers pour interrogatoire.

Le même samedi, dans la soirée, Williams reçut des menaces par téléphone ; on lui conseillait d'arrêter là la publication. Moins d'un quart d'heure après son refus, des coups de feu furent tirés dans les fenêtres de sa maison de Londres. Dans la journée du dimanche, les bureaux du journal furent cambriolés. Rien ne fut emporté. Apparemment, les voleurs cherchaient quelque chose qu'ils n'avaient pas trouvé.

Le lundi, Williams commença par publier un rapide résumé de l'assassinat de Marcotte et de la mission que s'était assignée Charles Stone. Il n'est pas certain que Stone se serait reconnu dans le personnage de preux chevalier ainsi servi aux lecteurs. Mais là n'était sans doute plus la question.

Une semaine plus tard, nulle famille ne se manifestant, le corps de Stone fut inhumé au cimetière de Chelsea, nécropole à l'ancienne mode, verdoyante et peuplée de poètes oubliés et de bienfaiteurs de l'ère victorienne. L'assistance était peu nombreuse. Il y avait Williams, Sherbrooke et sa femme, Mélanie, et Maupans qui avait tenu à venir, ainsi que quelques figures étranges d'amis londoniens de Stone, sans doute : ils avaient lu les journaux.

Mélanie ne quitta l'Angleterre qu'au bout de six mois. De retour à Paris, elle apprit qu'elle avait perdu son travail. Il lui fut officieusement confirmé qu'il y avait eu trop de bruit autour de cette affaire ; ses supérieurs estimaient devoir se passer d'une collaboration qui attirait fâcheusement l'attention. Williams lui offrit un emploi dans ses bureaux parisiens.

Le général Pierre Dehal ne devint jamais chef d'état-major de l'Armée de terre. Certaines pressions émanant des sphères gouvernementales l'incitèrent à offrir sa démission un an après. La fraternelle mafia qu'il avait si bien servie lui rendit à son tour service et lui trouva une place de choix à l'état-major d'une grande entreprise nationalisée.

Le ministre de la Défense en exercice tira un bon parti du scandale. Il sauta sur cette occasion pour réduire les pouvoirs du chef d'état-major général, les amputant de ceux que Marcotte avait légués à ses successeurs, et il nomma une dernière fournée de généraux gaullistes fidèles.

Mais il fut bientôt remplacé par des ministres qui n'avaient guère son expérience dans les rapports avec les milieux militaires. Au sommet de la pyramide, le nouveau président de la République et ses premiers ministres successifs témoignèrent d'une semblable inexpérience et d'une égale vulnérabilité.

Ils en vinrent même à nommer un nouveau secrétaire d'État à la Défense nationale, un général d'active. Celui-ci ne tarda pas à tenir la dragée haute à son propre ministre.

Un de ses premiers actes consista à encourager vivement les responsables politiques à redonner au chef d'état-major général les pouvoirs que Marcotte avaient payés de sa vie et qui avaient été repris quatre ans plus tard. Mais, en 1974, il restait bien peu de gaullistes ou d'« opportunistes ambitieux » pour en bénéficier. Ils avaient fait leur temps, et l'impérissable souche du corps des officiers reçut alors l'héritage qui, depuis plus de trente ans — depuis son ralliement à Pétain et la collaboration avec les Allemands —, lui avait toujours été refusé.

Restait Courman. Du quai d'embarquement, il avait assisté impuissant au départ du bateau qui emportait les documents. Ses efforts pour le retenir au port aboutirent avec cinq minutes de retard. Tombé en disgrâce, il fut obligé d'abandonner ses bureaux et son rôle à l'intérieur de l'UDR.

Il se dit que ce n'était pas la première fois, et, jusqu'en 1974, consacra toute son énergie à consolider son organisation. À la mort du président Georges Pompidou, il fut l'un des tout premiers à offrir ses services aux giscardiens, vainqueurs potentiels mais non encore confirmés.

Ceux-ci manquaient de toute l'infrastructure nécessaire, d'« enracinement », ou, plus exactement, de ce que Courman appelait les « tournevis » et « tire-bouchons » indispensables au contrôle du pays. On l'accueillit à bras ouverts.

Il est devenu — ou plutôt redevenu — un des hommes forts du pouvoir.

Rivages poche / Bibliothèque étrangère

Harold Acton
Pivoines et Poneys (n° 73)

Sholem Aleikhem
Menahem-Mendl le rêveur (n° 84)

Jessica Anderson
Tirra Lirra (n° 194)

Reinaldo Arenas
Le Portier (n° 26)

Quentin Bell
Le Dossier Brandon (n° 102)

Stefano Benni
Baol (n° 179)

Ambrose Bierce
Le Dictionnaire du Diable (n° 11)
Contes noirs (n° 59)
En plein cœur de la vie (n° 79)
En plein cœur de la vie, vol. II (n° 100)
De telles choses sont-elles possibles ? (n° 130)
Fables fantastiques (n° 170)
Le moine et la fille du bourreau (n° 206)

Paul Bowles
Le Scorpion (n° 3)
L'Écho (n° 23)
Un thé sur la montagne (n° 30)

Emily Brontë
Les Hauts de Hurle-Vent (n° 95)

Robert Olen Butler
Un doux parfum d'exil (n° 197)

Ethan Canin
L'Empereur de l'air (n° 109)
Blue River (n° 157)

Truman Capote
Un été indien (n° 9)

Rivages poche /Petite Bibliothèque
Collection dirigée par Lidia Breda

Épictète
Manuel (n° 132)
Euripide - Sénèque
Médée (n° 211)
Sigmund Freud - Stefan Zweig
Correspondance (n° 166)
Witold Gombrowicz
Cours de philosophie en six heures un quart (n° 171)
Baltasar Gracián
L'Art de la prudence (n° 116)
Hésiode
Théogonie, la naissance des dieux (n° 83)
Hippocrate
Sur le rire et la folie (n° 49)
Airs, eaux, lieux (n° 174)
Jean
Apocalypse (n° 165)
Hans Jonas
Le Concept de Dieu après Auschwitz (n° 123)
Le Droit de mourir (n° 196)
Karl Kraus
La Littérature démolie (n° 92)
Longin
Du sublime (n° 105)
Lucien
Philosophes à vendre (n° 72)
Montaigne
De la vanité (n° 63)
Montesquieu
Essai sur le goût (n° 96)
André Morellet
De la conversation (n° 169)
Friedrich Nietzsche
Dernières Lettres (n° 70)
Ortega y Gasset
Le Spectateur (n° 80)

Achevé d'imprimer sur rotative
par l'Imprimerie Darantiere à Dijon-Quetigny
en mars 1997

Dépôt légal : 1er trimestre 1997
N° d'impression : 97-0229